COMPRENDRE ET DÉVELOPPER LES ORGANISATIONS

Méthodes d'analyse et d'intervention

COMPRENDRE ET DÉVELOPPER LES ORGANISATIONS

Méthodes d'analyse et d'intervention

YVAN BORDELEAU, Ph.D.

Professeur titulaire

Psychologie industrielle et organisationnelle
Département de Psychologie, Université de Montréal

Agence d'ARC Inc. (les éditions)
L'ÉDITEUR DES PME
6872, rue Jarry est, Montréal (Québec) H1P 3C1
(514) 321-0241

La photocomposition, le montage ainsi que la figuration technique de cet ouvrage furent la responsabilité de «Productions André Ayotte», Charlemagne (Québec).

© Copyright - Ottawa 1987
Agence d'ARC Inc. (les éditions)

Dépôt légal: 3e trimestre 1987
Bibliothèque Nationale du Canada
Bibliothèque Nationale du Québec

ISBN 2-89022-117-2

Pour progresser, il ne suffit pas de vouloir agir, il faut d'abord savoir dans quel sens agir.

Gustave LeBon (1841-1931)

Préface

Souvent, en milieu organisationnel, on est porté à croire que la recherche n'a pas vraiment sa place, que le succès en gestion tient plus de l'art que de la science et qu'une bonne décision relève plutôt de l'intuition que de la quête systématique et judicieuse d'informations pertinentes à la prise de décision. D'ailleurs, les médias véhiculent souvent cette conception anecdotique du monde des affaires qui associe le succès des figures dominantes à leurs seules habiletés à tirer profit de façon quasi magique de conjonctures particulières. On y considère aussi que l'efficacité organisationnelle est associée à la propension du gestionnaire vers l'action plutôt que vers la réflexion, souvent jugée stérile et improductive.

Pourtant cette perception de la réalité organisationnelle est fort déficiente et essentiellement fondée sur deux prémisses erronées. La première a trait à la distinction factice qui amène à considérer la gestion comme un art plutôt qu'une science. Certes, particulièrement en gestion, art et science ne s'opposent pas. En même temps que l'on peut s'inspirer de gestionnaires modèles, faisant preuve de talents peu communs et qui ont su faire de leur pratique un art, il faut reconnaître que l'approche scientifique à la gestion, pratiquement inexistante il y a 50 ans, a connu une croissance fulgurante. Tributaire de sciences de base aussi distinctes que la psychologie, l'anthropologie, la sociologie, les mathématiques, les sciences économiques, etc., cette science appliquée par excellence a su se doter d'un corps de connaissance qui lui soit spécifique et qui ne peut, non plus, être ignoré par celui qui aspire au statut de professionnel de la gestion.

La seconde déficience d'un tel jugement tient au fait que l'on dissocie inopinément la réflexion de l'action, l'analyse de l'intervention. Encore une fois, ces deux paramètres ne s'opposent pas. Il s'agit là plutôt de deux composantes fondamentales d'un processus de prise de décision adéquat. Toute action organisationnelle valable résulte nécessairement d'une analyse pertinente, toute intervention judicieuse est l'aboutissement normal d'un processus ayant permis au gestionnaire de mieux comprendre la réalité sur laquelle il agit.

Avec une préoccupation constante d'améliorer sa productivité pour mieux soutenir sa position concurrentielle, l'entreprise d'aujourd'hui reconnaît de plus en plus la recherche appliquée comme un des moyens privilégiés pour accroître son efficacité dans des domaines aussi divers que la gestion de sa production et de ses marchés, la gestion de ses ressources humaines et même sa planification stratégique. Gérer dans un tel contexte, c'est d'abord savoir analyser les problèmes organisationnels avec une rigueur de pensée et une méthodologie appropriée, s'inspirant en cela des enseignements propres à la démarche scientifique. C'est aussi savoir utiliser l'information obtenue dans la mise en oeuvre d'un programme d'intervention réaliste et efficace, s'inscrivant alors dans la plus pure tradition de l'action managériale.

C'est dans cet esprit que Bordeleau semble avoir conçu le présent ouvrage. Il aborde la recherche appliquée à l'organisation en mettant en évidence comment la rigueur et l'esprit critique propres à l'analyse scientifique peuvent s'avérer utiles s'ils ne sont pas dissociés de la réalité organisationnelle mais en constante interaction avec elle. Il illustre aussi avec réalisme et versatilité l'application d'un large éventail d'outils méthodologiques susceptibles d'apporter un éclairage tant à l'analyse qu'à l'intervention en milieu organisationnel. D'ailleurs, en paraphrasant le dicton bien connu: «Il n'y a rien d'aussi pratique qu'une bonne théorie», il conviendrait d'affirmer ici qu'il n'y a rien d'aussi appliquée qu'une bonne recherche.

Ce volume deviendra sûrement un ouvrage de référence pour tous ceux qui sentent le besoin de se familiariser à la fois avec les diverses méthodologies de recherche issues des sciences humaines et applicables en gestion et aussi avec leur utilisation judicieuse dans un programme d'intervention en gestion. Il s'avérera utile tant aux étudiants qui cherchent à maîtriser cette expertise qu'aux conseillers en gestion ou aux gestionnaires eux-mêmes qui apprécieront de bénéficier d'un tel guide dans l'application de ces techniques à l'élaboration de programmes de développement organisationnel.

En définitive, par la souplesse et la maîtrise dont il fait preuve dans l'utilisation de la méthodologie de recherche appliquée à la réalité organisationnelle, l'auteur montre qu'il peut être non seulement possible mais aussi profitable de réconcilier science et art dans l'acte de gestion.

ALAIN RONDEAU, D.Ps.
Directeur de la recherche,
École des Hautes Études Commerciales
de Montréal.   22 juillet 1987

Table des matières

Avant-propos

Reuchlin (1973) mentionnait que la psychologie sociale s'était développée au rythme de ses méthodes. On ne peut envisager l'évolution de la psychologie sociale sans envisager parallèlement la dimension développement des méthodes. Celles-ci se sont traduites en de multiples techniques visant l'étude et l'intervention. Ces remarques de Reuchlin à l'égard de la psychologie sociale s'appliquent également très bien à l'évolution de la psychologie industrielle et organisationnelle.

Si l'étude est associée à la connaissance, l'intervention est, pour sa part, reliée à la praxis. Au cours de l'histoire de la psychologie sociale et de la psychologie organisationnelle, les spécialistes ont souvent voulu dissocier la connaissance et la praxis, le fondamental et l'application, la théorie et le vécu, etc.

Peut-on parler de méthodes de recherche d'une part et de méthodes d'intervention d'autre part? Selon une telle conception, certaines méthodes seraient associées à l'axe cognitif et concernées par la définition du savoir de même que par la manière d'appréhender le réel. Quant aux méthodes dites d'intervention, elles sont rattachées à l'axe praxéologique et leur objectif premier serait relié à «l'action du psychologue sur le sujet humain». Il est facile de percevoir toute l'importance que prend l'interaction spécialiste-sujet dans le contexte des méthodes d'intervention.

Revenons maintenant à la question soulevée précédemment et demandons-nous s'il est possible et judicieux, en psychologie organisationnelle ou en science de la gestion, de séparer la fonction cognitive de la fonction d'intervention et conséquemment les méthodes de recherche des méthodes d'intervention? La recherche effectuée en psychologie sociale et organisationnelle démontre bien qu'il n'est pas souhaitable, voire même réaliste, de dissocier les aspects cognitif et interventionniste des méthodes. Il suffit ici de rappeler certains concepts connus pour s'en rendre compte: l'effet Hawthorne, l'effet de halo, le traitement placebo, etc. En effet, il arrive fréquemment qu'une recherche dite pratique contribue directement à construire l'édifice des connaissances scientifiques ou qu'une étude, dite théorique, agisse simultanément sur la praxis. D'ailleurs, un concept de plus en plus répandu en psychosociologie des organisations est celui de la recherche-action, terme qui illustre bien les liens étroits et le mouvement bi-directionnel continu que nous retrouvons dans la réalité entre l'action et la recherche. En effet, n'est-il pas reconnu que l'application d'une méthode de recherche, peut influencer ou changer simultanément un milieu (problème d'ailleurs fort complexe) et être ainsi considérée comme une méthode d'intervention. À titre d'illustration, nous mentionnerons l'utilisation du questionnaire de sondage comme outil de rétroaction *(survey feedback)*.

Les méthodes qui seront présentées dans ce volume sont, à notre avis, à la fois des méthodes de recherche et d'intervention. En fonction de son objectif, le spécialiste peut très bien utiliser une méthode en mettant l'accent sur la recherche, sur l'intervention ou sur les deux approches simultanément.

L'objectif principal de cet ouvrage vise à présenter au lecteur le rôle et l'importance des méthodes de recherche et d'intervention en milieu organisationnel, les fondements de la méthodologie scientifique et les caractéristiques d'un certain nombre de méthodes de recherche et d'intervention. Je souhaite vivement que le lecteur puisse réaliser que la recherche et l'intervention, la connaissance et l'action constituent deux facettes indissociables de la vie de tout chercheur-intervenant ou gestionnaire.

Dans le but de rendre plus vivante, plus dynamique et plus concrète la présentation des diverses méthodes, chacune de celles-ci sera illustrée par une utilisation pratique de la méthode et pour ce faire, j'ai voulu profiter de l'occasion pour accorder une certaine visibilité à quelques travaux de qualité effectués dans le cadre de mémoires ou de thèses. Je suis donc heureux et reconnaissant de la contribution apportée par les personnes suivantes: Yves Asselin, Ph.D.; Denis Bédard, M.Sc.; François Berthiaume, M.Ps.; Ghyslaine Blais, M.Ps.; Claudette Desjardins, M.Sc.; Michel Dion, M.Ps.;

Richard Pépin, Ph.D.; Christian Ruelland, M.Ps. Les résumés de ces travaux ont été réalisés de façon à mettre surtout en évidence la dimension application de la méthode. Le lecteur intéressé par la problématique abordée ou par les résultats serait bien avisé de consulter directement le mémoire ou la thèse.

Je tiens également à remercier Yves Chagnon, étudiant au doctorat en psychologie industrielle et organisationnelle à l'Université de Montréal, pour avoir préparé les résumés français des deux thèses de doctorat américaines citées dans ce volume, soit celles de Kenneth G. Romer, Ph.D. et Elmer A. Spreitzer, Ph.D.

La réalisation de ce volume a été rendue possible grâce aux nombreuses discussions que j'ai pu avoir, au cours des quinze dernières années, avec les étudiants de la maîtrise en psychologie industrielle et organisationnelle. Par leur sens critique et par leur goût du savoir, ils ont permis d'approfondir la réflexion présentée dans cet ouvrage. Un merci sincère à tous.

Rédiger un volume est toujours une tâche exigeante mais elle est certainement moins difficile quand on se sent appuyé par des gens compétents. Sur ce plan, je ne saurais souligner suffisamment toute la disponibilité et la grande efficience de France Lacoursière qui a assuré toutes les tâches relatives au traitement de texte et à la mise en forme du manuscrit.

YVAN BORDELEAU, Ph.D.
Juin, 1987

Introduction

Ce volume est consacré aux caractéristiques de la recherche et de l'intervention en milieu organisationnel, à une réflexion sur les fondements de la méthodologie scientifique et à un exposé des modalités d'application des méthodes de recherche et d'intervention mises à la disposition du gestionnaire et du spécialiste intéressés à la compréhension et au développement des organisations. Ceux-ci font face quotidiennement à de nombreux problèmes et ils doivent les aborder avec rigueur à la fois au niveau de l'esprit d'analyse et des méthodes d'intervention utilisées.

Avant d'initier cette réflexion sur les bases de la méthodologie scientifique et les méthodes elles-mêmes, il convient de s'interroger sur l'importance et la fonction du chercheur-intervenant en milieu organisationnel.

Gauthier (1984) définit la recherche comme une «activité de quête de connaissances sur des questions factuelles». La recherche porte donc essentiellement sur des phénomènes organisationnels ou sociaux et non pas sur leur aspect moral. Cette dernière vision que nous pouvons qualifier de normative, ne relève pas de la recherche scientifique mais plutôt de la philosophie. La recherche quant à elle correspond à une appréhension objective du réel, à un refus de l'absolu préalable et à une sensibilisation du spécialiste à l'égard de ses propres limites pouvant affecter cette saisie du réel. La recherche existe quand le chercheur-intervenant prend conscience de la nécessité de combler certaines lacunes au plan des connaissances et ce, dans le but de faire avancer ou d'appliquer celles-ci. La finalité peut alors prendre deux voies différentes mais complémentaires: accroître les connaissances sur une problématique organisationnelle quelconque et faciliter l'intervention par une meilleure saisie ou un meilleur contrôle de la réalité. En résumé, faire de la recherche, c'est s'engager activement dans un processus de résolution de problème.

Les fonctions principales de la recherche sont les suivantes: identifier les besoins, développer des alternatives pour satisfaire les besoins identifiés et évaluer l'impact de ces alternatives selon des critères déterminés précisément (Murdick, 1969). Il est donc possible de considérer la recherche comme un processus générateur de connaissances et facilitateur quant à l'application de celles-ci. Sans théorie bien démontrée ou sans donnée empirique bien recueillie, le gestionnaire ou l'expert qui doit prendre des décisions, aura à le faire plus sur la base d'opinions personnelles ou de plaidoyers que sur la base d'une certaine objectivité. Le recours à la recherche et à l'intervention est actuellement plus désirable, voire même plus nécessaire que jamais. Comme le soulignent Selltiz et al. (1977), nous assistons à une évolution organisationnelle et sociale excessivement accélérée. Les besoins d'explication sont encore plus évidents aujourd'hui, notamment face à la complexité des milieux de travail. Le fait de favoriser l'émergence de nouveaux concepts ou de nouvelles théories ne peut que rendre les chercheurs-intervenants plus conscients de la place et du rôle que doivent jouer ces nouvelles connaissances dans le contexte contemporain et, plus particulièrement, dans le processus de la prise de décision relatif aux divers phénomènes reliés aux nombreux milieux de travail.

D'une façon plus concrète, l'utilité de la recherche est certes l'amélioration de la qualité de vie en donnant aux décideurs des conseils judicieux sur l'éventail et la valeur des choix possibles. Plus précisément, les psychologues industriels et organisationnels et autres chercheurs des domaines de la sociologie du travail et de la gestion peuvent également assumer un rôle important en permettant de mieux comprendre la dynamique d'un phénomène, de mieux cerner les causes des échecs ou succès de telle ou telle intervention. Tous ces éléments de connaissance, si limités soient-ils, constituent des informations fort utiles pour apporter des ajustements susceptibles de favoriser la poursuite ou faciliter l'atteinte de certains objectifs organisationnels prioritaires.

Selltiz et al, (1977) décrivent bien le rôle et la fonction sociale de la recherche:

«Les spécialistes des sciences sociales se préoccupent surtout d'expliquer pourquoi les événements se produisent et pourquoi les gens se comportent de telle ou telle façon. Ils essaient de décrire et d'expliquer les processus sociaux et individuels de manière à ce que l'on puisse comprendre les événements. Une fois que l'on comprend la dynamique d'un événement, il devient alors possible de prédire cet événement. Il est parfois possible de contrôler la production d'événements similaires.» (p. 17)

Chapitre 1

Recherche et intervention
en milieu organisationnel:
perceptions, problématiques
et structures

Avec la sensibilisation et l'importance accrue accordées au capital humain dans les organisations, il paraît évident que la recherche et l'intervention en gestion des ressources humaines et en comportements organisationnels sont appelées à connaître un essor de plus en plus marqué dans les prochaines décennies. Les politiques actuelles de hauts salaires, le développement de diverses formes de bénéfices marginaux, le coût élevé du roulement et de l'absentéisme, les nombreuses législations gouvernementales, l'influence décisive de certains cadres sur la vie et l'évolution des organisations sont autant de facteurs qui mettent en relief les conséquences très sérieuses que peuvent avoir une mauvaise sélection du personnel, un climat organisationnel négatif, une insatisfaction chronique, etc.

Dans cette optique, l'analyse et l'intervention constituent les outils principaux permettant l'utilisation optimale de toutes les ressources disponibles dans l'organisation. L'approche analytique des problèmes est un fait acquis depuis de nombreuses années dans les secteurs de la production et de la mise en marché ce qui ne semble pas être toujours le cas pour la ressource fort importante que constituent les cadres et les employés d'une organisation. Toute décision ou intervention sur les politiques impliquant directement ou indirectement le personnel est lourde de conséquences et devrait être envisagée par les dirigeants avec toute l'attention nécessaire comme ils l'ont fait depuis plusieurs années pour les aspects financiers et technologiques. D'ailleurs, il ne faut jamais oublier que la technologie et les ressources financières reposent entièrement dans les mains des dirigeants et des employés qui en feront une utilisation efficace ou inefficace, selon leur compétence personnelle et/ou selon le climat organisationnel.

C'est donc dans ce contexte que nous aborderons le rôle des spécialistes dans leur approche de recherche et d'intervention en gestion et en développement des organisations. Il semble opportun d'aborder cette réflexion selon trois aspects complémentaires: les perceptions, les problématiques et les structures.

1. PERCEPTIONS DES GESTIONNAIRES FACE À LA RECHERCHE ET À L'INTERVENTION DES SPÉCIALISTES

Nombreux sont les gestionnaires qui ont une image fausse de la recherche et de l'intervention orientées vers les ressources humaines et qui sont plus ou moins conscients de l'utilité de ce type d'informations dans la prise de décision quotidienne. Il faut ici ajouter que très souvent les chercheurs-intervenants n'ont pas fait suffisamment d'efforts pour bien sensibiliser et expliquer aux dirigeants l'importance et l'utilité de leurs actions. De plus, les spécialistes n'ont pas suffisamment démontré leur valeur en mettant en relief l'efficacité de leurs analyses et de leurs interventions. Souvent, les problématiques choisies par les responsables internes ou externes n'ont pas permis de combler l'écart entre les besoins réels ressentis par les dirigeants de l'organisation et les intérêts des chercheurs-intervenants eux-mêmes. En effet, il semble que certains projets soient parfois choisis plus pour satisfaire la curiosité de ces derniers que pour répondre aux besoins réels de l'organisation.

1.1 Leadership des experts de l'organisation

De plus, il faut souligner que les professionnels de la gestion et de la psychologie industrielle n'ont pas toujours été perçus comme des leaders très actifs dans le développement des organisations. Parfois, les chercheurs-intervenants ne font pas tous les efforts nécessaires pour se faire accepter dans l'organisation et pour se faire reconnaître comme des agents de changements indispensables à la vie d'une organisation. D'ailleurs, le département des ressources humaines ou du développement organisationnel a, dans le passé, perdu certaines aires de responsabilités aux mains d'unités plus dynamiques et plus vigoureuses: les politiques de communication et les journaux internes à l'organisation ont été transférés au secteur des relations publiques, l'alcoolisme et les problèmes de santé mentale ont été transférés au secteur médical, la sécurité a été transférée à la section du génie industriel, etc. (Berry, 1967). De plus, face à l'utilisation accrue de l'ordinateur dans les diverses opérations de l'organisation, les départements intéressés au personnel ont dû modifier certaines de leurs activités spécifiques antérieures: l'apprentissage par le biais de progiciels a modifié la conception et l'animation même de certains programmes de formation; la mise des dossiers sur informatique a également apporté des changements majeurs au niveau de la constitution et de l'administration de ces informations. En général, il semble que les spécialistes des organisations aient mis un certain temps à s'adapter à cette évolution des milieux de travail (Patten, 1965; Byham, 1968).

1.2 Anxiété soulevée par la recherche et l'intervention

L'anxiété soulevée par les démarches des chercheurs-intervenants est certainement un facteur déterminant de l'attitude des gestionnaires face à l'intervention de ces derniers (Churchman, 1964; Berry, 1967; Argyris, 1968). En effet, dans leur démarche d'analyse et d'intervention, ces spécialistes sont amenés à scruter certains aspects du fonctionnement personnel des gestionnaires ou du système dont ils sont responsables ce qui peut soulever des questions relatives à leurs habiletés. La réaction fréquente de ces dirigeants consiste à mentionner qu'on leur demande de remettre en cause toute leur façon d'agir alors que la personne qui critique, en l'occurrence le chercheur-intervenant, n'a pas encore prouvé elle-même sa propre valeur. Les gestionnaires ont acquis certaines habitudes de travail au cours de leurs expériences et le spécialiste, par ses interventions, remet en question celles-ci. Il est donc tout à fait normal que la présence et l'intervention des experts soulèvent une anxiété importante chez les dirigeants.

Il faut comprendre que l'organisation existait probablement avant l'arrivée du chercheur-intervenant. Certaines habitudes se sont donc créées au niveau du fonctionnement. L'expert des organisations arrive ordinairement, à un moment critique ou un moment de tension, et souhaite apporter des solutions aux problèmes des employés et de la direction. Celles-ci impliquent parfois des changements importants qui insécurisent le milieu ambiant. Les dirigeants craignent que le spécialiste, souvent externe à l'organisation, balaie tout ce qu'ils ont mis des années à bâtir. Le chercheur-intervenant doit bien comprendre cette réaction très humaine. Une certaine prudence est donc nécessaire dans les changements proposés et, surtout, dans le rythme de leur implantation. Tout changement suggéré sera un échec certain si les sujets deviennent anxieux et résistent, de mille et une façons, à sa mise en place (Selltiz et al., 1977). Avant d'exiger une confiance absolue de la part des dirigeants, le spécialiste doit bâtir sa crédibilité et prouver sa valeur ou sa compétence et ce, en touchant des problèmes moins menaçants pour eux et en apportant des changements à un rythme acceptable pour les personnes impliquées. À vouloir forcer le changement, le chercheur-intervenant risque d'être isolé et complètement rejeté.

1.3 Rapidité de réaction des chercheurs-intervenants

Certaines critiques ont également été formulées à l'égard de la durée excessive nécessaire à la réalisation de certaines analyses. Les gestionnaires ont souvent l'impression que les résultats arrivent au moment où le problème n'existe plus ou qu'ils ont été obligés de prendre des décisions sans pouvoir attendre le rapport du spécialiste des organisations. Le monde du travail est actuellement caractérisé par une très grande rapidité au niveau de la prise de décision. Les experts ou spécialistes doivent s'adapter à cette réalité et être capables de fournir aux dirigeants des éléments de solutions aux problèmes de façon à ce que ces derniers puissent utiliser cette information dans leur processus de prise de décision. Par contre, les chercheurs-intervenants sont souvent frustrés d'être consultés au moment où le problème est déjà rendu à l'état critique. Le milieu exige alors des spécialistes qu'ils fassent des miracles et qu'ils fournissent des recommandations dans des délais irréalistes. Il faudrait, de toute nécessité, que les chercheurs-intervenants soient impliqués au tout début de l'apparition d'un problème et non pas seulement au moment où celui-ci devient critique.

1.4 Rentabilité et allocation des budgets

Nous avons mentionné précédemment que la rentabilité des investissements faits dans la recherche et l'intervention relative à la gestion et au développement organisationnel n'a pas été suffisamment démontrée. En effet, les gestionnaires trouvent fréquemment que les argents investis à ce niveau sont trop élevés pour les résultats pratiques obtenus. Ils ont parfois l'impression que le chercheur-intervenant leur demande de faire un acte de foi dans la valeur de leur action sans se préoccuper d'évaluer l'impact réel de ces investissements (Patten, 1965; Berry, 1967; Whyte, 1972).

Une des conséquences de cet état de chose se manifeste dans la façon dont les budgets sont attribués. Sous la pression de la mode, les administrateurs paraissent parfois prêts à attribuer certains budgets pour effectuer des recherches auprès du personnel ou intervenir dans le développement organisationnel. Ils imputent ce type d'investissement à l'item relations publiques de l'organisation. Parallèlement à l'attribution de ces fonds, les dirigeants sont réticents à investir leurs propres efforts et à s'impliquer personnellement au niveau de l'élaboration et de la réalisation de projets de recherche et d'intervention en travaillant conjointement avec les spécialistes. Ils donnent l'impression d'être prêts à payer un certain coût pour ne pas être trop dérangés. Cette attitude s'explique certainement à la fois par une perception plutôt négative de l'utilité des résultats et par une certaine crainte d'être obligés de remettre en question leurs propres comportements de gestion. Dans l'optique où ils ne participent pas directement à l'élaboration et à la réalisation de ces interventions, ils pourront se défendre en remettant en question les aspects techniques ou méthodologiques de celles-ci. Ils pourraient plus difficilement adopter cette attitude négative s'ils y avaient eux-mêmes participé (Ferguson, 1964).

1.5 Qualité des outils de recherche et d'intervention

Un autre facteur qui a parfois semé le discrédit sur les analyses et les interventions des spécialistes a certes été l'utilisation abusive de questionnaires, de tests, de grilles d'entrevue ou d'observations sans aucune validité. En effet, trop souvent les gens qui interviennent dans le domaine du personnel ou du développement des organisations utilisent n'importe quel instrument sans avoir évalué sa validité. Dans ce contexte, il ne faut donc pas se surprendre que les résultats obtenus soient de peu d'utilité et conséquemment que les investissements soient pratiquement considérés dans la colonne des pertes. Malheureusement, ce type de problème s'est trop souvent présenté. Il faut que les chercheurs-intervenants aient les capacités et les connaissances nécessaires pour pouvoir porter un jugement adéquat sur les instruments de même que sur les méthodologies de recherche et d'intervention utilisés (Patten, 1965; Murdick, 1969; McGrath, 1979; Émory, 1980).

1.6 Présentation et intégration des changements proposés

Au niveau de la difficulté de communication entre les chercheurs-intervenants et la direction, il suffit de mentionner que les rapports des spécialistes font parfois usage d'un jargon technique à peu près incompréhensible pour le gestionnaire moyen. Le spécialiste doit se mettre dans la peau de l'administrateur et être capable de présenter ses résultats d'une façon facilement assimilable et utilisable par ce dernier (Ferguson, 1964; Berry, 1967). Ce qui intéresse le dirigeant, ce ne sont pas les aspects méthodologiques ou les réflexions abstraites mais plutôt les aspects pratiques des recommandations.

Une autre critique adressée aux experts est celle du manque d'intégration.

En effet, les chercheurs-intervenants sont des personnes ayant eu des formations très différentes et chacun voit les problèmes de la gestion et du développement organisationnel selon un prisme particulier correspondant à sa formation professionnelle. C'est donc dire que, dans une équipe de recherche et d'intervention, chacun donne à une étude une coloration très personnelle. Ceci pose une grande difficulté au dirigeant qui doit pouvoir utiliser des informations différentes selon la formation du spécialiste responsable. Il est apparu de plus en plus que les chercheurs-intervenants entre eux ne réussissaient pas à faire une intégration de leurs résultats et à unifier les recommandations dans une perspective pragmatique. L'administrateur est donc confronté à toute une foule d'informations représentées par des perspectives d'approche différentes: psychologie, sociologie, relations industrielles, gestion, économique, relations publiques, etc. La responsabilité de faire l'intégration des informations recueillies a souvent été abandonnée par l'équipe de recherche et d'intervention et transférée aux gestionnaires qui se retrouvent pris avec ce problème majeur (Churchman, 1964; Laitin, 1964; Goode, 1966; Berry 1967).

Nous avons décrit toute une série de facteurs qui peuvent mieux nous faire comprendre la perception des dirigeants à l'égard des spécialistes de l'organisation. Afin de remédier à ces problèmes et créer un climat plus sain de collaboration, il faut, de toute évidence, clarifier les objectifs visés, travailler sur l'acceptation de la recherche et de l'intervention comme outils privilégiés de gestion, se centrer sur les problèmes qui ont des connotations très pratiques dans l'organisation, mettre en place des mécanismes de communication des résultats et des recommandations, exercer par la compétence une certaine influence sur la vie de l'organisation. Il est absolument nécessaire d'établir des réseaux efficaces de communication entre les gestionnaires et les chercheurs-intervenants. Ces derniers doivent, pour leur part, se sensibiliser aux dimensions administratives et les dirigeants ont avantage à être plus conscients des exigences de la recherche et de l'intervention appliquées aux problématiques de la gestion et du développement de l'organisation.

2. AMÉLIORATION DE LA RELATION GESTIONNAIRE-SPÉCIALISTE ET L'APPROCHE FACE AU CHANGEMENT ORGANISATIONNEL

Précédemment, nous avons fait allusion aux attitudes de scepticisme face à la recherche et à l'intervention en personnel en mentionnant qu'un des facteurs importants, pouvant expliquer cette attitude plutôt négative, résidait dans le manque de communication entre les chercheurs-intervenants et la direction face à la réalité très mouvante du changement organisationnel.

2.1 Connaissance des valeurs mutuelles

Les principales difficultés de communication qui existent entre les spécialistes et la direction des organisations touchent à des valeurs relativement profondes (Churchman et Schainblatt, 1965). Il arrive que le chercheur-intervenant ait beaucoup de difficulté à faire admettre la recherche et l'intervention comme parties intégrantes de l'ensemble du processus de gestion d'une organisation. Le conflit latent entre le gestionnaire et l'expert se situe souvent au niveau des valeurs respectives de chacun. En effet, l'administrateur est fortement centré sur les conséquences pratiques des analyses alors que les chercheurs-intervenants sont souvent plus centrés sur les aspects théoriques des problématiques abordées. De plus, certains de ces derniers manifestent de la rigidité et admettent difficilement les valeurs prônées par les gestionnaires. Ceci se traduit concrètement dans le fait que, fréquemment, le dirigeant n'est pas impliqué dans l'élaboration des objectifs visés par le spécialiste des organisations.

Un autre élément important des problèmes de communication entre le gestionnaire et le chercheur-intervenant réside dans l'attitude de ce dernier à percevoir fréquemment les exigences et fonctions administratives comme un frein à sa créativité et à ses initiatives. On laisse même parfois entendre que l'administration est trop axée sur la rentabilité à court terme et pas suffisamment sensible aux dimensions humaines des problématiques reliées au travail. Celui qui fait de la recherche et de l'intervention en milieu organisationnel doit accepter jusqu'à un certain point les valeurs de ce milieu (Churchman, 1964; Berry, 1967). Il n'est pas nécessaire de s'attarder à démontrer, par exemple, l'importance de la planification dans l'administration des budgets des organisations. Si les chercheurs-intervenants désirent que leur action soit acceptée et puisse se développer, ils doivent, tout comme les autres départements, convaincre l'organisation de la nécessité et de la rentabilité des budgets affectés à ces études et interventions. Il faut que les spécialistes en comportements organisationnels ou en gestion deviennent plus conscients des rouages administratifs et développent une attitude plus positive face à ceux-ci. Il s'agit là d'une condition essentielle au développement de la recherche appliquée et de l'intervention dans les départements de ressources humaines ou de développement organisationnel. Quant à lui, l'administrateur perçoit à l'occasion les études des spécialistes comme des exercices de haute voltige qui ont peu d'application concrète face aux problèmes quotidiens vécus dans l'organisation. Le chercheur-intervenant a souvent l'impression que sa discipline avance beaucoup plus rapidement au niveau théorique qu'au niveau de l'application des connaissances dans les organisations. Face à un certain conservatisme organisationnel, il est donc insatisfait de la lenteur à voir appliquer les connaissances de sa discipline dans le milieu du travail. Ces difficultés de communication s'accentuent parfois par le fait que certains experts, excellents au point de vue technique, démontrent certaines difficultés à établir de bonnes relations interpersonnelles qui pourraient faciliter l'existence de meilleures communications avec la gestion.

Nous avons mentionné précédemment certaines attitudes que devrait avoir le chercheur-intervenant face à la direction afin de réduire les problèmes de communication. Il ne faut cependant pas oublier également que le gestionnaire aurait avantage également à modifier ses perceptions et ses attitudes face à la recherche et à l'intervention des spécialistes. Souvent l'administrateur, hiérarchiquement responsable de l'action des chercheurs-intervenants, est mal à l'aise pour défendre l'existence de ce type de service puisqu'il ne comprend pas de façon explicite les objectifs et l'utilité de leur apport dans l'organisation. Cet état de fait le rend très insécure au moment de défendre les budgets nécessaires à l'existence de ce groupe de recherche et d'intervention.

2.2 Collaboration dans l'implantation des changements

Paradoxalement, les difficultés mentionnées s'inscrivent à l'intérieur d'un contexte où nous demandons de plus en plus aux spécialistes de jouer un rôle de conseil auprès de la direction et de s'impliquer plus dans l'application des recommandations. Ceci peut paraître un peu surprenant car, en dépit de la perception quelque peu négative qu'ont les administrateurs face aux experts, ces derniers demandent aux chercheurs-intervenants qui ont supposément certaines réponses aux problèmes des administrateurs, de venir les conseiller et de travailler avec eux à l'implantation des solutions. En effet, la majorité des organisations ayant un service des ressources humaines ou de développement organisationnel confient à ces spécialistes une responsabilité de conseil auprès des divers gestionnaires de l'organisation. En ce qui concerne l'implication des chercheurs-intervenants au niveau de l'implantation, on souhaite que ces derniers deviennent de plus en plus des agents de changements actifs travaillant conjointement avec la direction. Dans ce contexte, la perception de l'utilité de la recherche et de l'intervention comme outils de gestion pourra changer de façon radicale. En plus de fournir à la direction des outils de collecte et d'analyse de l'information en vue de faciliter la prise de décision, les spécialistes des organisations pourraient jouer un rôle beaucoup plus large, soit celui d'anticiper et d'orienter les politiques et les changements dans la perspective de l'évolution de l'organisation.

Dans la mesure du possible, il est souhaitable de favoriser la participation de la direction à l'élaboration même du processus d'analyse ou de diagnostic d'une situation-problème puisque l'implantation des recommandations sera assumée par les dirigeants des divers départements. Le chercheur-intervenant ignore trop souvent l'apport indéniable de ces administrateurs au plan de l'élaboration d'une telle démarche. En effet, ceux-ci ont une connaissance du milieu profonde et très utile au spécialiste des organisations (Dunnette et Bass, 1963; Ferguson, 1964; Goode, 1966; Argyris, 1968; Wilson, 1969; Émory, 1980).

De plus, la participation des dirigeants fait disparaître une certaine anxiété en regard de l'aspect inconnu des démarches et des recommandations qui seront éventuellement suggérées. Les résultats des études sur les problèmes humains de l'organisation sont alors mieux compris, mieux acceptés, et suscitent moins d'émotivité. Le fait de participer au processus d'analyse permet aux gestionnaires d'exercer un certain contrôle sur la situation et le milieu ambiant ce qui aide à vaincre certaines résistances (Berry, 1967; Dimock, 1978).

2.3 Connaissance du milieu et réalisme des recommandations

Ce qui précède nous amène maintenant à signaler l'importance, pour le chercheur-intervenant, d'acquérir une très bonne connaissance de tout ce qui concerne le milieu dans lequel il désire travailler. Chaque organisation a une culture propre qui est la résultante de l'intégration des personnalités des dirigeants et des employés. La contribution des spécialistes sera reconnue dans la mesure où les administrateurs comprendront bien leur rôle et les accueilleront comme des personnes pouvant les aider dans leurs tâches quotidiennes. Avant d'entreprendre une étude, le chercheur-intervenant en gestion et en développement organisationnel doit être sensibilisé aux objectifs de l'organisation et à son climat (Ferguson, 1964). La capacité de pouvoir faire accepter une recommandation est certes une qualité indispensable chez le spécialiste. Son importance est même parfois plus grande que celle accordée à la compétence technique de ce dernier.

Connaissant bien les forces agissantes dans le milieu de travail, l'expert des organisations est alors en mesure de suggérer des solutions réalistes pour un milieu spécifique. Elles ne seront peut-être pas idéales mais elles tiendront compte de toute la complexité de la réalité.

Le chercheur-intervenant doit être perçu essentiellement comme un «*problem-solver*» (Rigby, 1965; Dunnette, 1979; Staw, 1979). Il convient enfin de signaler que les changements proposés par les spécialistes modifieront tout l'équilibre de l'organisation à cause de l'interaction constante des diverses décisions prises à tous les niveaux. Il faut donc tenter de mesurer l'impact systémique de la solution proposée.

Si nous voulons assurer à la recherche et à l'intervention une évolution qui pourra lui permettre de jouer un rôle déterminant dans l'ensemble de la gestion d'une organisation, il faudra que le chercheur-intervenant et l'administrateur fassent un effort pour mieux comprendre ce que chacun effectue comme travail et à l'intérieur de quelles limites ils ont respectivement à oeuvrer. La clé du succès de l'analyse et de l'intervention en milieu organisationnel réside dans la communication de même que dans la collaboration active entre ces deux agents indispensables au changement, soit le gestionnaire et le spécialiste des organisations.

3. POURQUOI FAIRE DE LA RECHERCHE ET INTERVENIR EN MILIEU ORGANISATIONNEL

Il y a de nombreuses raisons pour lesquelles les organisations font des analyses et appliquent certaines interventions. Nous exposerons donc ici quelques motifs sous-jacents à une telle démarche (Berry, 1967). Premièrement, certains organismes se disent que si d'autres organisations font des études et pratiquent tel type d'intervention, elles doivent le faire également. Pour ces gestionnaires, il s'agit souvent là de «gadget» à la mode ou tout simplement d'une dimension de l'image publique que veut se donner l'organisation. Dans ce contexte, les dirigeants n'ont fondamentalement aucune idée précise ou raison valable pour exécuter des études, faire des interventions auprès du personnel ou évaluer l'efficacité de celles-ci. Deuxièmement, ce genre de démarche est parfois perçu comme une façon de reporter à plus tard la solution d'un problème délicat. Elle peut également être considérée comme un moyen sur lequel on peut s'appuyer pour justifier certaines décisions que le dirigeant a quelquefois de la difficulté à assumer lui-même. Troisièmement, certains gestionnaires voient la recherche et l'intervention auprès du personnel tout simplement comme une facette de leur responsabilité sociale. L'organisation investit alors dans le but plus ou moins explicite d'améliorer le sort des travailleurs. Quatrièmement, la recherche et l'intervention en gestion des ressources humaines et en développement organisationnel peuvent être perçues comme étant les meilleurs moyens de prendre des décisions rationnelles (Backstrom et Hursh, 1963; Harris, 1963; Rigby, 1965; Whyte, 1972; Selltiz et al., 1977; Saslow, 1982). Une bonne décision d'intervention se fonde essentiellement sur une bonne analyse de la situation et, en ce sens, la recherche peut être un prérequis fort appréciable (McCormick, 1961; Churchman, 1964; Churchman et Schainblatt, 1965; Murdick, 1969). Il s'agit ici de la raison probablement la plus sérieuse et la plus valable pour justifier le recours à des spécialistes. Il se peut que la décision subséquente apporte alors une meilleure utilisation des investissements au niveau des ressources humaines et puisse même parfois économiser des coûts énormes associés au roulement, à l'absentéisme, aux griefs, etc. Certains dirigeants considèrent, de façon réaliste et pragmatique, les études et les interventions comme un investissement qui doit rapporter proportionnellement au coût. En effet, celles-ci doivent déboucher sur des économies directes ou indirectes au niveau de la gestion et du développement de l'organisation (Ferguson, 1964; Émory, 1980).

Il est excessivement important pour le chercheur-intervenant de bien saisir les motifs pour lesquels les organismes veulent effectuer des recherches et des interventions en gestion des ressources humaines et en développement organisationnel car les motivations sous-jacentes peuvent souvent transformer en échec ou succès la réalisation du mandat spécifique de l'expert. Les attitudes sous-tendant la demande des gestionnaires sont excessivement importantes et le chercheur-intervenant ne doit pas négliger d'en mesurer l'impact possible.

La recherche et l'intervention constituent deux facettes complémentaires et nécessaires à la gestion optimale des ressources humaines d'une organisation et ce, dans la perspective d'atteindre les objectifs fixés. Il est parfois curieux de constater avec quelle désinvolture certains dirigeants abordent les problèmes humains de la gestion alors que, parallèlement, on fait des études très poussées au niveau de la production (avant d'introduire de nouveaux procédés de fabrication) ou au niveau du marketing (avant de lancer une campagne publicitaire), etc. Comme nous l'avons souligné antérieurement, il faut absolument que les gestionnaires prennent conscience que la dimension humaine constitue un apport crucial et fondamental dans le dynamisme d'une organisation.

La recherche et l'intervention font donc référence à deux cultures différentes mais indispensables de l'organisation (Berry, 1967). En effet, nous y retrouvons un aspect administratif (dans la mesure où il s'agit de faciliter la prise de décision) et un aspect connaissance axé sur la compréhension de certains phénomènes organisationnels. Le chercheur-intervenant doit être conscient de ces deux facettes et en tenir compte pour assurer l'efficacité de son rôle dans la vie organisationnelle.

4. PROBLÉMATIQUES ABORDÉES RELATIVEMENT AUX RESSOURCES HUMAINES ET AU DÉVELOPPEMENT ORGANISATIONNEL

Avant de décrire de façon plus précise les différents problèmes pouvant faire l'objet d'étude ou d'intervention, il conviendrait de décrire rapidement l'évolution des problèmes abordés à l'intérieur des organisations. En effet, tout dépendant du niveau d'évolution de l'organisation, les problématiques d'intérêt seront tout à fait différentes (Ferguson, 1964; Laitin, 1964; Patten, 1965; Rigby, 1965; Byham, 1968). En général, il semble bien que les organisations qui commencent à se préoccuper des ressources humaines et du développement organisationnel, centrent leurs efforts sur des problèmes ayant un retour rapide en termes de rentabilité. La solution de ce type de problèmes est généralement bien acceptée et souhaitée par la direction, ce qui en facilite grandement son acceptation. Au fur et à mesure que l'organisme prend un certain essor, les analyses et interventions tendent alors à se modifier et à s'orienter vers des problèmes plus théoriques ou plus fondamentaux (Berry, 1967). Afin d'illustrer un peu l'évolution dont nous venons de parler, nous pouvons signaler, comme exemples de problèmes concrets et immédiats, les problèmes suivants: sondages sur les attitudes, accumulation d'informations factuelles sur les employés, étude sur le roulement du personnel, développement et validation d'un processus de sélection, évaluation du rendement, etc. Nous remarquons donc par cette liste de problèmes que les organismes favorisent des études mettant l'accent sur la rentabilité à court terme. Ces analyses, généralement effectuées afin de solutionner des problèmes immédiats, impliquent un minimum de sophistication méthodologique ou théorique. Elles sont relativement faciles à présenter à la direction pour justifier les investissements effectués. En ce qui concerne l'autre pôle de l'évolution décrite, soit une sensibilisation à des problèmes plus théoriques, nous pouvons citer, à titre d'exemples, les problèmes suivants: la formation et le développement du personnel, le climat organisationnel, la participation des employés à la vie de l'organisation, le changement de la culture organisationnelle, etc. Quand une entreprise favorise ce type d'interrogation, elle démontre une plus grande sensibilisation aux aspects théoriques parallèlement à leur intérêt pour des recherches pragmatiques. Ces études impliquent généralement des schémas expérimentaux de recherche et d'intervention plus sophistiqués et leur réalisation prend parfois plusieurs mois, voire même des années, à être complétée. Les résultats peuvent avoir un degré d'application plutôt général ou non spécifique par rapport à des problèmes très précis. Nous voyons ici que la rentabilité à court terme est délaissée au profit d'objectifs à plus long terme avec les conséquences qu'il est plus difficile de démontrer la rentabilité des investissements.

Nous tenterons de décrire maintenant les principaux problèmes abordés dans les études et les interventions concernant la gestion des ressources humaines et le développement organisationnel (McCormick, 1969; Murdick, 1969; Thornton, 1969). Voici donc les principales problématiques touchées:

— sélection du personnel: mise en place et validation d'un processus de sélection

— sondage d'opinions et étude sur les communications: connaître l'opinion des employés et s'assurer que les communications à l'intérieur de l'organisation sont bonnes et fonctionnelles

— sécurité et prévention des accidents: évaluation des divers facteurs pouvant expliquer les accidents dans le contexte du travail

— rémunération des employés: analyse des divers systèmes de rémunération et de bénéfices marginaux

— fatigue, monotonie et conditions de travail: effet de ces divers facteurs sur la productivité

— génie industriel et facteurs humains: conséquences des difficultés d'adaptation de l'individu à un nouveau contexte physique de travail

— évaluation du personnel: choix des méthodes pour évaluer les employés et les cadres

— motivation et satisfaction au travail: identification des facteurs de satisfaction et d'insatisfaction des employés

— formation et développement: évaluation des besoins de formation et choix des techniques de formation les plus appropriées

— efficacité organisationnelle: adaptation au changement, mesure de l'efficacité de l'organisation, analyse des pratiques administratives

— gestion du personnel: efficacité des divers styles de leadership, identification du potentiel de leadership, attitude des employés face à certains styles de leadership

— stress: évaluation de l'incidence du stress sur la santé mentale et physique des employés

— counseling auprès des employés: relation d'aide auprès des employés qui connaissent des difficultés particulières ayant un impact sur leur travail

— informatisation du travail: impact de la bureautique, robotique et informatique sur les employés

— planification de main-d'oeuvre et planification de carrière: capacité d'intégrer la carrière de chaque individu à l'intérieur d'un plan plus général de la main-d'oeuvre de l'organisation et de son développement

— retraite: préparation à la retraite des employés

Il s'agit donc là des principaux problèmes auxquels sont confrontés les chercheurs-intervenants. En terminant cette partie, il convient de rappeler que le type de problèmes abordés dans les recherches et les interventions varie beaucoup d'une organisation à l'autre, compte tenu du degré d'évolution général de celle-ci et du degré d'implication des spécialistes des organisations. En effet, les besoins ou les problèmes que rencontre une organisation sont fonction de son niveau de croissance. Comme il s'agit d'apporter des solutions aux problèmes que vit l'organisation, le chercheur-intervenant doit sans cesse s'adapter au rythme de croissance ou d'évolution de l'organisation où il intervient.

5. STRUCTURES: ÉQUIPE INTERNE OU ÉQUIPE EXTERNE

Quand une organisation décide d'effectuer certaines études ou interventions, elle doit alors envisager deux possibilités: constituer une équipe interne ou faire appel à des ressources externes à l'organisation. Il est évident qu'une organisation, relativement peu active à ce niveau, a avantage à recourir à des conseillers externes à l'organisation alors que c'est le contraire pour un organisme qui effectue, de façon régulière, de telles recherches ou interventions. Nous tenterons maintenant de mettre en évidence les avantages et les désavantages de la formation d'équipes de spécialistes interne et externe à l'organisation.

5.1 Structure interne

Les avantages de l'utilisation d'une équipe interne de spécialistes des organisations au niveau de la recherche et de l'intervention sont nombreux. Tout d'abord, l'information que manipulent ces chercheurs-intervenants est souvent de nature confidentielle et les risques qu'elle devienne publique peuvent être moins grands quand il s'agit d'une équipe interne à l'organisation. Il semble également que des spécialistes venant de l'extérieur puissent prendre un certain temps avant de se familiariser avec les pratiques et les politiques de l'organisation, ce qui favorise encore la constitution d'une équipe interne. L'emploi de chercheurs-intervenants à plein temps est certainement moins coûteux pour l'organisation dans la mesure où celle-ci manifeste un besoin d'une telle ampleur. Il apparaît également qu'il soit avantageux pour une organisation d'avoir au moins un spécialiste des organisations qui a une meilleure connaissance du milieu pour évaluer les possibilités d'application des derniers développements et des recommandations dans la gestion quotidienne de l'organisme. Un chercheur-intervenant à plein temps peut également faire preuve d'une plus grande flexibilité au niveau du temps, comparativement à un spécialiste externe qui doit s'intégrer dans l'organisation selon des disponibilités plus limitées. Enfin, le fait qu'un expert soit en permanence intégré à l'organisation peut encourager la direction à recourir à ses services et à ses conseils beaucoup plus fréquemment.

5.2 Structure externe

Nous décrirons maintenant les principaux avantages liés à la seconde formule, c'est-à-dire la constitution d'une équipe de chercheurs-intervenants externe à l'organisation (Byham, 1968). Le premier avantage à engager des spécialistes de l'extérieur peut être un avantage financier. En effet, la venue d'un spécialiste externe se fait habituellement sur une base contractuelle à l'intérieur de laquelle sont spécifiés le budget et la période de temps alloués pour la réalisation de l'étude ou de l'intervention. Il devient donc plus facile pour la direction de contrôler les coûts du projet. Il semble également que le fait d'engager des chercheurs-intervenants extérieurs puisse aider l'organisation à bénéficier d'expertises variées et intéressantes. En effet, les spécialistes engagés par l'organisme peuvent être des experts reconnus dans leur domaine respectif. Un autre avantage consiste à pouvoir engager les experts au fur et à mesure que les besoins se font sentir. Dans le domaine de la recherche et de l'intervention, il peut y avoir des périodes de grande activité et des moments de moindre effervescence. L'organisation peut alors, sans difficulté, s'adapter aux besoins du moment. Il lui est parfois plus difficile de supporter une équipe interne généralement moins mobile à cause de la spécialisation technique de chacun des chercheurs-intervenants. De plus, les professionnels de l'extérieur peuvent avoir une plus grande objectivité étant donné qu'ils sont moins liés vis-à-vis l'organisation. Fréquemment, les résultats obtenus par un spécialiste externe vont fréquemment être mieux acceptés par la direction parce que celle-ci est consciente que ce dernier n'a rien à gagner à court terme en faussant l'information. Dans ce contexte, le spécialiste interne est parfois plus mal à l'aise pour interpréter certains résultats qui pourraient être défavorables à tel ou tel dirigeant, collègue ou à l'organisation dans sa globalité. De plus, les conseillers externes sont généralement perçus par les employés de la base comme moins menaçants qu'un chercheur-intervenant de l'intérieur qui lui peut être considéré comme un prolongement de la direction. Le spécialiste de l'extérieur obtient alors de meilleures informations. Un dernier avantage correspond au fait que ce dernier apporte avec lui une expérience de plusieurs années dans un grand nombre d'organisations. Ces expériences très diversifiées constituent un acquis fort valable pour toute organisation. Aux avantages que nous venons de décrire s'allient également certains inconvénients. Le conseiller externe est parfois une personne qui attache beaucoup d'importance aux dimensions méthodologiques d'une étude ou d'une intervention. Il arrive parfois que le chercheur-intervenant externe soit plus intéressé par ses propres intérêts que par le problème auquel fait face l'organisation. De plus, certains le blâment parfois de manquer de réalisme et d'esprit pratique dans ses recommandations. Il a quelquefois tendance à analyser à outrance les résultats et s'adapte mal à la réalité urgente des problèmes que vit l'organisation.

5.3 Structure mixte «interne-externe»

Il semble bien que, selon l'expérience de nombreuses organisations, la solution idéale est d'avoir une équipe interne de spécialistes (dans la mesure où les besoins le justifient) et de recourir également aux services de chercheurs-intervenants externes. En effet, cette dernière pratique vient stimuler la motivation des experts internes (Ferguson, 1964; Dimock, 1978). Souvent, à cause de leur spécialisation respective, ces conseillers externes deviennent des personnes-ressources pour l'équipe de spécialistes interne à l'organisation.

Il convient en terminant cette section de signaler que, dans les organisations où il se fait de la recherche et de l'intervention, une grande partie des chercheurs-intervenants, notamment aux États-Unis, sont des personnes ayant été formées en psychologie industrielle et organisationnelle (Rigby, 1965; Berry, 1967; Thornton, 1969). En effet, cette discipline domine en gestion des ressources humaines et en développement organisationnel. Au moment où une équipe de recherche et d'intervention se forme, elle est initialement constituée de un ou deux spécialistes. Au fur et à mesure que les besoins justifient une croissance de l'équipe, on fait alors appel à des chercheurs-intervenants ayant une certaine diversité au niveau de leur formation profes-sionnelle: psychologie, gestion, économie, relations industrielles, sociologie, génie, etc. Ceci est certainement souhaitable étant donné le danger qu'une trop grande homogénéité des spécialistes vienne limiter la façon d'analyser les problématiques qui se posent (Whyte, 1972). Il est donc recommandé, avec la croissance d'une équipe de recherche et d'intervention en gestion des ressources humaines et en développement organisationnel, de diversifier les compétences des chercheurs-intervenants.

6. NIVEAU D'UN SERVICE DE RECHERCHE ET D'INTERVENTION DANS L'ORGANIGRAMME

Le niveau organisationnel où se situe les actions de recherche et d'intervention en gestion des ressources humaines et en développement de l'organisation dénote, de façon assez évidente, au sein de l'organigramme, l'importance relative que les dirigeants accordent à cette fonction particulière. Il est généralement admis dans les faits que ce type de service occupe un échelon de la hiérarchie relativement moyen (Berry, 1967). Dans les grandes organisations, celui-ci est souvent situé à deux ou trois niveaux en-dessous du premier responsable fonctionnel (par exemple, vice-présidence ressources humaines). Cette position stratégiquement moyenne constitue d'autant plus un danger que le responsable hiérarchique connaît plus ou moins bien ce que sont effectivement la recherche et l'intervention. Cette situation organisationnelle problématique rend plus difficile la possibilité de convaincre la direction de la nécessité et de l'utilité de la recherche et de l'intervention en gestion des ressources humaines et développement de l'organisation.

Les arguments sont nombreux pour justifier qu'un tel service devrait être situé à un échelon plus élevé de la hiérarchie des organisations. Premièrement, l'analyse et l'intervention relativement aux problématiques organisationnelles constituent souvent des préoccupations nouvelles qui seraient certes mieux soutenues si les autorités responsables de ce type d'activités étaient situées à un échelon plus élevé (Berry, 1967; Byham, 1968). Ce service aurait alors plus de pouvoir pour faire accepter, par la haute direction, leur démarche et leurs recommandations. Deuxièmement, comme les résultats obtenus sont fréquemment utilisés pour élaborer de nouvelles politiques relatives aux ressources humaines ou à l'organisation elle-même, il serait donc tout à fait normal que ce service soit situé le plus près possible des gens responsables de l'élaboration des politiques. Ainsi, la compréhension et la communication entre les chercheurs-intervenants et les gestionnaires qui conçoivent les nouvelles politiques seraient certainement meilleures. Enfin, si le responsable de ce service occupait une position plus élevée dans la hiérarchie de l'organisation, il serait également plus en mesure de participer à divers comités d'orientation de l'organisation (Ferguson, 1964) et de faire mieux connaître, à l'ensemble de celle-ci, l'utilité des investissements effectués dans les études et les interventions en gestion des ressources humaines et en développement organisationnel.

Il s'agit là des principales raisons pour lesquelles il est important qu'un tel service soit situé plus stratégiquement dans la hiérarchie organisationnelle. Il est évident que la position stratégique occupée a des répercussions directes sur ses budgets, son développement et son acceptation.

7. ÉVOLUTION D'UN SERVICE DE RECHERCHE ET D'INTERVENTION

Il est d'abord nécessaire de signaler ici que la fonction recherche et intervention en gestion des ressources humaines et en développement organisationnel n'est pas encore excessivement répandue. Nous avons remarqué, au cours des trente dernières années, une certaine évolution du côté américain. Cependant, il est clair que ce type de service s'installe lentement et prendra une importance accrue au cours des prochaines années dans les diverses organisations.

Comme les organismes se caractérisent par leur taille, leur degré de décentralisation et leur orientation en général, nous considérerons maintenant l'influence de ces caractéristiques en commençant par le facteur taille de l'organisation. En effet, les petites organisations ont recours à des spécialistes de l'organisation de façon très occasionnelle. Habituellement, les grandes organisations sont beaucoup plus préoccupées par les ressources humaines et leur développement que les petites. Ceci est probablement dû au fait que les employés y sont plus nombreux et que ces organisations ont également plus de moyens pour investir des budgets sensiblement plus importants dans cette activité de recherche et d'intervention. Quant à la variable décentralisation, il est à signaler que, dans les organisations hautement décentralisées, ces activités sont effectuées dans de nombreuses unités structurées et ne sont pas fréquemment regroupées dans un service identifié à une telle fin. En général, plus une organisation a un département des ressources humaines et de développement organisationnel important, plus les études et les interventions sont nombreuses. Cette haute sensibilisation aux aspects humains de l'organisation est souvent plus marquée quand la main-d'oeuvre constitue le capital principal comme c'est le cas des organismes de service.

Un service de recherche et d'intervention en gestion des ressources humaines et en développement de l'organisation évolue ou se développe selon trois phases de croissance: la phase initiale, la phase de l'installation et celle de la consolidation (Byham, 1968). Au tout début, l'établissement de ce genre de service est généralement le résultat ou la création d'un homme particulier de l'organisation. Il est plutôt rare de voir se créer des services de recherche et d'intervention suite à une décision de la haute direction. Fréquemment, ce service se développe indépendamment de toute décision de la haute direction. La personne qui est responsable de l'ensemble des ressources humaines et du développement organisationnel, peut être sensibilisée à l'utilité et à la nécessité de ces activités. C'est en ce sens que nous mentionnons que la présence d'une seule personne influente ayant des attitudes positives vis-à-vis l'analyse et l'intervention peut expliquer la création de ce service (Berry, 1967). Deuxièmement, le stage suivant consiste généralement à gagner la confiance de la direction et à établir la crédibilité du service. Il faut donc qu'il y ait une grande coopération entre le responsable du service et les diverses personnes ayant des responsabilités dans la ligne hiérarchique. Il est habituellement plus facile de faire accepter le service de recherche et d'intervention en se basant sur des résultats concrets, pratiques et profitables obtenus suite à la réalisation de certains mandats spécifiques. Les gestionnaires deviennent alors plus sensibilisés à ce genre d'étude ou d'intervention, ce qui peut faciliter ensuite l'acceptation du service comme tel. Au fur et à mesure que cette acceptation et cette confiance s'établissent au sein de l'organisation, les chercheurs-intervenants peuvent se préoccuper de problèmes de moins en moins centrés sur des solutions à court terme et ont la possibilité de travailler dans de nouveaux domaines en axant leurs efforts dans une optique de rentabilité à plus long terme. Enfin, la troisième étape est celle de la consolidation. Dès lors, le service de recherche et d'intervention peut regrouper toute une série d'activités effectuées, de façon éparpillée, à travers l'organisation. Les raisons principales qui justifient la nécessité de concentrer les activités reliées à la gestion des ressources humaines et au développement de l'organisation dans un service particulier sont une réduction des coûts et une meilleure coordination des efforts déployés. Il est évident que plusieurs études effectuées un peu partout dans l'organisation peuvent résulter dans un manque de coordination au niveau de l'utilisation des résultats et dans une mauvaise utilisation des budgets.

Voilà donc les principales étapes que franchit généralement un service de recherche et d'intervention en regard de son propre développement au sein de l'organisation.

8. STRATÉGIES DE RECHERCHE ET D'INTERVENTION

Nous avons vu précédemment que les besoins de recherche et d'intervention évoluaient selon trois stades. Quand nous parlons de stratégie de recherche, il est évident que la stratégie adoptée par le chercheur-intervenant tient compte des caractéristiques du milieu dans lequel il travaille. Quatre éléments majeurs vont influencer son choix de la stratégie à utiliser: premièrement, l'état actuel du développement du département ou du service de recherche et d'intervention; deuxièmement, les obstacles rencontrés antérieurement par rapport aux analyses et interventions effectuées dans l'organisation; troisièmement, la vitalité du service et les attitudes des dirigeants face à cette fonction;

quatrièmement, les compétences disponibles pour effectuer ces études et interventions (Berry, 1967). Il faut que la stratégie adoptée soit conforme à la réalité avec tout ce que ceci implique de limites et de possibilités. Tel que mentionné précédemment, l'apport des chercheurs-intervenants a généralement au départ peu d'influence sur l'organisation. Dans son évolution, les activités de recherche et d'intervention passent ensuite par une période où elle acquiert une importance plus grande et le service a alors une latitude accrue dans la planification de ses activités au sein de l'organisation. Enfin, son évolution est habituellement marquée par une acceptation plus globale qui en fait un service dont une maturité est plus solide. Il s'agit là de l'essentiel du processus de socialisation fonctionnelle qui accompagne l'évolution de la recherche et de l'intervention en milieu organisationnel. Les stratégies choisies par les chercheurs-intervenants en gestion des ressources humaines et en développement organisationnel évoluent parallèlement au développement du service.

8.1 Stratégies caractéristiques de la phase initiale

Dans la phase initiale, les stratégies sont généralement axées sur la recherche d'un appui de la base de l'organisation, soit les employés ou les cadres de niveaux inférieurs. Cet appui fait pression sur la direction pour faciliter la réalisation d'études et d'interventions qui peuvent mieux cerner les problèmes existants et faciliter les changements. Cette stratégie a l'avantage d'intégrer ceux qui sont le plus près du champ d'application des résultats et recommandations éventuelles. Cependant, elle comporte un danger énorme à savoir exercer une pression très forte venant de la base, pression qui provoque une certaine crainte chez les dirigeants. Ce climat de tension peut les inciter à réagir de façon très négative en percevant l'action des spécialistes comme une activité visant à provoquer des conflits et, probablement, à faire éclater l'organisation. Il ne faut donc pas s'étonner, dans ce contexte, de réactions parfois très vives de la part des dirigeants.

8.2 Stratégies caractéristiques de la phase de l'installation

Dans la seconde phase, soit celle de l'installation, les stratégies les plus souvent choisies sont celles qui se caractérisent par l'appui de la direction de l'organisation. La pression s'exerce, au contraire, vers la base qui est alors encouragée à faciliter et à participer à la réalisation de diverses études, interventions ou implantation de changements.

La promotion de la recherche et de l'intervention en gestion des ressources humaines et en développement organisationnel est essentiellement appuyée par la direction. Ceci peut faciliter l'obtention des budgets et assurer le support indéfectible de la haute direction. Dans la mesure où il est bien accepté, le chercheur-intervenant exerce alors une certaine influence pouvant apporter des modifications au plan des politiques de l'organisation puisqu'il est relativement près des centres de décision. Cette stratégie se traduit parfois par l'utilisation d'un certain autoritarisme de la part de la direction face aux employés de la base. En effet, les travailleurs perçoivent que le spécialiste est appuyé par la direction et ils se sentent obligés de coopérer en même temps qu'ils ont une certaine crainte d'être manipulés par le tandem direction-spécialiste des organisations. Il y a donc risque de conséquences néfastes sur la coopération des sujets qui peuvent, avec beaucoup d'ingéniosité, trouver toutes sortes de moyens pour faire obstacle à la démarche du chercheur-intervenant.

8.3 Stratégies caractéristiques de la phase de consolidation

Enfin, dans la phase de consolidation, il semble que les spécialistes soient habituellement plus portés à utiliser des stratégies du type recherche-action. Il ne s'agit pas alors de s'appuyer sur les employés ou sur la direction pour croître mais bien sur l'obtention de résultats concrets. En effet, le chercheur-intervenant recherche alors l'appui du responsable d'un département particulier où l'analyse d'un problème spécifique peut être réalisée. Les améliorations qui suivent cette étude et l'application des recommandations servent par la suite de levier pour accroître la crédibilité du service de recherche et d'intervention (Ferguson, 1964). Cette approche très pragmatique, basée sur la reconnaissance d'expériences positives, caractérise cette troisième stratégie.

Il s'agit de convaincre certains individus-clés de l'organisation de l'utilité d'une étude ou intervention pour solutionner tel ou tel problème spécifique qu'ils rencontrent (Churchman, 1964). Le spécialiste des organisations va alors faire ses preuves sur une base restreinte, à l'intérieur d'un département ou d'un groupe-pilote. Il peut ainsi lui-même évaluer ses résultats avant d'étendre son influence. Cette procédure est basée sur la prudence et crée chez les autres dirigeants de l'organisation un climat de réceptivité face aux solutions positives et concrètes élaborées à la suite de l'analyse d'une situation problématique. La promotion se fait à partir des succès du chercheur-intervenant et les dirigeants ne sont pas obligés de faire confiance à un individu qui n'a pas fait ses preuves. Cette stratégie est beaucoup plus acceptable pour la direction. Le désavantage de cette approche se retrouve au niveau d'une certaine lenteur si les responsables visent des changements rapides et radicaux dans toute l'organisation. Cependant, il est préférable d'agir avec prudence dans un milieu organisationnel et de ne pas faire preuve d'une impatience souvent néfaste à l'acceptation du spécialiste de même qu'au développement de la recherche et de l'intervention (Ferguson, 1964).

9. VALEUR ET UTILITÉ DE LA RECHERCHE ET DE L'INTERVENTION

La plupart des organisations font un effort réel pour déterminer la rentabilité des investissements au niveau des divers départements. Un service de recherche et d'intervention en gestion des ressources humaines et en développement des organisations représente un investissement financier et, comme pour tous les autres investissements, celui-ci doit avoir un retour satisfaisant, en termes d'utilité et de contribution à l'atteinte des objectifs de l'organisation (McCormick, 1961). Là réside la justification fondamentale de l'existence de tout département ou service.

Il convient pour évaluer la valeur des analyses et des interventions de tenir compte d'un certain nombre de points. Premièrement, est-ce que les résultats ont pour l'organisation une signification pratique? Deuxièmement, est-ce que ces résultats peuvent être appliqués compte tenu de la situation particulière de l'organisation? Troisièmement, qu'est-ce que nous apprend précisément telle analyse? Quatrièmement, est-ce que l'étude et l'intervention répondent bien aux questions essentielles ou si de nombreuses questions restent encore en suspens?

Le fait pour les chercheurs-intervenants de démontrer que les investissements faits à ce niveau ne sont pas des investissements perdus mais que les résultats de leurs études peuvent apporter des améliorations sensibles au niveau de la réalisation des objectifs de l'organisation va certainement constituer une contribution majeure au développement et à la croissance des services rendus par les spécialistes des organisations. Il doit y avoir des preuves évidentes de rentabilité.

Toute organisation a grand avantage à ce que les échanges entre la direction et les chercheurs-intervenants soient plus fréquents dans un contexte où l'utilisation optimale des ressources humaines d'une organisation ne signifie pas un souhait désirable mais une nécessité pouvant faire la différence entre une organisation moribonde et une organisation dynamique. Toute action sur les plans production ou mise en marché est le résultat d'une analyse situationnelle complète. Il en est de même en ce qui concerne le capital humain et le développement de l'organisation. Les dirigeants devront le réaliser s'ils ne veulent pas être confrontés à des situations de conflit ou d'inefficacité pénibles et fort coûteuses pour l'organisation. Le gestionnaire de la grande ou de la petite entreprise devrait tenter de tirer profit de ces outils de gestion fort essentiels que constituent la recherche et l'intervention en se sensibilisant à leurs caractéristiques, à leurs limites mais également à leur potentiel indéniable (Wilson, 1969; Selltiz et al., 1977, Émory, 1980).

Chapitre 2

Fondements de
la méthodologie scientifique

A près avoir défini et mis en relief la pertinence de la recherche et de l'intervention relativement à la gestion des ressources humaines et au développement organisationnel, nous aborderons maintenant les fondements de la méthodologie scientifique. Pour ce faire, nous présenterons l'attitude de base du chercheur-intervenant, confronterons l'approche scientifique et le sens commun, soulignerons les postulats à la base de la méthodologie scientifique et décrirons ses caractéristiques essentielles. Enfin, nous exposerons les composantes principales de l'approche scientifique: l'hypothèse et les divers types de variables. Dans une dernière section, les limites de la méthodologie scientifique seront alors soulignées.

1. NATURE DE LA MÉTHODOLOGIE SCIENTIFIQUE

Si la méthodologie scientifique comprend à la fois un état d'esprit (ou une structure de la pensée) et l'éventail des méthodes de recherche et d'intervention à la disposition du spécialiste, il est possible de la définir comme suit: la méthodologie scientifique est un ensemble de normes qui guident le chercheur-intervenant dans son objectif de développement de la science ou de la connaissance. Ces normes visent essentiellement à prendre en considération toutes les alternatives possibles d'explication des phénomènes organisationnels et ce, sans parti pris positif ou négatif a priori de sa part. La méthodologie scientifique est, en ce sens, plus une question d'attitude que de procédure unique.

1.1 Attitude de base du chercheur-intervenant

L'action de faire de la recherche ou de l'intervention, c'est regarder avec un oeil neuf, chercher à nouveau, aller au-delà du premier regard, en découvrir plus. En effet, le simple regard ou le bon sens ne mène pas toujours à des conclusions valables ou exactes. Selltiz et al. (1977) mentionnent que la présomption à la base de l'attitude du spécialiste est que tout ce qui est perçu, est «sujet à erreur de sorte que l'on doive regarder encore et encore, de façon différente et à fond chaque fois». Ce dernier doit tenter d'identifier ses propres limites et celles de ses méthodes pour ensuite les dépasser sans se laisser tromper par ces contraintes. Dans cette optique, l'approche scientifique des problèmes lance constamment des défis aux croyances populaires et aux perceptions superficielles en les soumettant à un examen critique minutieux, rigoureux et systématique. L'attitude objective du chercheur-intervenant remet continuellement en question les connaissances acquises. Il doit faire preuve de neutralité devant les faits et éviter d'introduire, dans son analyse, des éléments extérieurs qui ne font pas partie du phénomène organisationnel ou social scruté. En plus de cette ouverture d'esprit, l'expert a recours dans sa démarche scientifique à chacune des phases du processus de recherche ou d'analyse caractéristique de la méthodologie scientifique.

1.2 Approche scientifique et sens commun

Souvent, les personnes opposent la valeur des connaissances tirées de l'approche scientifique des problématiques et celle des acquis issus du sens commun. Pourquoi étudier scientifiquement quand le bon sens nous fournit déjà la réponse? L'attitude scientifique décrite précédemment va nettement à l'encontre de cette déification du sens commun. Le chercheur-intervenant inexpérimenté s'engage souvent dans un processus d'interrogation en se fondant sur des prises de position personnelles ou des perceptions superficielles d'un phénomène et cherche par la suite, plus ou moins inconsciemment, à confirmer ses apriorismes.

Le bon sens confine les individus à ce qui leur est familier et il leur arrive souvent de considérer comme inévitable ce qui est familier. C'est ainsi que l'on a cru durant des siècles que la terre était plate et on traitait de fou toute personne soutenant un autre point de vue. Nombre de personnes qualifient d'inconcevable ce qui ne leur est pas familier. Il est facilement possible de constater l'immobilisme effrayant que recouvre la notion du bon sens ou celle du sens commun. La science aurait bien peu progressé si les experts n'avaient pas questionné ces supposées évidences.

La mentalité scientifique va au sens profond des phénomènes et met en relief les contradictions existantes pour ensuite tenter de les expliquer. Le chercheur-intervenant expérimenté craint et conteste avec vigueur les apparences qui sont fréquemment trompeuses. Gingras (1984) est très explicite sur cette relation entre la recherche et le sens commun:

«Aussi, la recherche scientifique se doit-elle d'aller au-delà de celles-ci (apparences) pour découvrir ce qui est vraiment **essentiel** dans l'action sociale et les phénomènes humains. La recherche de l'essentiel suppose donc au départ une rupture avec les certitudes quotidiennes fondées sur les apparences des choses, un doute méthodique face aux interprétations spontanées et superficielles de la réalité, une volonté de saisir ce qui est fondamental dans une action sociale et ne varie pas malgré des manifestations diverses et changeantes.» (p. 41).

Si les données du sens commun sont extraites des expériences vécues, de connaissances accumulées et d'actions coutumières, les données scientifiques sont organisées, érigées en système et obtenues en respectant les critères de la méthodologie scientifique. Les premières n'ont pas été soumises à l'analyse critique alors que les secondes sont le résultat de remise en question systématique.

1.3 Postulats de la méthodologie scientifique

La méthodologie scientifique est basée sur la prémisse de la rationalité de la nature. Le spécialiste croit que les phénomènes sociaux ou organisationnels ont des causes et que celles-ci peuvent être identifiées et comprises logiquement. Fréquemment, la cause n'est pas unique. Une problématique peut être le résultat d'une multitude de facteurs très complexes et difficiles à identifier.

Bien qu'aucun gestionnaire ou psychologue organisationnel ne puisse prétendre comprendre, d'une façon précise, tous les phénomènes, la méthodologie scientifique constitue tout de même un outil privilégié pour révéler les causes des effets observés. En ce sens, la science est probabiliste et déterministe. Un même comportement peut avoir plusieurs causes et le spécialiste doit tenter d'identifier les probabilités que telle ou telle cause soit associée à un phénomène particulier.

La méthodologie scientifique est critique et analytique dans son essence et elle nécessite la définition précise des termes. Cette approche met l'accent sur la critique et la réévaluation constante des hypothèses, méthodes et conclusions. Le chercheur-intervenant veut comprendre la cause des phénomènes observés pour ensuite en contrôler l'émergence. Évidemment, il postule la rationalité de l'univers organisationnel. Gingras (1984) souligne le besoin humain de comprendre la dynamique des divers systèmes sociaux pour tenter de prédire jusqu'à un certain point l'avenir. En ce sens, l'approche scientifique est caractérisée par une cohérence logique qui résulte d'un «va-et-vient incessant entre les faits et les cadres de l'explication». Le chercheur-intervenant désire «recueillir toujours plus de données et proposer des explications encore plus cohérentes, plus complètes, plus englobantes». C'est là une ambition universelle.

1.4 Caractéristiques de la méthodologie scientifique

Korman (1971) définit très bien les caractéristiques de la méthodologie scientifique selon cinq aspects fondamentaux. Premièrement, les conclusions et les inférences sont basées sur des observations empiriques et non sur des croyances ou des souhaits. Deuxièmement, l'approche scientifique s'applique en fonction d'un but précis et non au hasard. Le problème étudié est toujours choisi par rapport à un objectif pratique ou théorique. Troisièmement, la recherche et l'intervention sont essentiellement, selon la méthodologie scientifique, cumulative et auto-correctrice. Elles s'appuient sur ce qui a déjà été fait ou est déjà connu pour ensuite essayer d'aller plus loin. C'est la principale raison qui justifie le spécialiste de consacrer beaucoup de temps à la revue critique de la littérature sur la problématique abordée. La connaissance est essentiellement dynamique et évolutive à cause des remises à jour continues. Quatrièmement, la méthodologie scientifique permet de répliquer une analyse pour en confirmer les résultats parce qu'elle oblige le chercheur-intervenant à définir avec clarté et précision ses méthodes de travail et l'étendue de ses concepts. Enfin, la connaissance scientifique n'a pas une perspective privée. Elle est d'abord et avant tout vouée à la communication et devient un objet public soumis à la critique et à l'analyse de tous les experts.

2. FORMULATION DE L'HYPOTHÈSE

Le spécialiste en recherche et intervention est confronté à de multiples phénomènes organisationnels dont il essaie de percer le mystère, soit dans le but d'en améliorer la compréhension, soit pour contribuer à la solution d'un problème spécifique. La distinction entre ces deux motivations n'est pas toujours très claire ce qui démontre que la route entre la recherche fondamentale et la recherche appliquée est bidirectionnelle. Les sources de thèmes d'interrogation choisis sont nombreuses et prennent des formes qui tiennent compte des intérêts et de la personnalité des chercheurs-intervenants, certains étant plus axés vers l'action ou l'intervention et d'autres plus intéressés à saisir la dynamique des phénomènes organisationnels. Les hypothèses ou les questions peuvent surgir de l'analyse d'un cas spécifique, d'un paradoxe apparent, d'une analogie avec un autre phénomène, d'une déduction, d'une analyse fonctionnelle d'un système, de l'instinct du praticien, de la confrontation de résultats contradictoires ou de l'émergence apparente d'exception à la règle.

2.1 Définition et fonction de l'hypothèse

Mais que vient faire l'hypothèse dans ce contexte? Il est d'abord nécessaire de définir ce qu'est une hypothèse. L'hypothèse est une relation plausible entre une série de phénomènes observés ou de faits imaginés (Tremblay, 1968). Il s'agit donc d'une conception provisoire de la réalité ou de la solution d'un problème. À partir de diverses observations ou d'une revue de la littérature sur le sujet, le spécialiste établit des liens entre divers faits qu'il doit soumettre à la vérification empirique. Pour être évaluée, l'hypothèse doit être soumise à la vérification. Elle constitue donc le point de départ du processus qui vise à infirmer ou confirmer l'assertion établie au niveau des liens entre les diverses variables de la problématique étudiée. Pour être acceptée, l'hypothèse doit être démontrée.

Dans une hypothèse relationnelle, il est possible de distinguer essentiellement trois composantes: un facteur manipulé ou contrôlé par le chercheur-intervenant, un facteur mesuré qui traduit les variations observées parallèlement aux manipulations de l'expert et enfin, le sens de la relation entre ces deux facteurs (Demers, 1981). La fonction essentielle de l'hypothèse, qu'elle s'avère fausse ou exacte, «c'est d'élargir les schèmes traditionnels d'explications et d'ouvrir de nouvelles voies fécondes à la recherche» (Tremblay, 1968). L'hypothèse descriptive, quant à elle, met en évidence des faits et non une relation entre variables.

Il est indispensable que le spécialiste établisse clairement la position et l'angle sous lequel il aborde le problème étudié par le biais de son hypothèse. Celle-ci fournit essentiellement la direction précise de l'interrogation et conditionne, de façon importante, toute la réalisation de l'analyse. Pour ce faire, Chevrier (1984) suggère cinq étapes à franchir: spécification de la problématique générale, identification des variables pertinentes à la question, précision relative aux relations entre celles-ci, organisation de ces variables dans une dynamique relationnelle précise et enfin, définition des concepts-clés de l'hypothèse formulée. Ces étapes rendront le spécialiste plus sensible aux diverses facettes de la problématique et faciliteront le rétrécissement de celle-ci dans une optique de rendre opérationnelle la démarche.

La formulation de l'hypothèse vise donc essentiellement à bien définir le problème dans des termes précis et clairs. Plusieurs raisons militent en faveur de cette action. Pour solutionner un problème, il est nécessaire de bien identifier celui-ci et l'hypothèse trace la direction de l'interrogation. De plus, il est possible de prendre alors conscience des nombreuses ramifications de la problématique. Ceci met le chercheur-intervenant face à des choix précis à effectuer. Le spécialiste devient en conséquence très sensible au besoin de clarification des concepts. Ce n'est qu'à ce prix qu'il peut éventuellement analyser avec rigueur et clarté la signification exacte des résultats obtenus. Si la problématique n'est pas bien identifiée, il lui est très difficile de comprendre le sens exact des résultats obtenus. L'effort fourni lors de la formulation du problème permet de mieux cadrer le problème étudié à l'intérieur d'un contexte ou d'un environnement organisationnel plus large ce qui jette simultanément une certaine lumière sur la compréhension du phénomène abordé. Enfin, une formulation précise de l'hypothèse facilite la communication entre chercheurs-intervenants et éventuellement la reprise de l'analyse par un autre expert.

2.2 Analyse conceptuelle

Selltiz et al. (1977) mentionnent que l'ambiguïté est l'ennemi de la cohérence logique et de la compréhension. Cette ambiguïté existe quand un concept recouvre différentes réalités ou quand une réalité précise est représentée par plusieurs concepts différents. Face à une telle situation, divers chercheurs-intervenants peuvent arriver à des conclusions différentes tout simplement parce que, malgré l'usage d'un même terme, ceux-ci font référence en réalité à des univers tout à fait distincts. La communication et la logique sont très affectées par l'ambiguïté. Or, toutes les hypothèses sont constituées de concepts et sujettes aux dangers décrits ci-haut. Il est donc essentiel d'apporter un très grand soin à la définition des concepts et ce, à l'intérieur de l'opération identifiée comme l'analyse conceptuelle. Murdick (1969) souligne le fait que, malheureusement, beaucoup d'efforts ont parfois été dépensés à réaliser des études qui ont abouti à des résultats fort décevants justement parce que les auteurs ont utilisé des concepts vagues et ambigus de même que des méthodes plus ou moins rigoureuses. Les résultats ne peuvent pas généralement être plus précis que la précision même des concepts retenus tel qu'illustré à la figure 1.

Figure 1: Échelle d'abstraction du concept.

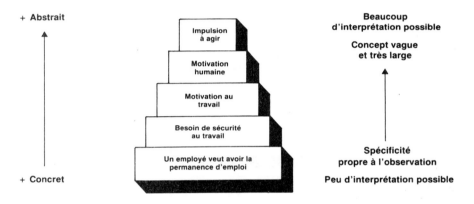

L'analyse conceptuelle se définit comme un processus par lequel nous spécifions la dimension perçue et mesurable des phénomènes organisationnels ou des problèmes à l'étude, ces derniers étant représentés par des abstractions ou concepts. Cette démarche implique conséquemment le développement de procédures qui vont guider les observations empiriques (dans le monde réel) des concepts sous-jacents. L'analyse conceptuelle permet de concrétiser le problème analysé en identifiant les principaux aspects du concept et en les représentant par des éléments directement observables, de focaliser les observations sur un nombre limité de facteurs identifiés qui forment un schéma logique d'explication possible du problème et enfin, de mesurer et quantifier les variables étudiées par le biais des indicateurs directement observables.

L'analyse conceptuelle spécifie précisément ce que le chercheur-intervenant en gestion des ressources humaines et en comportements organisationnels entend quand il utilise certains termes particuliers. Ce processus correspond essentiellement à la spécification des différentes dimensions et indicateurs qui traduisent l'évidence de l'absence ou de la présence du concept étudié. Simul-

tanément, l'analyse conceptuelle améliore donc la compréhension du phénomène organisationnel étudié. Le concept théorique, qu'il soit simple ou
complexe, doit être traduit en concept opératoire qui permet, par le biais
d'indicateurs choisis, d'être observé dans la réalité. Par exemple, si un spécialiste désire étudier les manifestations de l'alcoolisme au travail, il doit définir
ce qu'il entend exactement par ce concept, en identifier les diverses composantes et décider des comportements réels qu'il reconnaît comme des manifestations représentatives de ce type de problème. Les concepts doivent, en
recherche ou en intervention, devenir observables suite à l'identification des
dimensions qui représentent autant d'aspects distincts de l'abstraction plus
vaste. Par le choix d'indicateurs, ces dimensions deviennent des éléments
concrets directement observables (Tremblay, 1968). Le schéma décrit à la
figure 2 permet de mieux visualiser le processus de l'analyse conceptuelle.

Figure 2: Processus de l'analyse conceptuelle.

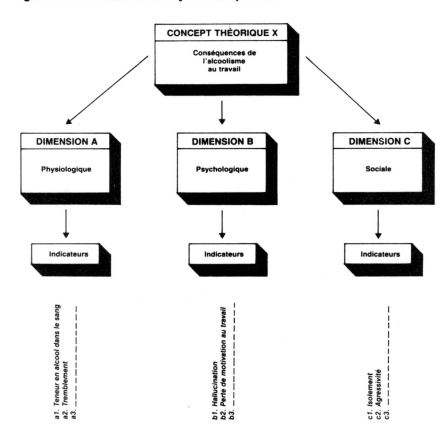

Pour en arriver à des conclusions valables, il est donc nécessaire que les chercheurs-intervenants de la communauté scientifique reconnaissent que le concept effectivement expérimenté (indicateurs) correspond bien au concept opératoire (dimensions) et que ce dernier recouvre bien tout l'univers et seulement l'univers du concept théorique tel que défini par le spécialiste.

Le schéma présenté à la figure 3 (page 44) représente donc ce passage du concept théorique au concept expérimenté.

Les risques d'erreur dans ce processus de l'analyse conceptuelle à trois étapes peuvent avoir un impact important sur la qualité des données recueillies et surtout au niveau des interprétations éventuelles. L'expert doit être bien sensibilisé à ce fait tel que représenté à la figure 4 (page 45).

À ce stade, tout repose sur le jugement, le sens critique et l'expérience des chercheurs-intervenants.

2.3 Rôle de la revue critique de la littérature

La question spécifique soulevée doit être formulée de façon très précise car elle trace la voie à toute la démarche d'interrogation. Chaque concept doit être défini de façon opérationnelle pour être observable. Le meilleur moyen de procéder est certes de faire une revue critique de la littérature sur le sujet, d'analyser les méthodes de travail des autres chercheurs-intervenants, de miser sur les connaissances acquises et de tenter de les dépasser. Il est, à ce moment, possible de déterminer la faisabilité et la pertinence de l'analyse prévue. Il arrive malheureusement que des personnes inexpérimentées se lancent dans la cueillette de données sans avoir analysé les études antérieures et s'aperçoivent trop tard que la réponse au problème étudié existait déjà ou que la méthode retenue ne soit pas adéquate compte tenu de certaines expériences antérieures, etc. Il y a de graves risques à violer la logique de l'analyse qui doit débuter par un examen critique du contexte théorique.

Lorsque l'expert est confronté à une problématique, il doit la cerner ou l'apprivoiser pour mieux la définir et la rendre opérationnelle dans une démarche d'analyse. Pour ce faire, le chercheur-intervenant consulte systématiquement diverses sources de renseignements, telles une discussion approfondie avec d'autres experts, des rencontres avec les intervenants du milieu, une observation personnelle de la dynamique du phénomène organisationnel concerné et, notamment un examen critique de la littérature et des études antérieures sur le même sujet. Avec une telle cueillette d'information, il est en mesure de considérer les explications fournies par les autres. Il peut alors élaborer sa propre conception de la dynamique du phénomène abordé et for-

Figure 3
Représentation du traitement d'un concept théorique vers le concept expérimenté.

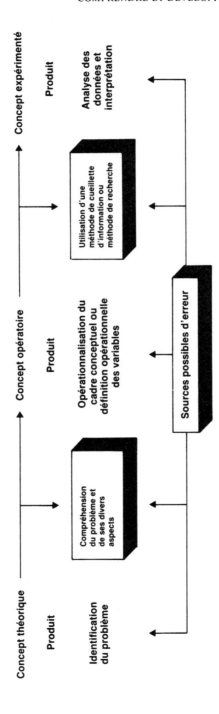

Figure 4
Comparaison du processus idéal de l'analyse conceptuelle et divers biais possibles.

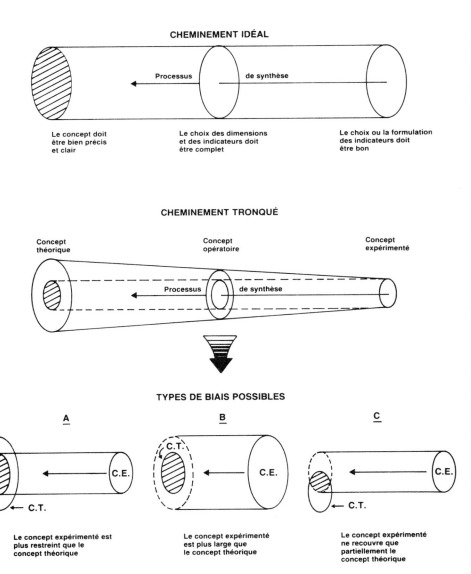

CHEMINEMENT IDÉAL

Processus ← de synthèse

Le concept doit
être bien précis
et clair

Le choix des dimensions
et des indicateurs doit
être complet

Le choix ou la formulation
des indicateurs doit
être bon

CHEMINEMENT TRONQUÉ

Concept
théorique

Concept
opératoire

Concept
expérimenté

Processus ← de synthèse

TYPES DE BIAIS POSSIBLES

A   B   C

C.E.   C.T.   C.E.   C.T.   C.E.

Le concept expérimenté est
plus restreint que le
concept théorique

Le concept expérimenté
est plus large que
le concept théorique

Le concept expérimenté
ne recouvre que
partiellement le
concept théorique

muler une hypothèse plausible qui tienne compte des explications alternatives possibles.

Concrètement, la revue critique de la littérature permet de clarifier la problématique et ce, par divers moyens: contester les résultats ou les interprétations d'une étude antérieure; répéter des études pour en confirmer, infirmer ou compléter les résultats; appliquer une étude précédente à un nouveau contexte; essayer d'expliquer des résultats inattendus; chercher des moyens d'appliquer certaines méthodologies traditionnelles à de nouveaux problèmes; découvrir des façons de combiner divers résultats de recherche dans une nouvelle problématique, etc. (Selltiz et al, 1977).

L'hypothèse qui découle d'une revue critique de la littérature, n'est donc pas formulée au hasard ou en fonction des opinions personnelles du spécialiste. Elle part des connaissances antérieures et elle s'élabore à partir de ces acquis réalisés par les autres. L'hypothèse est en ce sens un moyen très important pour faire progresser la science en prenant racine dans un terrain déjà bien préparé, soit celui des études antérieures.

2.4 Caractéristiques de l'hypothèse

Tremblay (1968) décrit, de façon très adéquate, les caractéristiques de l'hypothèse:

— Les concepts utilisés dans l'hypothèse doivent être précis.

— Les hypothèses doivent porter sur des phénomènes observables, c'est-à-dire qu'elle peut être vérifiée par le biais d'une réalité ou d'une problématique réelle.

— L'hypothèse doit être spécifique, ce qui facilite l'identification de la réalité concrète couverte.

— L'hypothèse doit pouvoir être vérifiée avec l'aide des techniques disponibles.

Dans ces conditions, nous pouvons affirmer que l'hypothèse est opérationnelle. En conclusion, il faut mentionner que, dans sa forme, l'hypothèse prédit une relation spécifique entre deux variables, prolonge le contexte théorique par les liens logiques qui existent entre elle et la théorie et enfin, correspond bien à l'expérimentation telle qu'elle existe dans la réalité (Demers, 1981).

3. DÉFINITION DES VARIABLES

Après avoir rassemblé le plus d'informations possibles sur le sujet abordé (littérature, rencontres avec des personnes-ressources, rencontres avec des personnes du milieu, etc.) et formulé une hypothèse découlant logiquement de cette quête d'informations, il est maintenant temps de décomposer le problème en ses éléments essentiels: variables et relations entre celles-ci. Le but de l'analyse est donc d'identifier l'effet du facteur manipulé par le chercheur-intervenant sur le comportement des individus. Le modèle peut devenir très complexe si certains autres facteurs intermédiaires viennent agir sur la relation entre le facteur manipulé et le comportement observé. Quel sera donc l'effet exact de ces facteurs intermédiaires? Organiser des relations en une structure cohérente n'est pas toujours une opération facile. Au contraire, elle nécessite beaucoup d'habileté et de sens critique de la part du spécialiste des organisations.

3.1 Variable indépendante

La variable indépendante est celle qui est manipulée par le chercheur-intervenant dans le but d'en identifier les effets sur le comportement des sujets. C'est l'expert qui doit s'assurer que ce facteur varie dans la réalité et les sujets n'ont aucun contrôle ou influence sur cette variable. D'ailleurs, celle-ci est qualifiée d'indépendante de par cette absence de contrôle de la part des sujets. De plus, dans la cohérence de l'hypothèse, la variable indépendante précède, logiquement et chronologiquement, l'effet sur le comportement. Cette variable est souvent considérée comme la cause des effets observés.

Demers (1981) précise l'existence de deux types de variables indépendantes: la variable indépendante manipulée et la variable indépendante assignée. La première est contrôlée par l'expérimentateur qui, par diverses manipulations expérimentales, s'assure que celle-ci varie effectivement pour pouvoir ensuite en observer les effets (exemple: effet du niveau d'information fournie sur la productivité). La seconde, soit la variable indépendante assignée, est contrôlée par le spécialiste qui, par le choix de certains groupes de sujets, s'assure de la présence de variation au niveau de la variable indépendante (exemple: effet du sexe des sujets sur le taux d'absentéisme).

3.2 Variable dépendante

La variable dépendante n'est pas contrôlée directement par le chercheur-intervenant. Elle correspond essentiellement à l'effet observé suite à la manipulation de la variable indépendante. Cette variable dépendante est donc celle qui intéresse le plus puisqu'il s'agit là de la variable dont nous voulons généralement expliquer la dynamique. Ainsi, un psychologue organisationnel peut être intéressé à voir si le milieu social (variable indépendante) a un impact sur le rythme de promotion des sujets (variable dépendante).

3.3 Variables modératrices

Les variables modératrices ou intermédiaires sont celles qui interviennent dans ou sur la relation établie entre la variable indépendante et la variable dépendante. La présence de telles variables vient généralement effacer, maintenir ou amplifier la relation originale. Il est donc nécessaire pour l'expert de contrôler l'effet de cette ou de ces variables modératrices s'il désire mesurer exactement la relation entre la variable indépendante et la variable dépendante. Fréquemment, les variables modératrices sont considérées comme des facteurs indésirables et leur élimination est assurée par des contrôles expérimentaux a priori (contrôle dans le choix des sujets ou des situations) ou a posteriori (contrôle au niveau du traitement statistique).

3.4 Modèle-synthèse des diverses variables

La description des diverses variables présentées antérieurement permet maintenant d'en illustrer l'interdépendance. Mentionnons ici que les relations exprimées dans une hypothèse entre les variables indépendante, modératrice et dépendante ne doivent pas nous faire oublier que celles-ci agissent généralement à l'intérieur de systèmes beaucoup plus larges. L'hypothèse ne constitue qu'une petite portion de la réalité dont il est impossible de contrôler tous les facteurs. C'est ainsi que le chercheur-intervenant doit être toujours conscient de l'existence de multiples variables externes non contrôlées qui peuvent agir, de façon difficile à préciser, sur la relation étudiée. C'est là une limite importante dont il faut tenir compte.

Le modèle présenté à la figure 5 facilite la compréhension de l'essence même des relations entre les variables qui, de fait, constituent l'aspect opérationnel de l'hypothèse formulée.

Figure 5: Modèle de classification des variables d'une étude.

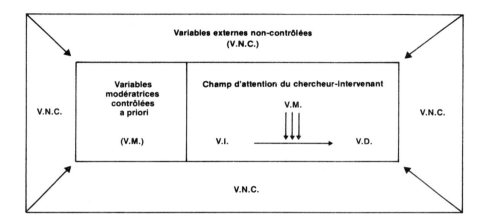

Pour illustrer concrètement ce modèle, nous décrirons ici un exemple hypothétique emprunté au domaine de la psychologie organisationnelle. Cet exemple est schématiquement présenté à la figure 6 (page 50).

Le spécialiste est ici intéressé à voir s'il y a un lien entre le milieu social d'origine (défavorisé, moyen, favorisé) et la réussite professionnelle. Deux variables importantes à contrôler pour en isoler les effets possibles sont les attitudes du conjoint et des enfants face aux exigences du travail du partenaire/père/mère (et l'influence possible de l'attitude du conjoint sur celle des enfants). Dans cette étude, il y a contrôle a priori de la compétence technique des sujets en retenant seulement ceux dont la compétence technique est semblable. Ainsi, il est possible d'éliminer l'impact que pourrait avoir le degré de compétence technique sur la réussite professionnelle. Dans cet exemple, le chercheur-intervenant doit être conscient de l'incidence possible de certaines autres variables externes non contrôlées sur le rythme de la réussite professionnelle, notamment le niveau intellectuel du sujet, le nombre d'années d'expérience, le taux de croissance de l'organisation etc.

En conclusion, il faut affirmer que le contrôle des variables constitue une difficulté majeure. Inévitablement, les situations et les personnes évoluent dans le temps de sorte qu'il est quasi impossible de répéter une expérimentation exactement dans les mêmes conditions expérimentales. De plus, certaines interprétations sont souvent prématurées compte tenu que de nombreux

Figure 6: **Exemple présenté selon le modèle de classification des variables.**

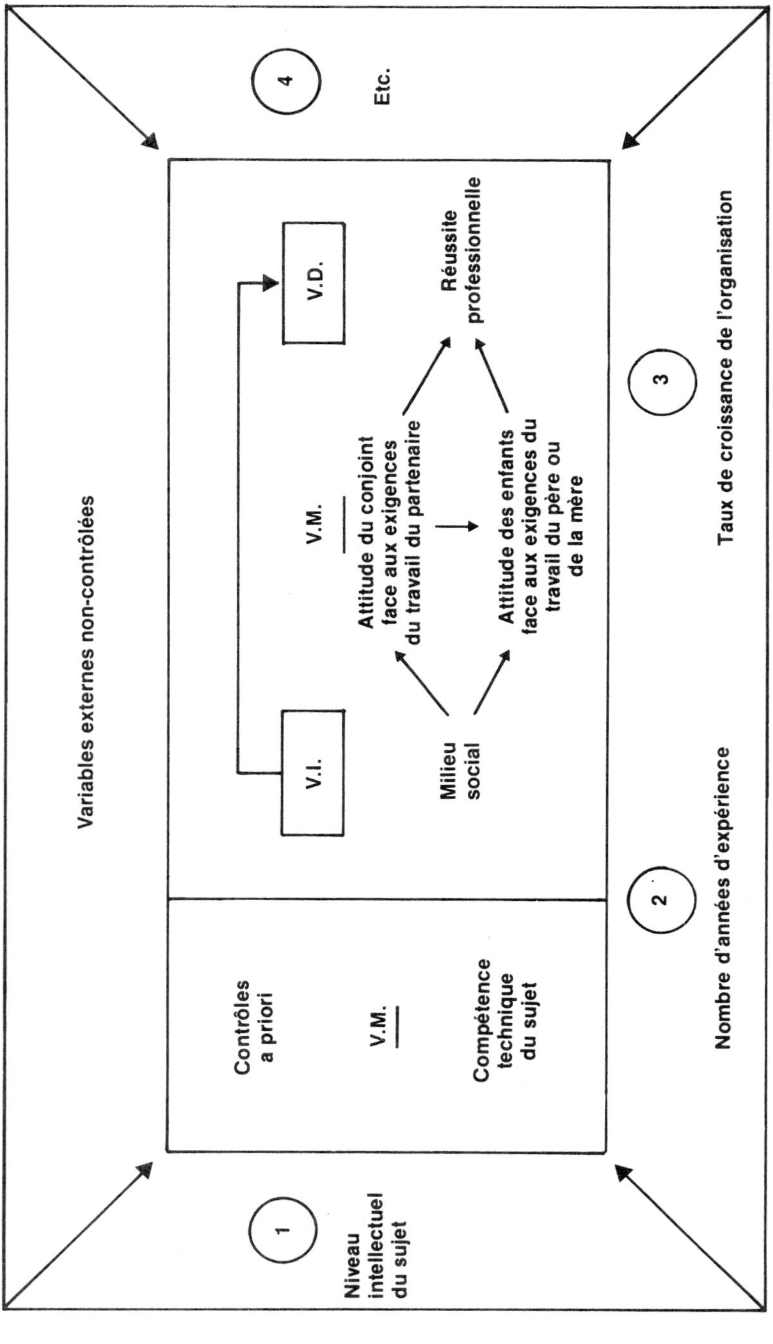

facteurs intermédiaires non contrôlés voilent plus ou moins les relations étudiées. En ce sens, les observations sont incomplètes ou insuffisantes (Tremblay, 1968). Bien que certaines méthodes d'analyse statistique, notamment l'analyse de variance simple et multivariée, viennent aider l'expert en gestion des ressources humaines et en comportements organisationnels à identifier précisément le lien pouvant exister entre la variable indépendante et la variable dépendante, il est évident que ce dernier doit être excessivement prudent dans la formulation de l'hypothèse, dans la définition des variables et surtout dans l'interprétation des données.

4. LIMITES DE LA MÉTHODOLOGIE SCIENTIFIQUE

Dans cette dernière section, les principales limites méthodologiques seront évoquées, c'est-à-dire les limites conceptuelles, celles reliées au processus d'observation, les biais du raisonnement logique et enfin l'effet des valeurs personnelles dans le choix des problématiques.

4.1 Limites conceptuelles

Le premier danger relié à la méthodologie relève de failles au niveau du schème conceptuel. Celui-ci doit s'appuyer sur de puissantes traditions d'analyse ou sur des études exploratoires, descriptives ou explicatives nombreuses. Si ces conditions ne sont pas respectées, le schème conceptuel risque de ne pas être suffisamment précis, ce qui peut occasionner un gaspillage d'énergie. De plus, cette faiblesse a des répercussions directes sur le contrôle des variables au moment de l'expérimentation. Pour que les conclusions soient valables, le chercheur-intervenant doit avoir bien identifié les variables en cause et pouvoir exercer sur celles-ci un contrôle judicieux. Enfin, le spécialiste des organisations ne doit pas avoir une confiance exagérée en ses méthodes ou techniques. Il ne faut pas qu'un tel excès de confiance annihile son sens critique. Bien que certains instruments ou outils de recherche et d'intervention soient très bien conçus, il n'en demeure pas moins que ceux-ci sont imparfaits. Il faut retenir que le sens critique est la mère de la prudence.

4.2 Limites reliées au processus d'observation

Babbie (1979) mentionne que l'observation est la clé de la recherche. Ici, le terme observation est utilisé dans un sens large, soit celui de la saisie de la réalité. Pour expliquer un phénomène organisationnel, il faut d'abord le voir ou y être sensibilisé. Or, cet auteur signale que le spécialiste est de fait un être limité au niveau de ses sens et de sa perspicacité ce qui en fait, consciemment ou non, un observateur dont la capacité de saisie et de rappel des événements est plus ou moins développée. Il faut de plus souligner le problème de la perception ou de l'observation sélective. Ainsi, le chercheur-intervenant peut être personnellement plus sensible à telle ou telle conception d'un phénomène et, conséquemment, attacher plus d'importance à certains faits ou ne retenir que les événements qui viennent confirmer sa position personnelle. Le phéno-mène des préjugés envers les employés est souvent associé à cette attitude d'observation sélective. Il est bien évident que ces limites reliées au processus d'observation ont un impact négatif sur l'objectivité de la démarche et sur l'interprétation des résultats.

4.3 Limites du raisonnement logique

Nous avons mentionné précédemment l'existence des attentes de l'expert qui risquent d'occasionner des biais dans le raisonnement logique. C'est ainsi que le chercheur-intervenant ou le gestionnaire peut être amené à rejeter ce qui contredit sa perception en qualifiant cette contradiction apparente «d'exception à la règle». Cette attitude, sécurisante en apparence, n'est pas de nature à amplifier son sens critique face à ce qui ne semble pas confirmer sa position. Le chercheur-intervenant ou le gestionnaire peuvent même en arriver à inter-préter, d'une façon assez superficielle voire même illogique, ces événements contradictoires. Ainsi, une personne préjugée à l'égard de l'honnêteté des noirs peut être confrontée à des comportements tel le fait qu'un objet perdu soit rapporté par une personne de race noire. Ce chercheur-intervenant peut alors tenter d'expliquer ce comportement inattendu pour lui en disant que c'est parce qu'il vit dans un quartier de blancs, que ce n'est pas un «vrai noir», etc. Les spécialistes, plus ou moins consciemment, recherchent la congruence ou la cohérence comme n'importe quel autre individu.

Un autre danger très bien connu des chercheurs-intervenants est celui de la généralisation des conclusions. Nous avons déjà signalé que ces derniers doivent fréquemment, pour aborder une problématique, découper la réalité, ce qui obligatoirement réduit son champ de vision. Il y a alors risque que le spécialiste considère ses concepts comme la totalité d'un phénomène et, qu'à partir de conclusions spécifiques, il généralise celles-ci de façon injustifiée ou abusive. C'est ainsi que nous voyons parfois les résultats d'une étude particulière transposés à des contextes très différents. Ce problème a souvent été observé, au niveau du transfert de connaissances ou de conceptions, d'une organisation à une autre, d'une culture à une autre. En général, les phénomènes, et évidemment les conclusions, sont culturellement et historiquement déterminés. Cette réalité est également vraie entre les divers milieux de travail, entre des groupes d'individus, etc. La prudence de l'expert est absolument nécessaire pour minimiser ce risque de généralisation injustifiée.

4.4 Impact des valeurs personnelles sur le choix des problématiques

L'objectivité de la démarche basée sur la méthodologie scientifique est un idéal difficile à atteindre. En effet, le chercheur-intervenant, même s'il tente d'objectiver ses observations, est essentiellement un être subjectif constitué de prismes multiples qui peuvent déformer plus ou moins sa perception de la réalité. Ses préjugés, ses priorités, ses valeurs affectent chacune des étapes du processus de recherche et d'intervention: choix des problématiques, formulation des hypothèses, sélection des méthodes, analyse et interprétation des résultats.

Pourquoi le spécialiste des organisations pose-t-il certaines questions à la réalité et non pas d'autres? Pourquoi voit-il un problème sous tel angle particulier? Le choix des problématiques n'est pas qu'un processus rationnel. La décision d'effectuer telle ou telle analyse ne peut échapper à l'influence des valeurs personnelles du chercheur-intervenant et des valeurs sociales de l'environnement. C'est à partir de paradigmes que ce dernier décide d'aborder un problème et d'y inclure ou exclure tel ou tel aspect particulier. Ce sont là les guides principaux qui accompagnent l'expert dans sa démarche professionnelle. Mellos (1984) définit le paradigme comme «une conception générale de la réalité qui détermine quelles questions sont à étudier, comment les approcher, comment les analyser et quelles implications les conséquences de l'analyse peuvent avoir pour la connaissance scientifique et son application». Ainsi, un paradigme détermine les limites du cercle d'attention du spécialiste et c'est à l'intérieur de celui-ci qu'il abordera, dans un contexte social donné, telle ou telle problématique avec telle méthodologie spécifique. Ce cadrage de valeurs peut même affecter l'interprétation des résultats dans le sens souhaité ou valorisé par le chercheur-intervenant, par l'organisation ou par la société.

Bien qu'il faille être conscient de l'impact des valeurs personnelles sur le choix des problématiques, il ne faut cependant pas croire qu'il s'agit là du seul facteur déterminant. D'autres raisons peuvent expliquer les choix. En effet, les spécialistes connaissent bien les priorités énoncées par les organisations ou par les gouvernements, la plus ou moins grande disponibilité de subventions selon les divers secteurs, le prestige associé à tel ou tel genre de recherche ou d'intervention, la sécurité d'un poste de chercheur-intervenant qui varie partiellement en parallèle avec les divers facteurs énumérés précédemment. Donc, la liberté de choix de l'expert n'est pas totale mais ce n'est pas seulement ses valeurs personnelles qui déterminent ses sujets d'intérêt.

La méthodologie scientifique, par sa rigueur et son caractère systématique, aide à réduire la probabilité que les résultats obtenus soient le reflet des préjugés et des valeurs personnelles du chercheur-intervenant. L'influence inévitable des valeurs personnelles est fondamentalement contrôlée par le degré de conscience que ce dernier possède de ses préjugés, valeurs et biais personnels. La méthodologie scientifique et la conscience personnelle constituent les meilleurs outils à la disposition du spécialiste des organisations pour éviter ces biais dans le choix et le traitement des problématiques organisationnelles.

Chapitre 3

Choix stratégiques relatifs aux approches de recherche et d'intervention

Le spécialiste en gestion des ressources humaines et en comportements organisationnels peut ressentir des difficultés de compréhension à cause de la très grande ambiguïté qui caractérise la description des approches de recherche et d'intervention. En effet, une même stratégie peut parfois être décrite avec un vocabulaire varié alors que, dans d'autres cas, un seul terme recouvre des stratégies de recherche et d'intervention fort différentes. L'éventail des approches disponibles est donc relativement confus au plan de la terminologie. Il est souvent difficile aux chercheurs-intervenants de prendre un certain recul qui permettrait d'avoir une perspective plus large de la réalité organisationnelle et de pouvoir planifier un tracé mieux adapté à l'analyse d'un problème. Dans ce contexte de confusion, l'intervenant peut se restreindre à l'utilisation de quelques approches et méthodes qui lui sont plus familières. Cette attitude n'est malheureusement pas garante des choix les plus judicieux et les mieux adaptés. Il se peut donc que toute cette confusion ait un effet négatif sur la créativité des spécialistes, sur le développement des connaissances et la solution des problèmes organisationnels. À tout le moins, cette ambiguïté conceptuelle peut affecter la qualité de la recherche et de l'intervention.

Afin d'apprivoiser les approches et les outils disponibles et de les utiliser sciemment dans les sciences de la gestion et la psychologie organisationnelle, il est essentiel de décrire, de façon simple et pratique, les divers types de stratégie de recherche et d'intervention. Il pourra en résulter une meilleure compréhension de la dynamique interne des approches et une intégration utile de celles-ci dans le cadre de l'exercice professionnel du chercheur-intervenant. C'est donc dans cette perspective que fut développé le modèle intégré de recherche et de stratégie d'intervention (Bordeleau et al., 1982).

L'examen de la documentation scientifique propre aux sciences du comportement met en évidence l'utilisation de trois types de critères pour classifier les différentes formes de recherche et d'intervention:

— l'objectif de la recherche et de l'intervention
— le site de réalisation de la recherche et de l'intervention
— le niveau de contrôle exercé sur les variables et le choix des sujets.

1. OBJECTIFS VISÉS

Face à un problème qui lui est présenté, le spécialiste peut décider essentiellement soit de l'explorer, de le décrire ou de tenter de l'expliquer dans le but de le résoudre (Murdick, 1969; Forcese et Richer, 1973; Selltiz et al., 1977; Mason et Bramble, 1978; Babbie, 1979; Émory, 1980; Ouellet, 1981). Il s'agit là de trois objectifs fort différents qui ont évidemment une incidence marquée sur la planification de la stratégie adoptée et sur le choix de la méthodologie la plus appropriée à la réalisation de l'analyse souhaitée.

L'approche exploratoire en gestion des ressources humaines et en comportements organisationnels vise essentiellement l'analyse préliminaire ou sommaire d'un problème et ce, pour de multiples raisons. Tout d'abord, le chercheur-intervenant peut vouloir se familiariser davantage avec le problème qui lui est présenté afin d'évaluer les possibilités d'intervenir ultérieurement, en faisant ressortir l'importance du problème, l'urgence de celui-ci, les coûts impliqués, les collaborations nécessaires. Deuxièmement, l'objectif peut alors être la formulation d'une hypothèse qui pourrait rendre opérationnelles les différentes étapes d'un processus d'analyse visant à apporter ultérieurement une réponse au problème. Troisièmement, l'approche exploratoire peut également aider à mieux cerner le problème et ainsi faciliter le développement d'outils de travail appropriés et nécessaires à la réalisation de l'étude. Ce type de stratégie est généralement utilisé quand un problème est nouveau, vague, mal défini dans l'état actuel des connaissances ou pour tenir compte des caractéristiques tout à fait particulières du milieu où surgit le problème.

Les responsables peuvent avoir un autre objectif, soit celui de décrire une situation donnée ou un problème organisationnel particulier. Dans ce contexte, l'approche descriptive représente une gamme d'activités qui visent essentiellement à tracer le portrait d'une réalité. Ceci se réalise par l'énumération détaillée des différentes caractéristiques de la situation ou du problème. Dans cette perspective, le spécialiste ne veut pas fondamentalement expliquer la dynamique du problème mais plutôt faire ressortir les différentes caractéristiques de celui-ci.

L'approche descriptive peut se situer à deux niveaux. Premièrement, l'objectif peut être tout simplement d'élaborer une classification simple des informations brutes en fonction de traits communs, d'éléments significatifs ou de caractéristiques particulières. C'est essentiellement une mise en ordre des données brutes. Le second niveau de l'analyse descriptive se caractérise par la mise en relation de différents éléments propres à une situation afin d'obtenir une information descriptive plus sophistiquée. Par exemple, il peut s'agir de voir si différents sous-groupes de l'organisation ont la même attitude ou connaissance face à un sujet particulier. Il est alors possible d'établir des liens descriptifs entre les deux variables retenues. Au niveau de son utilisation, l'approche descriptive est justifiée seulement lorsque le problème a été suffisamment cerné ou exploré. Elle peut également servir de fondement à des analyses plus poussées, c'est-à-dire ayant des visées explicatives. Il y a donc une certaine chronologie dans l'approche du problème si on se réfère au continuum exploration, description et explication.

Le chercheur-intervenant peut vouloir expliquer, de façon précise, la dynamique d'un problème auquel il est confronté. L'approche explicative tente de proposer des schèmes d'interprétation de phénomènes ou de problèmes reliés à la gestion, d'élucider les liens cause-effet qui unissent les différentes variables constituant la situation problématique, de comprendre et démontrer les rapports d'incidence entre ces différents éléments. Idéalement, il s'agit, à ce niveau, d'arriver à une explication la plus précise possible de la dynamique du problème soulevé. Il est évident qu'il s'agit là d'un but qui, de façon réaliste, ne peut être atteint facilement. Il faut alors, suite à une première approche qui visait l'explication du problème, reviser la conception de ce dernier et probablement planifier d'autres analyses pour permettre au spécialiste d'avancer dans la compréhension du sujet concerné.

2. SITES DE RÉALISATION

La seconde classification utilisée porte sur le site où est réalisée l'analyse. En effet, le problème peut être abordé sur le terrain, c'est-à-dire dans l'organisation ou à l'endroit même où il se présente de façon concrète. Il peut également être étudié dans des conditions de simulation, c'est-à-dire en laboratoire, ce qui permet une plus grande structuration de la situation selon les besoins ou l'objectif visé (Festinger et Katz, 1953; Murdick, 1969; Forcese et Richer, 1973; Kerlinger, 1973; Ellingstad et Heimstra, 1974; Fiedler, 1978; Babbie, 1979).

Une analyse sur le terrain est essentiellement réalisée dans le milieu naturel où les variables impliquées interagissent normalement. Il s'agit d'une situation naturelle et non d'une situation créée ou simulée par le chercheur-intervenant. Ce type de recherche ou d'intervention peut s'effectuer avec un degré d'implication variable de la part de l'intervenant dans la situation problématique. Sa présence plus ou moins marquée agit alors à des degrés divers sur les variables à l'étude. Il faut référer ici au fait que son rôle peut se situer sur un continuum s'étendant d'une participation très active à une observation très neutre.

Le spécialiste peut d'abord être lui-même participant dans la situation étudiée. Il vit alors à l'intérieur du groupe de sujets pour pouvoir mieux observer les réactions des membres de celui-ci. Généralement, si l'expert est une personne externe au groupe, il peut ne pas aviser le groupe de son objectif réel afin d'avoir le moins d'influence possible sur le contexte situationnel. Il n'en demeure pas moins que la simple présence de ce dernier peut causer une interaction dont les conséquences sont difficiles à contrôler et à évaluer avec les autres conditions de la situation ce qui peut finalement influencer l'objet d'observation. De plus, il faut ajouter que ce type d'intervention met en évidence des problèmes importants d'éthique qui ne seront pas abordés ici mais qu'il faut considérer sérieusement avant d'entreprendre une telle démarche de recherche ou d'intervention.

Le deuxième rôle que peut jouer la personne responsable est celui de participant-observateur. Le chercheur-intervenant va alors participer complètement à la vie du groupe après avoir énoncé clairement son objectif, soit l'analyse de tel ou tel problème.

Il peut également adopter un troisième rôle, soit celui de l'observateur-participant. Dans ce contexte, il se présente aux membres du groupe en tant que spécialiste. Il peut par la suite interagir avec eux sans prétendre ou laisser croire aux sujets qu'il est membre du groupe. Il prend donc, comparativement aux rôles précédents, un certain recul et son interaction avec les membres du groupe n'est pas aussi marquée que dans le cas précédent. Il peut, au cours de ses démarches, être amené à interagir avec les sujets mais de façon plutôt réduite ou superficielle.

Enfin, il peut décider d'être (dans la mesure du possible) totalement objectif dans son observation des processus dynamiques en cause, sans intervenir aucunement dans la vie du groupe. Il les prévient alors de son objectif et il se comporte par la suite comme un observateur dégagé de la situation qui enregistre toutes les informations avec le plus d'objectivité possible.

En dépit des différents rôles, il faut néanmoins faire ressortir que la simple présence du spécialiste, qu'il s'implique directement dans la vie du groupe ou qu'il ne fasse que l'observer avec le plus grand dégagement, peut avoir un effet plus ou moins déterminant sur la situation abordée et influencer les résultats obtenus. Mais, toute recherche ou intervention sur le terrain ne peut se réaliser qu'en assumant certains risques. Il est de la responsabilité du chercheur-intervenant de déterminer le rôle qu'il entend jouer au moment de la cueillette des informations en tenant compte éventuellement des biais possibles au niveau de son interprétation des données. Il peut être amené, selon ses stratégies, à vivre de façon intense un problème dans ses manifestations les plus naturelles et conséquemment à avoir moins de recul garantissant une certaine objectivité (rôle de participant). Au contraire, il peut choisir de mettre l'accent sur l'observation la plus objective possible en ne vivant pas de l'intérieur le problème qu'il doit analyser et solutionner éventuellement (rôle de l'observateur).

Par opposition à la démarche d'analyse sur le terrain, le chercheur-intervenant peut convenir que la meilleure façon d'étudier le problème est de structurer son intervention à l'intérieur du cadre physique d'un laboratoire. L'analyse en laboratoire est essentiellement une étude qui se déroule à l'extérieur du milieu naturel. Le contexte physique n'est pas celui où apparaît naturellement le problème en question. Cette situation permet un meilleur contrôle de toutes les variables pertinentes au problème et facilite éventuellement une meilleure compréhension de celui-ci. Le chercheur-intervenant limite, par un choix volontaire, la présence des variables qu'il veut mettre en interaction. Il ne cherche pas à représenter la réalité avec toute sa complexité mais porte son attention sur un champ d'observation généralement plus restreint de façon à mieux le cerner et l'approfondir.

Toute démarche de recherche ou d'intervention visant à créer une situation qui n'est pas la situation naturelle de travail peut donc être qualifiée d'étude en laboratoire. À l'intérieur de cette conception du laboratoire, il faut inclure toute action visant la cueillette d'information à partir de simulation. Cette technique s'est avérée de plus en plus populaire au cours des 20 dernières années. La simulation, étant essentiellement une approche de laboratoire parce qu'elle ne s'effectue pas en milieu naturel, possède l'avantage majeur de permettre au spécialiste des organisations de se rapprocher un peu plus du contexte naturel en simulant le plus possible les conditions essentielles dans lesquelles se présente généralement le problème. Le chercheur-intervenant exerce cependant un contrôle certain sur la situation par le choix judicieux des variables qui sont mises en interaction. La simulation se définit essentiellement comme une démarche qui vise à reproduire l'essence même d'un système ou d'un processus dynamique permettant d'analyser et d'approfondir la relation entre les variables retenues, tout en exerçant un contrôle sur les facteurs externes qui pourraient affecter cette relation.

Trois types de simulation peuvent être utilisés pour recueillir de l'information sur un problème organisationnel:

— la simulation complète entre individus

— la simulation par interaction entre individu et ordinateur

— la simulation complète par ordinateur.

Tout d'abord, abordons la simulation complète entre individus. Le spécialiste structure, le plus naturellement possible, une situation dans laquelle il choisit les éléments à mettre en interaction ou l'intrant. Il observe ensuite la façon dont les individus interagissent entre eux, à l'intérieur du cadre qu'il a lui-même fixé, et enregistre les résultats en fonction de son objectif. Ce genre de simulation correspond ici à un jeu de rôles qui sert, dans le présent contexte, de méthode de cueillette d'informations.

Deuxièmement, il y a la simulation par interaction entre individu et ordinateur. Le choix des variables et leur définition opérationnelle demeurent la responsabilité de l'expert qui intègre cet intrant dans le logiciel de l'ordinateur. Le sujet est alors confronté aux différentes conditions que lui soumet l'ordinateur et il doit alors réagir à la situation présentée, ce qui amène une interaction progressive (stimulus — réponse — stimulus — ...) entre l'individu et l'ordinateur. Le chercheur-intervenant observe le comportement du sujet et enregistre l'information ou utilise l'information qu'a emmagasinée l'ordinateur. Cette méthode du laboratoire s'apparente, par exemple, à certains jeux d'entreprise («business games») qui demandent au sujet de faire des choix successifs parmi des séries d'alternatives présentées.

Enfin, le dernier type de simulation est une simulation complète par ordinateur. Le spécialiste structure alors à l'intérieur des programmes de l'ordinateur toute une dynamique qui lui apparaît valable pour expliquer un phénomène donné. Cette dynamique ou traitement de l'information par ordinateur doit être déterminée suite à des études antérieures sur le terrain ou en consultant les résultats déjà obtenus par d'autres experts. Le chercheur-intervenant peut alors prendre des données brutes venant de la réalité et les soumettre à l'ordinateur qui traite celles-ci en fonction du modèle qu'il a lui-même imaginé et programmé. Ce dernier récupère ensuite les résultats obtenus et les confronte éventuellement à la réalité.

En résumé, il s'agit là des deux situations physiques principales dans lesquelles le spécialiste peut décider ou être plus ou moins forcé d'évoluer lors de l'étude d'un problème: dans son milieu naturel, c'est-à-dire sur le terrain, ou dans un contexte plus structuré par le chercheur-intervenant, le laboratoire. Cette forme de classification s'effectue donc essentiellement en fonction du site de réalisation.

3. NIVEAUX DE CONTRÔLE EXERCÉ

La troisième modalité de classification fait référence au contrôle que le chercheur-intervenant exerce sur les conditions de l'analyse et ce, au niveau des variables et du choix des sujets. L'approche est donc qualifiée différemment selon le contrôle plus ou moins grand exercé lors de la distribution des individus dans les divers groupes de sujets et selon le contrôle exercé sur la variable indépendante (celle que le spécialiste fait varier), sur les variables dépendantes (celles qui sont affectées par les manipulations de la variable indépendante) et modératrices (celles qui peuvent agir entre les variables indépendante et dépendante pour atténuer, maintenir ou amplifier l'effet) (Kerlinger, 1973; Ellingstad et Heimstra, 1974; Selltiz et al., 1977; Mason et Bramble, 1978; Ladouceur et Bégin, 1980; Gauthier, 1984).

L'approche non expérimentale est une démarche empirique d'enquête dans laquelle le chercheur-intervenant n'a pas de contrôle direct sur les variables indépendante et modératrice parce que leurs manifestations ont déjà eu lieu ou qu'elles ne sont pas manipulables expérimentalement. De plus, le spécialiste des organisations peut ne pas avoir de contrôle sur le choix et l'attribution au hasard des sujets dans des groupes équivalents. Ces groupes de sujets peuvent donc ne pas être semblables à l'origine. Ces deux aspects ont des conséquences assez importantes sur les conclusions tirées à la suite de l'analyse du problème. C'est dans cette catégorie que sont classées les analyses post-facto car les données sur lesquelles l'expert travaille n'ont pas été assujetties à des contrôles exercés par ce dernier.

L'approche quasi expérimentale se situe à mi-chemin entre les approches non expérimentale et expérimentale et se caractérise par une démarche où un contrôle est exercé sur les variables indépendante et modératrice sans possibilité de contrôle sur la sélection et l'affectation des sujets aux divers groupes. Le spécialiste peut donc structurer, jusqu'à un certain degré, la situation en contrôlant les différentes variables en interaction et même constituer des groupes expérimentaux et un ou des groupes-contrôles de sujets. Cependant, il n'est généralement pas en mesure d'assurer l'équivalence des divers groupes-contrôles et expérimentaux.

L'approche expérimentale se veut une démarche dans laquelle le chercheur-intervenant exerce un contrôle très serré sur les variables indépendante et modératrice de même que sur l'affectation des sujets aux divers groupes, ce qui permet de garantir, avec une certaine assurance, l'équivalence des groupes-contrôles et expérimentaux. Cette forme d'approche est la plus structurée et permet au spécialiste de cerner un problème, de la façon la plus précise possible, à l'intérieur des limites inhérentes aux diverses approches de recherche et d'intervention.

Il s'agit donc là des principales classifications généralement utilisées pour décrire les approches les plus courantes:

- selon les objectifs visés
  - approche exploratoire
  - approche descriptive
  - approche explicative
- selon les sites de réalisation
  - approche sur le terrain
  - approche en laboratoire
- selon les niveaux de contrôle exercé sur les variables et le choix des sujets
  - approche non expérimentale
  - approche quasi expérimentale
  - approche expérimentale

Souvent, les chercheurs-intervenants font référence à des classifications en n'utilisant qu'une ou deux ciassifications à la fois sans trop bien saisir l'interdépendance de celles-ci. Cependant, il semble bien évident qu'il y a un fort déterminisme dans les liens unissant ces trois typologies. Il est donc opportun de dégager une conception intégratrice de ce que sont la recherche et l'intervention en milieu organisationnel. La réponse apportée à cette préoccupation constitue un apport important quant à la compréhension et à la maîtrise des approches disponibles au spécialiste. Un modèle intégrateur sera maintenant présenté dans le texte qui suit.

4. MODÈLE INTÉGRÉ DE RECHERCHE ET D'INTERVENTION

En réponse à cette préoccupation d'intégration, le modèle intégré de recherche et d'intervention met en évidence le déterminisme existant effectivement entre ces diverses classifications et le dynamisme interne au modèle élaboré. Celui-ci (figure 7) est constitué d'un cube formé de trois axes correspondant aux diverses classifications décrites précédemment: les objectifs, les sites de réalisation et les niveaux de contrôle exercé. Ce cube, constitué essentiellement de 18 cases, représente toutes les possibilités théoriques en fonction des trois axes considérés simultanément. Nous décrirons maintenant les principales caractéristiques de ce modèle intégrateur.

Figure 7: Modèle intégré de recherche et d'intervention.

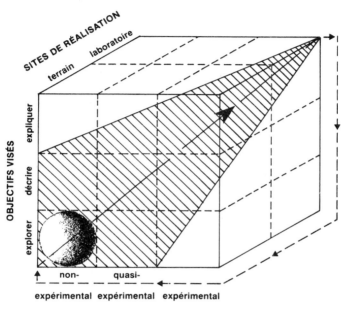

NIVEAUX DE CONTRÔLE EXERCÉ

(tiré de Bordeleau et al., 1982)

4.1 Intégration des axes

Ce modèle théorique contient quelques cases vides à cause de la réalité actuelle des analyses effectuées en milieu organisationnel par les chercheurs-intervenants. Par contre, certaines des cases correspondent davantage aux types d'approches effectivement utilisées dans les sciences du comportement. Pour illustrer ce point, il faut souligner la très grande difficulté de recourir à l'approche du laboratoire pour étudier un problème tout à fait nouveau. Lors d'une telle étude, il faut d'abord explorer, sur le terrain, le problème et en dégager les caractéristiques principales avant de pouvoir l'aborder de façon plus systématique. Également, il serait utopique de réaliser une analyse en milieu naturel avec l'intention d'apporter une explication très précise à un problème car il est quasi impossible d'arriver à une certitude en utilisant l'approche en milieu naturel à cause de l'interaction simultanée d'une multitude de facteurs dont le degré d'influence réelle est difficile à déterminer. Le cube du modèle intégré de recherche et d'intervention contient certaines cases caractérisées actuellement par une quasi absence d'études. Par rapport à ce modèle tridimensionnel, il est possible d'affirmer que les problématiques abordées actuellement sont «surtout» localisées dans la partie regroupant les cases inférieures gauches avant du cube: explorer et décrire / non expérimental et quasi expérimental / terrain. Il y a également quelques analyses, beaucoup moins nombreuses, qui se situent dans la case supérieure droite arrière du cube: expliquer / expérimental / laboratoire. Il semble raisonnable de postuler que, dans l'état actuel de la recherche et de l'intervention en psychologie industrielle et organisationnelle, le nombre d'études effectuées est proportionnel à la surface couverte par le cône ombragé à l'intérieur du cube (figure 7) et ce, en fonction des approches dont il a été question précédemment.

4.2 Déterminisme des axes

En plus de l'intégration des axes dans un modèle tridimensionnel, il faut souligner le déterminisme qui limite l'indépendance de ces axes dans la réalité concrète de la pratique du spécialiste des organisations. Au modèle cubique, il faut ajouter une diagonale qui part du point inférieur gauche avant et se rend au point supérieur droit arrière. Il appert alors que cette diagonale, traversant le cube, s'entoure des diverses catégories d'approches (surface couverte par le cône ombragé) actuellement utilisées dans le milieu de la psychologie organisationnelle et de la gestion.

Le choix du spécialiste, quant à la démarche à adopter, est fonction de son objectif, des contraintes au niveau du site de réalisation de l'analyse, du niveau de contrôle exercé sur les variables de la situation problématique et sur le choix des sujets. Si, à titre d'exemple, le chercheur-intervenant veut explorer un problème nouveau pour lui (dans l'état actuel des connaissances), il se voit contraint de réaliser une étude d'exploration qui serait certainement plus appropriée si elle se déroulait normalement sur le terrain. À cause de cette nécessité de travailler sur le terrain, l'expert ne peut pas exercer des contrôles serrés sur la situation abordée étant donné les connaissances limitées qu'il possède du problème. Dans ce cas précis, la démarche ou l'approche appropriée se situe dans la case inférieure gauche avant. À l'opposé, si le spécialiste des organisations veut expliquer un problème d'une façon très précise, il doit éliminer toutes les autres alternatives au niveau des hypothèses explicatives. Pour ce faire, il lui sera probablement plus avantageux et plus facile de travailler en laboratoire où il pourra exercer un meilleur contrôle sur les variables de la situation et sur le choix des sujets à attribuer aux groupes expérimentaux et contrôles. Dans notre modèle, cette approche de recherche et d'intervention correspond à la case supérieure droite arrière.

À cause du déterminisme causé par ces choix fondamentaux au niveau de la réalité de l'analyse, il semble plausible de faire l'hypothèse que les diverses approches utilisées se situent le long de cette diagonale. Il semble bien que ce soit cette diagonale qui permette le mieux de comprendre les caractéristiques des nombreuses études effectuées relativement aux divers problèmes organisationnels. Les contraintes sont telles que celles-ci obligent le spécialiste à ne pouvoir pratiquement pas déroger à cette tradition dans le choix des approches de recherche et d'intervention.

Cette conception de la recherche et de l'intervention met en évidence, d'une façon claire, le fait que le chercheur-intervenant, en se donnant un objectif précis, fait un choix fondamental qui détermine en grande partie les autres choix méthodologiques quant au site de réalisation de l'analyse et au contrôle à exercer sur la situation analysée. Dans le modèle illustré à la figure 7, ce déterminisme est représenté par une sphère que l'on peut déplacer le long de la diagonale interne du cube. Si, pour répondre concrètement au mandat qu'on lui confie, le spécialiste des organisations désire apporter une explication précise quant à la dynamique d'un problème ou d'un processus, il déplace alors la sphère dans la case supérieure droite. Dès lors, il est possible de constater simultanément que la position sur les deux autres axes est déterminée. Face à cet objectif, il aura avantage à travailler en laboratoire en exerçant un contrôle très important sur les variables et le choix des sujets.

Si le chercheur-intervenant désire, pour répondre adéquatement au mandat, tout simplement explorer un problème, il place alors la sphère dans le coin inférieur gauche, ce qui permet de constater que la réalisation de cette étude est davantage pertinente si elle est effectuée sur le terrain en exerçant peu de contrôle sur les variables. En effet, il ne serait probablement pas opportun et justifié, dans une telle situation, d'exercer des contrôles très précis sur les variables, étant donné l'objectif même d'explorer les principales caractéristiques du problème.

Si l'objectif vise essentiellement à décrire une situation ou un problème, le spécialiste constate, en plaçant la sphère au centre du cube, qu'il peut alors travailler soit sur le terrain ou, peut-être, en laboratoire en utilisant un contrôle qualifié de quasi expérimental. Le nombre d'alternatives au niveau des approches semble être plus grand pour cet objectif spécifique (décrire) comparativement aux autres cas mentionnés précédemment (explorer et expliquer). Il est important de souligner ici que la sphère ne doit pas être conçue comme étant parfaitement limitée et hermétique. Ce n'est pas un volume fermé mais plutôt un volume aux contours plus ou moins circonscrits. Il faut éviter toute rigidité excessive dans la conception du modèle intégré de recherche et d'intervention. Il s'agit plutôt de faire ressortir la tendance associée au déplacement de cette sphère le long de la diagonale interne du cube.

La dimension «objectifs visés» a servi précédemment comme point de départ du processus décisionnel face au choix des approches utilisées. Cependant, il se peut fort bien que le spécialiste des organisations soit contraint, pour d'autres raisons, d'étudier un problème sur le terrain. Dès lors, son étude est surtout de nature exploratoire ou descriptive. Elle pourrait difficilement être explicative puisque le contrôle sur les variables de la situation problématique appartient au niveau non expérimental ou quasi expérimental. Le même déterminisme peut affecter le chercheur-intervenant obligé, pour certaines raisons, de travailler en laboratoire (l'objectif est alors plutôt explicatif et le contrôle expérimental). Enfin, le troisième axe, soit celui du niveau de contrôle exercé, peut aussi servir de point de départ. Le spécialiste doit alors se demander jusqu'à quel point il peut exercer un contrôle sur la situation ou le problème (variables en interaction et choix des sujets).

4.3 Dynamisme du modèle

Jusqu'à présent, il fut question du déterminisme observé dans la réalité quotidienne des approches de recherche et d'intervention. Il est maintenant nécessaire de présenter le dernier aspect du modèle, soit celui du dynamisme. Dans l'ensemble, le processus d'analyse utilisé se caractérise par un certain cycle action-rétroaction qui est excessivement important pour l'approfondissement de la compréhension des problèmes organisationnels. En effet, face à tout problème nouveau, le responsable explore d'abord le problème, le décrit dans l'état actuel des connaissances, pousse plus loin ses interrogations en vue d'expliquer la dynamique. En effet, tout chercheur-intervenant tente d'expliquer le mieux possible un problème à l'intérieur de certains paramètres ou cadre de référence. Bien que l'idéal soit d'expliquer un problème dans sa totalité, il s'agit là d'une illusion car le cadre de référence est généralement trop vaste pour être saisi dans toute sa complexité. Il peut être possible de décrire un problème à l'intérieur d'un cadre de référence relativement vaste mais celui-ci doit être restreint si l'objectif est de l'expliquer. De plus, il faut être conscient que les paramètres fixés par le spécialiste des organisations comme cadre de référence idéal en fonction de l'objectif visé, ne sont pas souvent respectés parfaitement au moment de la réalisation concrète de l'étude à cause d'une foule de contraintes dont il fut fait mention précédemment.

Il y a donc là un écart des paramètres qui affectent, d'une façon plus ou moins précise, les résultats d'une analyse et le chercheur-intervenant doit en tenir compte. Le respect des paramètres idéaux est d'autant plus difficile s'il s'agit d'une analyse à caractère explicatif et si la valeur de l'étude repose essentiellement sur le contrôle serré des diverses variables.

Cette première démarche d'analyse — explorer, décrire, expliquer — va amener le spécialiste des organisations à avoir une meilleure connaissance du problème mais simultanément à lui faire prendre conscience des limites de cette compréhension par rapport à une réalité beaucoup plus complexe. Cette rétroaction justifiera à nouveau une exploration du problème, une description de celui-ci à la lumière des nouvelles connaissances acquises de même qu'un effort pour repousser plus loin la limite des connaissances reliées au problème. Ainsi, il y a un cycle continu d'action et de rétroaction qui vient probablement orienter le spécialiste vers une compréhension ou une connaissance de plus en plus profonde. C'est donc là l'essentiel de la caractéristique du dynamisme inhérent à ce modèle intégrateur que nous avons appelé le modèle intégré de recherche et d'intervention. Ce dynamisme se traduit particulièrement par une approche spécifique dont il est actuellement beaucoup question dans de nombreuses interventions, soit celle de la recherche-action.

5. MODÈLE INTÉGRÉ ET STRATÉGIE DE RECHERCHE ET D'INTERVENTION

Les chercheurs-intervenants en milieu organisationnel doivent, avant de choisir une méthode de cueillette d'information (entrevue, questionnaire, observation, etc.), analyser, à la lumière du modèle intégré de recherche et d'intervention, le problème auquel ils sont confrontés de façon à bien situer l'objet de l'étude dans son contexte réel (objectif visé, site de réalisation de l'analyse, possibilité d'exercer certains contrôles). Ce modèle se veut une aide aux spécialistes des organisations pour mieux structurer leur approche des problèmes.

L'exposé du modèle ne doit pas être perçu tout simplement comme un échafaudage conceptuel abstrait mais plutôt comme un outil de réflexion nécessaire et utile à la pratique quotidienne du chercheur-intervenant. En effet, tout expert en recherche et intervention organisationnelles est amené à réaliser que ses choix méthodologiques, face à un problème, ont des conséquences indéniables sur les conclusions qu'il peut ensuite tirer des résultats. Il lui faut donc garder à l'esprit le modèle intégré de recherche et d'intervention qui constitue une grille d'analyse permettant de saisir les limites inhérentes aux décisions stratégiques adoptées et les conséquences de ces choix.

L'objectif de cette section n'était pas de faire une critique positive ou négative des divers types d'approche inclus dans ce modèle intégrateur, mais bien de décrire les différents modes de classification utilisés et de mettre en évidence le déterminisme qui existe entre ces typologies trop souvent abordées comme des dimensions totalement indépendantes. Toutes les approches ont leur valeur respective et, également, leurs limites. Le chercheur-intervenant doit effectuer les choix appropriés à la situation totale dans laquelle il travaille. À ce niveau, il doit considérer certainement les traditions disciplinaires pour les utiliser ou pour les faire évoluer si nécessaire. De plus, il lui faut également considérer la nature du problème à étudier et choisir l'approche susceptible de lui permettre de bien le cerner. Enfin, il doit considérer l'état des connaissances en gestion et en comportements organisationnels par rapport au problème abordé de même que la clarté et la maturité des concepts reliés à ce problème.

6. PROBLÉMATIQUE DES MÉTHODES DE RECHERCHE ET D'INTERVENTION

Pourquoi est-il important pour le chercheur-intervenant et le gestionnaire de bien connaître les diverses méthodes de recherche et d'intervention disponibles? Le spécialiste des organisations est directement appelé à faire lui-même de la recherche et de l'intervention et, à ce titre, doit bien connaître les caractéristiques, les limites et les forces des diverses méthodes qui constituent ses principaux instruments de travail. Celles-ci permettent une mesure planifiée et systématique des problématiques organisationnelles analysées et ce, avec des degrés satisfaisants de validité et de fidélité. Pour sa part, le gestionnaire ne fait pas directement de la recherche et de l'intervention mais il doit être capable d'évaluer et d'utiliser, de façon éclairée, les résultats disponibles. Il est nécessaire qu'il puisse juger la valeur de telle ou telle analyse et, à ce niveau, la méthodologie a un extrême importance. C'est à partir de cette approche critique que le gestionnaire détermine le degré de confiance qu'il peut accorder aux conclusions de l'étude. Nous pouvons affirmer que tous, spécialistes et gestionnaires, doivent être des consommateurs avertis des méthodologies de recherche et d'intervention (Selltiz et al., 1977; Émory, 1980).

Le fait de décrire diverses méthodes sans donner place à une réflexion critique sur les fondements mêmes de la méthodologie scientifique serait dangereux. En effet, les techniques ou méthodes sont des outils imparfaits devant être abordés dans un cadre de référence qui en fasse bien ressortir les avantages et les limites. De plus, le chercheur-intervenant doit réaliser que l'utilisation d'une méthode s'inscrit essentiellement dans le prolongement de la question à l'étude ou de la problématique et de l'hypothèse formulée. Ainsi, la méthode la mieux appropriée est celle qui permet d'apporter une réponse ou une solution en tenant compte du contexte de recherche et d'intervention tel que décrit dans le modèle intégré. La méthode doit reposer sur des assises solides, soit celles de la méthodologie scientifique; sinon, il y a risque d'échaffauder une structure de cueillette d'information très fragile par son manque de profondeur et d'orientation claire.

Pour classifier les diverses méthodes de recherche et d'intervention présentées dans ce volume, nous nous inspirerons de Reuchlin (1973). Ce dernier divise les méthodes en deux grandes familles: les méthodes closes et les méthodes ouvertes. Les premières correspondent à des «instruments d'investigation fortement structurés et contraignants soit pour l'observateur seul, soit conjointement pour l'observateur et le sujet». Les méthodes dites ouvertes sont «celles qui ne présentent pas ce caractère contraignant et pour lesquelles la liberté d'investigation de l'observateur est entière de même que celle du sujet de s'exprimer». Évidemment, il s'agit de descriptions extrêmes ou opposées et certaines méthodes peuvent très bien occuper des positions intermédiaires sur ce continuum selon l'existence de diverses modalités d'application de ces méthodes (par exemple, entrevue semi-dirigée, questionnaire à réponses libres, observation moyennement structurée, etc.). Comme toute classification, celle de Reuchlin fait aussi preuve d'une certaine simplification mais elle a par contre le mérite de mettre un certain ordre logique dans la présentation des méthodes retenues dans ce volume.

Nous présenterons d'abord les diverses méthodes de recherche et d'intervention traditionnelles, ouvertes et closes, ou les méthodes les plus couramment utilisées et connues en gestion des ressources humaines, en comportements organisationnels et en développement des organisations. Dans le but d'essayer de faire éclater les cadres traditionnels des méthodes utilisées pour l'étude des phénomènes organisationnels, certaines méthodes non traditionnelles (du moins, en psychologie industrielle et organisationnelle) seront ensuite présentées. Ces méthodes plus innovatrices ne sont pas de fait des nouveautés puisque certaines de celles-ci sont bien connues dans le domaine de la prospective. Par contre, elles sont, à notre connaissance, malheureusement pas suffisamment utilisées en milieux organisationnels. Le fait d'en faire ici une présentation sommaire incitera peut-être les chercheurs-intervenants à les inclure éventuellement dans leurs outils ou dans leurs méthodes de cueillette d'information. Les méthodes seront donc présentées dans l'ordre suivant:

- méthodes traditionnelles
  - méthodes «ouvertes»
    observation
    entrevue
    analyse de contenu
  - méthodes «closes»
    sociométrie
    échelle d'attitude
    questionnaire de sondage
    simulation
- méthodes non traditionnelles
  - méthodologie des systèmes souples
  - delphi
  - scénario

Ce système de classification peut ne pas être entièrement satisfaisant mais il permet, en plus de présenter les méthodes closes et ouvertes, de faire ressortir certaines méthodes moins traditionnelles et de tracer des voies possibles d'innovation en jetant un regard sur les méthodes utilisées dans certains domaines de recherche et d'intervention connexes, notamment celui de la prospective. Mentionnons enfin, comme le fait Reuchlin (1973) que «les méthodes prennent leur sens dans le cadre d'un usage concret beaucoup plus que dans les distinctions formelles».

Chapitre 4

Méthodes
traditionnelles «ouvertes»

D ans le présent chapitre, nous présenterons trois méthodes dites «ouvertes», soit l'observation, l'entrevue et l'analyse de contenu. Rappelons ici que ce type de méthode se caractérise par une absence de contrainte et une grande liberté d'investigation pour le chercheur-intervenant de même qu'une grande flexibilité d'expression de la part du sujet.

1. OBSERVATION

La méthode la plus directe pour comprendre le comportement des individus demeure certes l'observation. Contrairement aux questionnaires ou entrevues, cette méthode permet l'accès direct et immédiat aux comportements réels des sujets observés plutôt qu'à leurs rapports subjectifs ou leurs intentions comportementales (Luc, 1984). En effet, l'observateur n'a pas à se fier à ce que lui rapporte le sujet quant à ce qu'il doit avoir fait ou prétendu faire. Cette méthode se distingue également des autres par le fait que l'instrument de mesure principal demeure l'observateur lui-même.

1.1 Définition de l'observation

Dans le but de définir adéquatement l'observation, nous ferons appel à deux définitions complémentaires. Celle de Laperrière (1984) met l'accent sur la complexité de la dynamique des diverses situations sociales auxquelles sont confrontés le spécialiste des organisations de même que le chercheur en sciences de l'administration:

> «... une méthodologie complète d'approche du réel, voulant allier à l'appréhension inter-subjective des situations sociales

étudiées une analyse objective de leur dynamique, basée sur la confrontation systématique des données de sources diverses.»

Quant à la seconde définition formulée par Tremblay (1968), elle met en relief l'aspect technique de cette méthode énonçant plus la façon de procéder:

«... un effort systématique pour enregistrer aussi fidèlement et complètement que possible les faits qu'il voit et entend dans des situations concrètes déterminées d'avance et reliées à la question centrale.»

L'observation est donc caractérisée par certaines dimensions principales. Elle est d'abord la résultante d'une approche intersubjective où observateur et observé entrent dans une relation dynamique très complexe dans laquelle agissent, de façon marquée, les phénomènes de perception, d'estime de soi, de confiance. Elle est objective dans la mesure où la démarche de l'observation influence moins la dynamique sous observation. De plus, elle a pour but de recueillir les informations pertinentes en les enregistrant d'une façon systématique élaborée en fonction d'un objectif bien défini et d'un plan d'action pré-établi conformément au but fixé que Tremblay appelle la question centrale.

1.2 Typologies des méthodes d'observation

Il y a plusieurs façons de décrire les diverses méthodes d'observation. Les nombreux auteurs qui abordent celles-ci le font en utilisant des paramètres différents. Cependant, ceux-ci ne sont pas toujours indépendants comme nous serons en mesure de le constater dans les prochaines sections. Il s'agit plutôt, à cause de l'interdépendance de ces diverses typologies, de considérer que les auteurs, ayant traité de ces méthodes basées sur l'observation, l'ont fait en privilégiant une approche selon un certain angle particulier: le milieu d'observation, le degré de structuration de la méthode d'observation, le degré de participation de l'observateur dans la situation sous observation et la caractéristique dissimulation-divulgation de l'observation.

Selon le milieu d'observation

De façon très générale, les auteurs, notamment Bailey (1982), parlent de l'observation en milieu naturel ou de l'observation en laboratoire. Les auteurs définissent souvent l'observation dans ces deux milieux à partir des trois autres paramètres: structuration, participation de l'observateur et niveau de divulgation-dissimulation. Si cette typologie peut être utile, c'est par rapport à l'objectif visé, soit étudier un phénomène dans son milieu naturel en tenant compte de toute sa complexité ou aborder son analyse en exerçant un plus grand contrôle des diverses variables (indépendantes, modératrices et dépendantes) afin de mieux cerner l'effet possible d'une variable spécifique. Dans le milieu naturel, l'attention du chercheur-intervenant embrasse une réalité plus large, plus complète et conséquemment une réalité plus complexe telle qu'elle existe naturellement en milieu de travail. En laboratoire, le spécialiste focalise son attention sur certaines variables qu'il choisit et retient en contrôlant toutes les autres variables qui jouent simultanément dans le milieu naturel. Comme nous l'avons vu au début de ce chapitre, ces deux types d'approche dépendent beaucoup de l'objectif visé par le chercheur-intervenant: explorer, décrire ou expliquer un phénomène relié aux comportements organisationnels.

Selon le degré de structuration

Hanlon (1980) mentionne trois niveaux de structuration des méthodes d'observation: les méthodes non structurées, semi-structurées et structurées. Cette notion de structuration fait référence à la rigueur et à la précision de l'approche méthodologique concernant l'étude des comportements des employés ou phénomènes relatifs au travail: les unités d'observation, les techniques d'enregistrement des données, l'échantillonnage des travailleurs et des temps d'observation, etc.

Dans les méthodes non structurées, l'exposé du phénomène à l'étude est plus riche et plus direct. L'utilisateur de cette méthode n'impose pas de structure à la situation mais en fait l'analyse dans toute sa complexité. Il impose peu de limites à l'observation puisqu'il n'utilise pas généralement d'unité d'analyse bien définie à l'avance (Selltiz et al., 1977). Il observe simplement en notant dans un style narratif les événements observés. Ce type d'observation est surtout utile dans un contexte d'étude exploratoire où l'expert veut d'abord prendre connaissance d'un phénomène socio-économique ou organisationnel avant d'élaborer des hypothèses plus précises et une méthodologie de recherche ou d'intervention plus rigoureuse.

Quant à l'observation semi-structurée, le spécialiste des organisations n'a besoin que d'hypothèses très générales qu'il peut préciser en cours de réalisation. Son approche est légèrement plus rigoureuse que dans l'observation non structurée puisqu'il spécifie sa stratégie de collecte des données. Ainsi, plutôt que d'utiliser un enregistrement de style narratif de ses observations, il a recours à un format de questions ouvertes qui lui permet alors de ne retenir que les informations pertinentes.

À l'autre bout du continuum, nous retrouvons les méthodes d'observation structurées. Tous les paramètres de l'objet analysé sont alors bien précisés:

hypothèses, unités comportementales, nombre de sujets, périodes d'observation, guides d'observation et feuillets codifiés d'enregistrement des données. Dans ce contexte, le chercheur-intervenant connaît bien les aspects de l'activité de travail observée convenant à ses objectifs. Conséquemment, il est en mesure de préparer un plan d'observation et d'enregistrement spécifique des informations avant même que ne débute l'observation proprement dite.

Selon le degré de participation de l'observateur

Comme le mentionnent Selltiz et ses collaborateurs (1977) de même que Bouchard (1976), l'une des décisions les plus importantes que doit prendre le chercheur-intervenant, concerne la façon dont l'observateur devra se comporter vis-à-vis les personnes sous observation. Il peut agir comme participant à part entière dans le phénomène abordé, comme participant-observateur, comme observateur-participant ou uniquement comme observateur. Dans un ouvrage récent (Bordeleau et al., 1982), nous avons décrit ces quatre niveaux de participation.

L'utilisateur de la méthode peut d'abord être lui-même participant dans la situation de recherche. Il vit alors à l'intérieur du groupe d'employés pour pouvoir mieux observer les réactions des membres de ce groupe. Généralement, s'il s'agit d'une personne externe à l'organisation, elle peut ne pas aviser les membres du groupe de son objectif réel afin d'avoir le moins d'influence possible sur la situation. Il n'en demeure pas moins que la simple présence de cette dernière peut causer une interaction difficile à contrôler et à évaluer avec les autres conditions de l'observation ce qui peut finalement influencer l'objet d'observation. De plus, il faut ajouter que ce type d'intervention met en évidence des problèmes d'éthique importants qui ne seront pas abordés ici mais qu'il faut considérer sérieusement avant d'adopter une telle démarche. Les risques de biais sont très élevés puisque le chercheur-intervenant est lui-même impliqué dans la vie sociale, affective et émotive du groupe.

Le deuxième rôle que peut jouer le spécialiste est celui de participant-observateur. Il va alors participer complètement à la vie du groupe après avoir énoncé clairement son objectif, soit l'analyse de tel ou tel aspect problématique du contexte organisationnel. Il peut également adopter un troisième rôle, soit celui de l'observateur-participant. Il se présente alors aux membres du groupe comme un expert. Par la suite, il interagit avec eux sans prétendre ou laisser croire aux sujets qu'il est membre du groupe. Il prend ici un certain recul et son interaction avec les membres du groupe n'est pas aussi marquée que dans le cas du participant-observateur. Cependant, au cours de ses démarches, il peut être amené à interagir avec les sujets. Dans ces deux rôles, le degré de participation peut être qualifié d'intermédiaire. L'observateur met alors plus l'accent sur sa neutralité quant à sa position dans le groupe d'employés.

Enfin, le chercheur-intervenant peut agir comme observateur en adoptant (dans la mesure du possible) une attitude objective dans son observation des processus dynamiques impliqués, sans intervenir dans la vie du groupe. Il les a alors prévenus de son objectif et il se comporte par la suite comme un observateur dégagé de la situation qui enregistre toutes les informations avec la plus grande objectivité (Jenkins et al., 1975). Cependant, l'observateur peut créer une certaine résistance et hostilité en raison de son statut d'observateur pur. Ces attitudes diminuent généralement d'intensité avec le temps s'il sait se faire accepter par les observés et se rendre le moins visible possible dans la situation.

Tout le problème réside ici dans le degré d'implication ou de participation du chercheur-intervenant dans le contexte de l'étude. Est-il préférable de participer activement à la vie des employés en dépit des risques de perdre une certaine objectivité tout en y gagnant au plan de la compréhension de la dynamique interne? Cette connaissance peut être fort utile quand vient la phase de l'interprétation des résultats.

En dépit des différents rôles que nous avons décrits dans la figure 8 (page 80), il faut néanmoins faire ressortir que la simple présence du chercheur-intervenant, qu'il s'implique directement dans la vie du groupe ou qu'il ne fasse que l'observer avec le plus grand dégagement, peut avoir un effet plus ou moins déterminant sur la situation et influencer les résultats obtenus. Mais toute analyse effectuée par le biais de l'observation et toute intervention subséquente ne peuvent se réaliser qu'en assumant certains risques. Il est de la responsabilité du spécialiste de déterminer le rôle qu'il entend jouer au moment de la cueillette des informations en tenant compte éventuellement des biais possibles au niveau de l'interprétation des données. La figure 8 laisse entrevoir certains dangers ou limites associés au rôle qu'assume l'utilisateur de la méthode face à l'étude du problème ou phénomène organisationnel. Il peut être amené, selon ses stratégies de recherche, à vivre de façon intense un problème dans ses manifestations les plus naturelles et conséquemment à avoir moins de recul et probablement moins d'objectivité (rôle de participant). Au contraire, il peut choisir de mettre l'accent sur l'observation la plus objective possible tout en ne pouvant pas simultanément vivre de l'intérieur le problème sujet à étude (rôle de l'observateur).

Le chercheur-intervenant est le mieux placé pour déterminer l'attitude qu'il adoptera en fonction des situations, de ses objectifs, de ses habiletés et du temps à sa disposition. Tremblay (1968) met en garde ce dernier en signalant quatre points importants:

— Éviter l'immersion dans les activités du groupe. Celui qui participe trop activement devient aveugle ou encore possède une vision trop partielle de l'activité.

— S'intéresser à ce que font les gens sans engager de discussion avec eux ou les désapprouver.

— Chercher à minimiser l'influence que le chercheur-intervenant peut exercer sur le groupe.

— Faire preuve de neutralité tout en étant sympathique.

Figure 8: Degrés d'implication du chercheur-intervenant dans la situation analysée et ses conséquences.

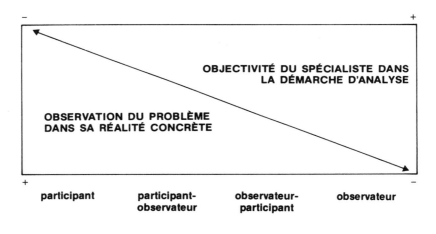

(tiré de Bordeleau et al. 1982)

Selon la caractéristique dissimulation-divulgation

Enfin, la dernière typologie utile pour décrire la méthode de l'observation est reliée au fait que l'expert divulgue ou dissimule aux membres de l'organisation qu'ils sont sous observation. Il décide, compte tenu de sa stratégie et des contraintes liées à son objectif, du degré de conscience que les sujets auront de son activité d'observation. Le choix des tactiques de recherche et d'intervention se fait évidemment en tenant compte des considérations déontologiques, légales et méthodologiques.

L'observation divulguée aux sujets est celle qui s'effectue à la connaissance des sujets observés. Ceux-ci sont alors conscients qu'ils sont sous observation ce qui peut évidemment apporter des biais sérieux concernant la validité des comportements observés. En effet, il est fréquemment fait mention, dans la littérature sur la recherche sociale, que les sujets observés ont tendance à modifier leur comportement (donc à ne pas agir naturellement) quand ils se savent observés par un spécialiste (Selltiz et al., 1977; Gauthier, 1984). Ce changement limite certes la confiance que le chercheur-intervenant accorde à ses observations et à la généralisation des résultats obtenus. Les biais possibles engendrés par la présence connue de l'observateur sont fonction du caractère manifeste de l'observateur, des caractéristiques personnelles des sujets, des caractéristiques personnelles de l'observateur et des raisons invoquées pour l'observation qui peuvent être plus ou moins convaincantes aux yeux des sujets (Selltiz et al., 1977).

Comme les dangers de biais sont nombreux lorsque les travailleurs sont conscients d'être sous observation, comme certains groupes de sujets n'aiment pas être observés ou comme l'observation ouverte est dans certaines circonstances impossible, les auteurs en sont arrivés à faire de l'observation dissimulée ou à la dérobée qui soulève évidemment des problèmes éthiques sérieux qu'il faut analyser et solutionner adéquatement. La justification principale de l'observation dissimulée correspond au fait que le comportement naturel des sujets sera moins affecté ne se sachant pas sous observation. Ce type d'observation permet une saisie plus riche de la réalité due à une compréhension plus intense du vécu des employés.

Selon que l'observation est divulguée ou dissimulée, l'expert a plus ou moins de facilité à enregistrer rapidement, complètement et ouvertement ses observations, ce qui peut affecter la validité des informations recueillies. Il faut ajouter enfin que, dans le cas de l'observation dissimulée ou divulguée, le chercheur-intervenant peut observer la réalité telle qu'elle se présente ou provoquer une dynamique spécifique en y faisant agir volontairement certaines variables dont il désire évaluer l'impact. Le tout dépend essentiellement du plan élaboré par le spécialiste.

Synthèse des typologies

Nous avons souligné plus tôt que ces diverses typologies ne sont pas indépendantes. En effet, il y a un certain recouvrement entre celles-ci qui permet de conclure que le paramètre le plus discriminant au départ semble être l'observation en milieu naturel et l'observation en laboratoire. De façon générale, nous pouvons décrire les caractéristiques de ces deux situations extrêmes comme suit:

- observation en milieu naturel
  - moins structurée au niveau de l'objectif, du contrôle des variables, des grilles d'enregistrement des données, etc.;
  - participation plus directe de l'observateur avec les risques d'influence et la subjectivité inhérente;
  - plus fréquemment dissimulée aux sujets sous observation.

- observation en laboratoire
  - souvent justifiée par un meilleur contrôle des variables d'où son plus haut degré de structuration;
  - observateur joue fréquemment un rôle plus neutre en situation de laboratoire;
  - fait d'être sous observation est généralement connu des sujets.

Évidemment, il s'agit là d'une description des catégories d'observation extrêmes. Il faut cependant considérer que chaque paramètre (structuration, participation et dissimulation) doit être considéré comme un continuum et que l'observation en milieu naturel ou en laboratoire, bien que généralement caractérisée comme nous l'avons fait ci-dessus, demeure sujet à des nuances.

1.3 Étapes caractéristiques de l'observation

Dans cette section, nous aborderons l'application de la méthode d'observation selon les trois phases suivantes: préparation, présentation aux sujets, collecte et enregistrement des informations.

Préparation de l'observation

En fonction de son objectif, le chercheur-intervenant décide d'abord du «quoi observer, comment l'observer, quand l'observer et comment noter les observations» (Luc, 1984). Ces quatre questions fondamentales l'aideront à déterminer sa stratégie d'action au niveau des paramètres énoncés précédemment: structuration, participation, dissimulation-divulgation et site d'observation (milieu naturel ou laboratoire). Il n'y a pas ici une seule réponse possible. Selon la nature du problème et l'objectif visé, certains spécialistes travaillent avec des hypothèses très précises au départ alors que d'autres s'imprègnent de la situation sans hypothèse formulée a priori.

La question de la représentativité des observations soulève ensuite le problème de l'acuité ou de la validité de celles-ci. L'utilisateur de l'observation est ainsi confronté à la notion de l'échantillonnage au niveau des sujets (sélection et nombre), des unités comportementales, des plages de temps d'observation et des lieux d'observation (sélection et nombre) (Beaugrand, 1982). Il s'agit d'abord de définir les individus admissibles, la façon dont ils seront choisis pour éviter les biais d'échantillonnage, le nombre de sujets à retenir. Deuxièmement, il faut identifier et définir, de façon opérationnelle, les comportements de travail à observer. L'unité comportementale est habituellement un comportement ou un ensemble de comportements. Quand dira-t-on qu'un comportement est présent ou absent? Quand débute-t-il et se termine-t-il? Est-il observé de la même façon par le même observateur à différents moments ou par divers observateurs au même moment (fidélité intra-observateur et inter-observateur)? Troisièmement, le chercheur-intervenant précise également la période de temps au cours de laquelle il observera. Le fera-t-il de façon intensive ou intermittente? Enfin, observera-t-il tous les employés au même endroit ou pratiquera-t-il son observation dans des lieux différents sélectionnés selon tel ou tel critère et en quel nombre? Voilà donc les principales dimensions d'échantillonnage dont il doit tenir compte s'il veut garantir une certaine validité à ses observations.

Si celui-ci opte pour une observation très structurée, il prépare alors ses grilles d'observation permettant d'orienter son attention sur des comportements bien précis. Ce guide indique les étapes à suivre dans l'observation et les éléments d'information recherchés. La grille de Bales (1970) pour l'observation des interactions en petit groupe est un bel exemple de ce type d'outil. Cette grille d'observation varie évidemment en fonction du degré de structuration de la méthode, du type d'analyse et de la précision de l'hypothèse. Dans le cas où l'observation est non structurée, le spécialiste prépare un carnet d'observations où il peut inscrire ses observations selon certaines grandes catégories. La façon dont les grilles d'observation sont développées, tient compte des modalités d'analyse des données que l'expert prévoit effectuer. S'agira-t-il d'une analyse quantitative ou qualitative?

Enfin, la préparation de l'observation doit prendre en considération la sélection et la formation des observateurs s'il y a nécessité de plusieurs observateurs, ce qui est justifié par le souci d'une plus grande précision (plusieurs observateurs observent en même temps un groupe) ou pour sauver du temps (plusieurs observateurs travaillent simultanément). Le but ultime de la formation de ceux-ci vise à accroître la fidélité des observations par une utilisation adéquate des grilles d'observation.

Émory (1980) mentionne que la sélection des observateurs doit tenir compte de certaines règles. L'observateur doit être capable de se concentrer malgré les sources de distraction, de faire preuve d'une bonne capacité de mémorisation, d'avoir un physique et des attitudes qui n'attirent pas l'attention du groupe observé. L'observateur, malgré son degré plus ou moins important de familiarisation avec la situation analysée, doit être bien informé des exigences et des objectifs de l'utilisateur de la méthode et recevoir toute la formation nécessaire pour garantir la validité et la fidélité des observations.

Présentation aux sujets

L'entrée de l'observateur dans un groupe d'employés est un moment crucial car il doit légitimer sa présence et créer des conditions favorables à l'observation. Il faut ici considérer particulièrement trois dimensions: institutionnelle, politique et affective (Laperrière, 1984). Le chercheur-intervenant identifie les personnes-clés et fait en sorte, qu'à chaque niveau, il y ait une compréhension claire et une adhésion solide à l'objectif présenté par celui-ci. La présentation de l'étude, dans le cas d'une observation divulguée, doit être claire, véridique, sincère et respectueuse du problème de l'anonymat et de la confidentialité. Il est difficile, voire même irréaliste, d'entreprendre des observations dans un groupe sans s'être assuré la collaboration directe et soutenue des personnes-clés de l'organisation et/ou des membres du groupe de travailleurs.

Collecte et enregistrement des informations

Avant l'étape de l'observation proprement dite, il est souhaitable que l'observateur se familiarise avec le milieu et apprivoise ce dernier. Cette période de prise de contact permettra alors d'atténuer l'effet pouvant être provoqué par le fait que l'individu ou le groupe se sait sous observation. Il est aussi possible, au cours de cette même période, de tester les grilles d'observation, les directives et de vérifier s'il n'y aurait pas d'autres problèmes logistiques (Mongeau, 1985). Cette phase constitue en quelque sorte un prétest.

Cette dernière étape consiste à enregistrer les observations. Dans les cas où l'observation n'est pas structurée, les grilles d'enregistrement ne le sont également pas. Il est alors recommandé que l'observateur fasse une description factuelle et complète des comportements ou événements observés dans la situation problématique.

Il faut ici prendre garde à certains biais possibles, notamment les inférences de l'observation. Plus la grille d'enregistrement est structurée et porte sur des unités de comportements moléculaires (par comparaison à molaires), moins les risques d'inférence sont grands. Un autre aspect important concerne le moment de l'enregistrement. Plus celui-ci est fait tôt après l'observation, plus les risques de biais reliés aux limites de la mémoire sont diminués. Enfin, la qualité de l'enregistrement, en termes plus spécifiques de fidélité, est accrue si certaines conditions sont satisfaites: recours à des systèmes de catégories extensifs plutôt qu'intensifs, utilisation de catégories bien définies qui ne se chevauchent pas et l'emploi d'un petit nombre de catégories (Selltiz et al., 1977).

Quand le chercheur-intervenant utilise l'observation non structurée, il fait d'abord un tour d'horizon (vision molaire) et note, de façon descriptive, les caractéristiques de la situation ou du phénomène. Cette approche est évidemment plus large mais moins profonde. Une fois ces généralités relevées, l'observateur observe et enregistre les interrelations entre ces dimensions. Ces observations plus moléculaires lui permettent d'analyser, d'une façon plus systématique, les divers éléments en cause et de formuler éventuellement des hypothèses pouvant aider à la compréhension de la situation globale. Ces hypothèses nécessairement plus spécifiques rendent plus facile et plus précise l'identification des éléments qui pourront éventuellement être l'objet d'une observation plus structurée.

D'une façon plus technique, comment doit-on enregistrer l'information dans le cas d'une observation non structurée? Peu importe que le spécialiste élabore des notes descriptives ou analytiques, certains éléments sont enregistrés lors de toute observation: la description et la raison du choix des sujets ou du groupe, le milieu dans lequel a lieu l'observation, la date de l'observation, le temps de l'observation (durée et moment), le degré de certitude et d'objectivité des observations selon la perception du chercheur-intervenant. Il est bien évident que tout le matériel recueilli est analysé en fonction de l'objectif que ce dernier désire atteindre.

Les notes descriptives visent à établir un compte rendu factuel, neutre et exhaustif de la situation sous observation. Les notes cursives sont constituées de mots ou de phrases-clés qui sont jetés sur le papier au moment de l'observation et qui servent ensuite à rafraîchir la mémoire et à rédiger un rapport synthétique. Ce compte rendu est fait le plus tôt possible après la séance d'observation et il consiste à compléter, sous forme de phrases complètes, les mots et phrases-clés retenus lors de l'observation. Vient ensuite un troisième type de compte rendu, soit le compte rendu exhaustif. Il s'agit ici de décrire, de façon la plus complète possible, toutes les dimensions de la situation observée (Lapierrière, 1984).

Les notes analytiques concernent «le cheminement théorique de l'observateur» et, en ce sens, sont bien distinctes des notes descriptives. Ces notes analytiques sont de trois ordres: les notes théoriques, le journal du spécialiste et le plan d'action. Les notes théoriques constituent l'enregistrement des intuitions ou réflexions théoriques que la situation analysée inspire au chercheur-intervenant. Cette démarche vise surtout à faciliter l'élaboration d'hypothèses, à vérifier celles-ci et à interpréter des données. Le journal de l'observateur contient les réflexions personnelles de ce dernier relativement aux divers aspects du déroulement de la démarche: son acceptation dans l'organisation, la coopération et l'attitude des sujets, les résistances observées, les erreurs, etc. Enfin, le troisième document analytique correspond au plan d'action. L'observateur enregistre dans ce carnet les nouvelles tâches à accomplir, les lectures éventuellement utiles, les contacts à organiser, l'heure des sessions d'observation.

Les modalités d'enregistrement décrites précédemment s'appliquent surtout à l'observation non structurée ou peu structurée. Dans le cas de l'observation plus structurée, les notes descriptives perdent de l'importance au profit de l'enregistrement à partir de grilles d'observation plus précises et spécifiques. Quant à l'utilité des notes analytiques, le chercheur-intervenant aurait intérêt à en faire un plus grand usage car il s'agit là d'une démarche de support très utile, même dans le cas d'une étude où il utilise l'observation structurée.

Le chercheur-intervenant peut avoir recours à l'analyse qualitative ou quantitative dépendamment de ses objectifs. Ainsi, certaines analyses statistiques peuvent être réalisées suite à la quantification des observations: pourcentages, fréquences, corrélations (Nadler et Jenkins, 1983).

1.4 Contexte d'utilisation de l'observation

Trois situations particulières paraissent être associées, de façon optimale, à l'observation. Tout d'abord, il arrive parfois que l'observation soit de fait la seule méthode disponible comme, par exemple, dans le cas des travailleurs qui refusent de collaborer dans le cadre d'une entrevue ou par le biais d'un questionnaire. Une étude peut également être associée à un événement qui ne peut être reproduit en laboratoire: réaction et comportement d'individus victimes d'une perte d'emploi, agressivité spontanée qui se développe dans l'anonymat d'un groupe de grévistes, etc.

Deuxièmement, l'observation peut être très utile dans le cas où le spécialiste veut évaluer l'effet comportemental d'un changement introduit dans un département. Ce genre d'analyse est assez fréquent dans les organisations ou dans les groupes (ex.: étude des réactions des membres d'un groupe suite à l'introduction d'un travailleur handicapé, etc.).

Troisièmement, l'observation est très fréquemment utilisée lors d'études de nature exploratoire. Si le problème ou le phénomène est mal connu, cette méthode permet d'aller chercher des éléments imprévus d'une grande authenticité. Par processus inductif, le chercheur-intervenant peut alors formuler une hypothèse, élaborer éventuellement une théorie ou planifier un plan d'intervention. Dans un contexte d'exploration, cette approche est généralement d'ordre plus qualitatif que quantitatif. Le contraire pourrait être possible cependant si l'expert aborde une problématique, bien identifiée et connue, par le biais d'une observation structurée.

Mentionnons en terminant que l'observation, à cause des limites inhérentes à son fonctionnement, est souvent utilisée par les spécialistes en conjonction avec d'autres méthodes d'analyse, notamment les archives documentaires, l'entrevue et le questionnaire (McCall et Simmons, 1969; Laperrière, 1984).

1.5 Avantages et limites de l'observation

Le plus grand avantage de l'observation est certes le fait qu'il favorise un accès «direct» au comportement contrairement à l'entrevue et au questionnaire où le chercheur-intervenant se fie essentiellement au rapport fait par le sujet. L'observation lui permet d'examiner le comportement en tant que tel au moment même où il s'exerce et non de façon rétrospective. En ce sens, une observation bien menée est fort valide. Par contre, cet avantage est également associé à certaines limites qui constituent le défaut des qualités. À cause du rôle très important de l'observateur comme outil d'enregistrement de l'information, l'interdépendance observateur-observé donne naissance à toute une série de phénomènes qui peuvent biaiser la situation et l'enregistrement des données: perception sélective, attentes réciproques, différents préjugés, attitudes ouverture-fermeture et confiance-méfiance, proximité psychologique et physique du problème à l'étude, implication émotive de l'observateur dans la situation et difficultés de mémorisation.

Un second avantage des méthodes d'observation réfère à la considération de l'être humain dans son environnement de travail. C'est une vision holistique de l'employé. L'observation en milieu naturel n'a de sens que par cet avantage important qui correspond d'ailleurs à l'émergence, en recherche sociale et en comportements organisationnels, des approches systémiques.

Certains biais majeurs peuvent être occasionnés par le rôle-clé de l'observateur dans cette méthode. Lapierrière (1984) mentionne que l'écueil principal est «sans aucun doute celui de l'ethnocentrisme et de la subjectivité du chercheur qui risque de pervertir son choix des situations à observer, sa perception de ces situations et, en conséquence, ses analyses». Comme l'observation repose essentiellement sur le cadre perceptuel de l'observateur, certains biais possibles peuvent être occasionnés par ses émotions, sa perception sélective des faits, son empathie envers certaines personnes, sa capacité de mémorisation, son degré de fatigue, sa sensibilité plus grande à coter certains types de comportements que d'autres. Au niveau du contexte dans lequel s'inscrit l'observation, certains faits antérieurs peuvent venir orienter, et conséquemment contaminer, une observation. Celle-ci est généralement notée en fonction d'un contexte et elle a ainsi un caractère relatif aux facteurs environnementaux ou temporels.

La réaction des observés est également une cause possible de biais au niveau de l'observation. Le fait d'être conscients de se trouver sous observation influence, parfois de façon importante, le comportement des sujets qui agissent moins naturellement (Bailey, 1982). Nous avons parlé antérieurement de l'interdépendance observateur-observé qui, faisant entrer en jeu une dynamique très complexe, peut avoir également beaucoup d'effet sur les deux parties.

Signalons qu'un désavantage majeur de l'observation est relié au coût. Il faut entraîner des observateurs ce qui requiert temps et argent. Le temps d'observation peut, dans plusieurs circonstances, être très long. Au bilan négatif, il convient de mentionner que cette méthode d'analyse rend beaucoup plus problématique l'anonymat des employés et la confidentialité. Il est difficile, avec cette approche, d'aborder des problématiques plus personnelles contrairement à l'entrevue et au questionnaire.

Enfin, les résultats d'une analyse effectuée avec la méthode de l'observation sont généralement valides dans un contexte très spécifique défini en termes de temps, lieu et sujets. Pratiquement, cette spécificité rend très risquée toute tentative de généralisation. Ce que le chercheur-intervenant peut en retirer correspond plus à des hypothèses qui, une fois vérifiées, permettront d'élaborer certaines théories plus solides ou prévoir des interventions mieux adaptées.

1.6 Illustration — Utilisation de l'observation structurée dans l'étude du comportement de gestion des directeurs d'école secondaire (Richard Pépin, Ph.D.)[1]

Position du problème

En dépit de nombreuses études dont le directeur d'école a fait l'objet au fil des années, notre connaissance de ce que fait ce dernier dans son travail demeure tout au plus superficielle. Et comme March (1974) l'a déjà fait remarquer, dans cette condition, nous courons le risque de développer une conception inadéquate de son travail.

---

1. Thèse de doctorat présentée en 1985 à la section administration scolaire de la Faculté des sciences de l'éducation de l'Université de Montréal, sous la direction du professeur Luc Brunet.

Il semble que cette situation toute aussi troublante que paradoxale soit due en grande partie à des raisons d'ordre méthodologique. Nous pouvons en effet constater que traditionnellement, la quasi totalité des études canadiennes et américaines réalisées au sujet des directeurs d'école n'ont utilisé que le questionnaire et/ou l'entrevue comme seule approche d'investigation (Bridges, 1982). Cette approche indirecte et essentiellement normative se concentre sur les attentes et les perceptions des personnes interrogées à l'égard de «ce que devrait faire», de «ce que fait» ou de «ce qu'aimerait faire» un directeur d'école pour bien accomplir son travail. Malheureusement, le genre d'information contenu dans ces travaux ne s'appuie pas encore sur l'évidence empirique. Et, pour cette raison, il ne permet pas vraiment de répondre à la question fondamentale: «Que font réellement les directeurs d'école secondaire dans leur travail?»

Pour faire face à ce problème, la présente étude a utilisé une approche d'investigation directe, soit l'observation structurée (Mintzberg, 1973) afin de décrire systématiquement le comportement de gestion d'un groupe de quatre directeurs d'école secondaire dans leur milieu de travail. De plus, conscients qu'une meilleure compréhension du travail des administrateurs s'appuie sur une description conjointe des aspects observables et perceptuels de leur comportement de gestion (Bouchard, 1976; McCall et al., 1978), nous avons greffé d'autres méthodes de recherche (entrevues, questionnaire, agenda, documents décrivant l'organisation) à l'observation structurée afin d'obtenir de l'information aussi détaillée que possible sur le travail de ces administrateurs scolaires.

Méthodologie

Sélection et information des participants

Le choix des sujets dans cette étude ne s'est pas fait au hasard. D'une part, désireux d'assurer une certaine représentativité au groupe de participants, le chercheur a déterminé certains critères (sexe des sujets, nature, dimension et localisation des écoles, expérience professionnelle des candidats) qui ont orienté le choix des sujets.

D'autre part, convaincu que la question de l'accès au site de recherche peut représenter un aspect déterminant du succès ou de l'échec d'une étude sur le terrain (Kapferer, 1980), le chercheur s'est appliqué à établir, dès le début, une collaboration étroite avec certains représentants-clé des systèmes scolaires visés. À cette fin, il a tout d'abord présenté sa proposition de recherche à des intermédiaires qui ont une bonne connaissance du milieu et qui y jouissent d'une influence assez considérable. Puis il a demandé à ces répondants: (1) de lui fournir une liste de candidats potentiels qui, en fonction des critères retenus, seraient intéressés à participer à l'étude, et (2) de contacter initialement chacune de ces personnes afin de lui présenter succinctement le projet de recherche et d'introduire le chercheur.

Par la suite, le chercheur a contacté chacun des directeurs intéressés par téléphone afin de déterminer avec lui la date d'une rencontre préliminaire. Les thèmes suivants furent tour à tour abordés lors de cette rencontre: (1) la nature et les objectifs de l'étude, (2) le processus d'observation, (3) la durée des observations, (4) le rôle de l'observateur, (5) le protocole d'observation, (6) l'information à donner au personnel de l'école, (7) l'anonymat des participants et la confidentialité des données, et (8) l'utilisation des données recueillies.

Après que les candidats eurent officiellement confirmé leur intention de participer à la recherche dans une lettre qui leur fut adressée immédiatement après la rencontre préliminaire, le chercheur a pris soin d'obtenir la permission des responsables des systèmes scolaires impliqués (les directeurs généraux) d'y entreprendre son étude. Suite à quoi, il a déterminé avec chacun des participants la date d'une première entrevue, laquelle devait conduire à une période d'essai.

Période d'essai

Avant d'entreprendre la période d'observation comme telle, le chercheur a observé tour à tour chacun des participants au cours d'une période d'une demi-journée de travail. L'expérience révèle que cette mesure s'est avérée très utile et qu'elle a amplement justifié le temps qui y fut consacré. La période d'essai constitue en effet une véritable session d'entraînement au cours de laquelle le chercheur peut développer son habileté à observer les participants en situation de travail et à enregistrer systématiquement les notes prises sur le terrain. Elle lui permet, de plus, d'expérimenter le processus d'observation avec les participants, de consolider sa relation avec ces derniers, de se familiariser davantage avec l'école et les personnes qui la composent puis d'expliquer aux participants, lorsque nécessaire, la procédure d'observation plus en détail.

Période d'observation

Au cours de l'automne 1983, le chercheur a observé chacun des quatre participants à son école durant cinq journées consécutives ou une semaine complète de travail. Les observations débutèrent dès l'arrivée des directeurs à l'école, tôt le matin, et se poursuivirent jusqu'au moment pour eux de quitter l'école vers la fin de l'après-midi. Chacune des activités observées fut enregistrée, à la seconde près, sous forme manuscrite.

Lors des observations, le chercheur accompagnait chacun des participants d'une façon aussi discrète que possible dans ses diverses activités à travers l'organisation. Concrètement, lorsque le sujet travaillait au bureau, le chercheur s'asseyait à proximité de lui, mais légèrement en retrait de façon à demeurer à l'extérieur de sa ligne de vision. Lorsque le directeur quittait son bureau pour se rendre soit dans d'autres bureaux ou d'autres salles, soit dans les corridors ou aux points de rassemblement pour inspecter son organisation, le chercheur le suivait pas à pas, mais à distance, tout en continuant d'enregistrer ses faits et gestes.

Le chercheur a aussi adopté certaines mesures destinées à faciliter sa tâche d'observateur tout en favorisant le cours normal des activités des participants. Ainsi, pour être en mesure d'enregistrer convenablement certaines données qui, telle la nature des conversations téléphoniques ou la correspondance reçue et expédiée par les participants, le chercheur a demandé à ces derniers de résumer en une phrase ou deux, à ces occasions, l'identité de l'autre partie et le but de l'interaction. Puis, lorsqu'il rencontrait un événement ou une activité dont il ne comprenait pas la signification, il se contentait de noter l'incident sous forme abrégée et attendait à la fin de la journée, au moment où le participant disait avoir terminé son travail pour lui demander des explications à ce sujet.

Enregistrement des données

Comme dans la plupart des études similaires, les données de base contenues dans cette recherche furent recueillies au moyen de «notes d'observation». Les notes d'observation décrivent: «... le Qui, le Quoi, le Quand, le Où et le Comment de l'activité humaine» (Schatzman et Strauss, 1973, p. 100). Pour les fins de la présente étude, ces notes indiquaient également le(s) mode(s) d'interaction (Bales, 1950) utilisé(s) par les participants dans leurs activités.

Bien que ces quelques éléments renferment l'information de base nécessaire à la description complète des situations sociales (Bickman, 1976; Bouchard, 1976), il s'avère souvent difficile dans la pratique de décrire chaque situation avec la totalité de ceux-ci. Aussi, en s'appuyant sur les recommandations émises par Bickman (1976), Bouchard (1976) et Lutz et Iannaccone (1969), le chercheur a adopté les mesures suivantes afin d'accroître l'exhaustivité et la précision de ses données: (1) il a enregistré ses notes au moment même des observations, (2) il a utilisé un système de symboles et d'abréviations pour décrire chaque situation le plus rapidement possible, (3) il s'est efforcé de décrire, ce qui s'est réellement passé plutôt que de faire des inférences sur le comportement, et (4) il a demandé aux participants, à la fin de chaque journée d'observation, de fournir de l'information susceptible de compléter et de corroborer le contenu de certaines activités qui n'ont pu être que partiellement décrites par le chercheur.

Afin d'illustrer la façon dont ces notes furent enregistrées et traitées, les lignes qui suivent présentent tout d'abord un extrait d'activités qui furent enregistrées auprès de l'un des participants lors d'un avant-midi de travail:

1) 7h51   Le directeur se dirige vers la salle de conférence. Chemin faisant, il rencontre un enseignant et lui signale qu'il était absent à une rencontre hier.

2) 7h52   Une fois dans la salle de conférence, il se dirige vers sa secrétaire et consulte la grille-horaire de travail des enseignants afin de vérifier le cas d'un professeur qui lui a dit avoir une période de surveillance en trop à son horaire de travail.

3) 7h53   Un élève vient le rencontrer et lui montre sa formule d'attestation de fréquentation scolaire dûment remplie et signée. Le directeur y jette un coup d'oeil, la lui remet et le salue.

2a) 7h54   Puis il consulte à nouveau la grille-horaire des enseignants afin de vérifier la liste des professeurs en disponibilité utilisés dans l'école.

4) 7h54   Le directeur revient au secrétariat, y rencontre un enseignant et l'informe que le contenu de son horaire de travail pour la journée pédagogique de demain est correct.

5) 7h54   Une élève vient le rencontrer et amorce avec lui une discussion de nature sociale. Puis elle l'interroge sur le cheminement à donner à la lettre de convocation destinée aux parents en vue de la journée pédagogique de demain. Il demande à l'élève de venir le rencontrer à la récréation à ce sujet.

6) 7h55   Le directeur entre dans son bureau, prend l'interphone et demande à un élève-problème dont une enseignante lui a parlé plus tôt, de venir le rencontrer immédiatement au bureau.

7) 7h55   Pendant ce temps, deux élèves l'attendent dans le bureau et lui demandent la permission de s'absenter de l'école. Le directeur accepte et remplit à chacun une feuille d'absence.

Ces notes ne couvrent que quelques minutes d'observation et décrivent sept activités ou incidents distincts. Et comme il est possible de le remarquer, une activité qui fut reprise après avoir été interrompue fut indiquée comme telle dans la numérotation et la comptabilisation des événements.

Une fois recueillies, les données d'observation furent intégrées à trois fichiers différents: (1) le fichier chronologique (Tableau 1) qui décrit la nature et la séquence de chacune des activités de gestion; ce fichier comprend aussi des références donnant accès à une description plus détaillée de ces activités dans les deux fichiers suivants, (2) le fichier de contact (Tableau 2) qui décrit chaque interaction verbale, et (3) le fichier de correspondance (Tableau 3) qui décrit chaque pièce de correspondance reçue et expédiée par les participants.

Tableau 1. Un fichier chronologique.

N°	Heure	Description	Référence	Durée (min. : sec.)
1	7h51	Échange	1	0h17
2	7h52	Travail de bureau	A	0h56
3	7h53	Échange[1]	2	0h04
2a	7h53	Travail de bureau[2]	B	1h02
4	7h54	Échange	3	0h08
5	7h54	Échange	4	0h57
6	7h55	Annonce	5	0h13
7	7h55	Rencontre informelle	6, C-D	0h33*

[1]Activité au moyen de laquelle une autre personne a interrompu l'activité en cours.
[2]Reprise de l'activité en cours.
*Cette rencontre informelle a duré 1 minute 29 secondes mais, après 33 secondes, le directeur fut interrompu par un appel téléphonique.

Tableau 2. Un fichier de contact.

N° Médium	Initiation	Participant(s)	Endroit(s)	But(s)	Durée (min.:sec.)
1 Échange	Directeur	Enseignant	Salle de conf.	Donne de l'information	0h17
2 Échange	Interrupteur	Élève	Salle de conf.	Donne de l'information Contact social	0h04
3 Échange	Directeur	Enseignant	Secrétariat	Donne de l'information	0h08
4 Échange	L'autre	Élève	Secrétariat	Contact social Reçoit une question Donne une directive	0h57
5 Annonce	Directeur	Élève	Bureau	Donne une directive	0h13
6 Rencontre informelle	L'autre	2 élèves	Bureau	Reçoit une requête Autorise	0h33

Tableau 3. Un fichier de correspondance.

N°	Format	Envoyeur/ Destinataire	But(s)	Attention	Action
Intrants					
A	Cahier	École	Donner de l'information	Étudie	Converti en extrant
B	Cahier	École	Donner de l'information	Étudie	Converti en extrant
Extrants					
C-D	Formules	Élève	Donne une autorisation	Écrit et signe	Fait suivre

En plus des données structurées, le chercheur a également noté de nombreuses inférences sur ce qu'il a observé. À cet effet, il a tout d'abord rédigé, en plus de ses notes d'observation, une série de «notes théoriques» durant et après les observations. Ces notes avaient pour but d'enrichir les données structurées et de leur donner une signification conceptuelle. De plus, le chercheur a déterminé le(s) but(s) de chacune des activités enregistrées. En ce sens, l'auteur a combiné deux niveaux d'inférence distincts, un faible et un élevé, dans le développement et l'analyse des données d'observation.

Analyse des données

Analyse des données à faible niveau d'inférence. Les données structurées dans les divers fichiers, à l'exception de la catégorie indiquant le(s) but(s) de chaque activité, ont permis d'élaborer un profil d'activités pour chacun des directeurs observés. Par la suite, ces données furent intégrées dans un profil général d'activités qui décrit d'une façon détaillée la structure du travail de ces administrateurs scolaires.

Analyse des données à niveau d'inférence élevé. Se conformant à la recommandation de Schatzman et Strauss (1973), le chercheur a rédigé ses inférences sur les événements observés sous forme de notes théoriques. Comme mentionné plus tôt, le chercheur s'en sert durant et après la période d'observation afin d'interpréter et d'expliquer les événements observés. Le développement des notes théoriques s'apparente en fait à un processus de modélisation au cours duquel le chercheur regroupe les activités isolées en modèles d'activités globaux dans lesquels ces dernières reçoivent graduellement une cohérence, une forme, une signification (Duignan, 1981). Les lignes qui suivent présentent quelques-unes des notes théoriques élaborées dans cette étude au fur et à mesure de l'analyse:

NT1. Les directeurs d'école démontrent une grande accessibilité dans leur travail. Bien qu'ils passent la majeure partie de leur temps à leur bureau, ils suivent habituellement une «politique de porte ouverte» et prêtent une attention immédiate à tout ce qui se présente. Les personnes, les questions et les problèmes auxquels ils accordent leur attention sont nombreux et très diversifiés. Leurs activités sont souvent déterminées par les autres.

NT3. Il semble qu'en raison de leur accessibilité et de leur visibilité élevées, les directeurs d'école s'ouvrent délibérément à l'imprévu dans leur travail. Ils reconnaissent d'ailleurs parfaitement cette situation. Bêta confiant au chercheur à ce propos: «comme tu vois, on n'a même pas besoin de chercher quoi faire, les autres le font pour nous!» Et, dans la même veine, Gamma a fait remarquer en blaguant à demi à une occasion: «On n'a pas besoin de chercher les problèmes, ils viennent tout seuls!» Et Alpha a même souligné lors d'une entrevue que l'imprévu représente l'aspect qu'il apprécie le plus dans son travail.

En plus de fournir au chercheur plusieurs points focaux à partir desquels il lui a été possible d'organiser sa pensée, les notes théoriques, de concert aux notes d'observation et aux données perceptuelles, ont permis de générer une série de proposition au sujet de la nature du travail des directeurs d'école secondaire.

L'analyse du(des) buts(s) de chacune des activités réalisées par les participants représente un autre aspect important de la description de leur travail. Ainsi, dans cette étude, comme dans celle de Mintzberg (1973), il fut possible, au moyen de cette analyse, de déterminer le «pourquoi» des activités de gestion des participants, c'est-à-dire d'en décrire le contenu puis d'élaborer une théorie sur les rôles de gestion des directeurs d'école secondaire. Pour franchir cette étape cruciale de la recherche, le chercheur a utilisé la méthode constante et comparative de Glaser et Strauss (1967). Selon cette méthode, le chercheur aborde ses données empiriques selon quatre phases distinctes: (1) il compare et classe tout d'abord les incidents dans des catégories distinctes en fonction de leur contiguïté, (2) puis il compare les catégories ainsi formées et leurs propriétés, (3) par la suite, il délimite la théorie émergente, et (4) enfin, il formule cette dernière.

Fidélité et validité des résultats

Dès le début de l'étude, le chercheur a adopté une série de mesures proposées récemment par Duignan (1981) et LeCompte et Goetz (1982) afin de répondre aux exigences de fidélité des observations: (1) il a utilisé des procédures d'enregistrement et de codification systématique des données, (2) il a réalisé une période d'essai afin de s'habituer à utiliser les techniques d'enregistrement des données et de familiariser les participants au processus d'observation, (3) il a adopté un rôle précis, soit celui d'observateur non participant, et a tenté, de cette manière, de maintenir son objectivité tout au long de l'étude, (4) il a recueilli ses données auprès d'un seul groupe d'informateurs, à savoir les quatre directeurs d'école qu'il a observés et interrogés, (5) le chercheur a fourni une description des contextes physiques, sociaux et interpersonnels dans lesquels les données furent recueillies, (6) il a clairement défini l'unité de comportement (ici, l'activité de gestion) de même que les dimensions spécifiques de cette unité dans la recherche, (7) il a fait ample usage de descripteurs à faible niveau d'inférence, (8) il a décrit d'une façon détaillée les méthodes de collecte et d'analyse des données utilisées dans l'étude, (9) chacun des participants a eu l'occasion de confirmer et de clarifier le contenu des activités complexes ou problématiques, et (10) finalement, le chercheur a tenté de corroborer les résultats de sa recherche en intégrant les descriptions et les conclusions des autres chercheurs à son étude et en expliquant les écarts qui se sont produits.

Le chercheur a également adopté certaines autres mesures suggérées par Duignan (1981) et LeCompte et Goetz (1982) afin de démontrer la précision et l'authenticité de ses interprétations: (1) il a utilisé une série de notes théoriques afin de vérifier et de revérifier ses conclusions et ses interprétations, (2) il a tenté de minimiser autant que possible l'influence de sa présence auprès des participants et des organisations où l'étude s'est déroulée, (3) il a utilisé un processus de «corroboration structurée» (McCutcheon, 1978) afin de soutenir les conclusions et les interprétations contenues dans son étude, (4) il a spécifié et comparé certaines caractéristiques socio-professionnelles des participants à celles d'un échantillon provincial de directeurs d'école secondaire, (5) les mesures de fidélité décrites plus haut ont aidé le chercheur à faire des interprétations valides des comportements et des événements observés. Finalement, le chercheur a tenté d'observer chacun des directeurs d'école au cours de semaines «normales» de travail.

Résultats

L'analyse des données empiriques et perceptuelles recueillies dans cette recherche a tout d'abord apporté une réponse à la question: «Que font réellement les directeurs d'école secondaire dans leur travail?» en décrivant la structure et le contenu de leur travail de gestion. Cette analyse a également engendré une série de propositions sur la nature de leur travail.

Structure du travail de gestion

Les résultats de cette étude indiquent tout d'abord que certaines caractéristiques identifiées par Mintzberg (1973), tels le volume et le rythme élevés de travail; la brièveté, la variété et la fragmentation des activités; la préférence marquée pour l'action et la prédilection pour les médias verbaux sont encore plus prononcées chez les directeurs d'école secondaire que chez les cadres observés par ce dernier ou chez les autres groupes d'administrateurs scolaires observés jusqu'à présent. Cependant, tout comme ces divers groupes de cadres, les directeurs d'école n'exercent qu'un contrôle limité sur leur propre travail et, contrairement à ceux-ci, n'évoluent qu'à l'intérieur d'un groupe restreint de contact.

Contenu du travail de gestion

Les données d'observation révèlent que les dimensions ou champs d'activités auxquels les directeurs d'école secondaire accordent leur attention dans leur travail sont, dans l'ordre décroissant: 1) le personnel, 2) la vie étudiante, 3) les bâtisses et l'équipement, 4) les relations école-milieu, 5) les finances, 6) la santé et la sécurité, et, en dernier lieu, 7) le programme d'enseignement.

Les données empiriques indiquent également que les directeurs d'école secondaire exercent un ensemble de 27 rôles de gestion qu'il est possible de regrouper en cinq catégories de rôles: 1) les rôles de représentation, 2) les rôles d'information, 3) les rôles de support, 4) un rôle d'analyse, et 5) de nombreux rôles de décision. De plus, les directeurs d'école expriment la plupart des rôles de gestion de quatre façons ou selon quatre composantes différentes: 1) une composante organisationnelle, 2) une composante administrative, 3) une composante personnelle, et 4) une composante technique. L'évidence empirique démontre que les directeurs d'école n'accordent pas la même attention à chacun des 27 rôles de gestion. Ils consacrent en effet la majeure partie de leur temps à certains rôles d'information (point de mire, enquêteur, informateur, agent social) et à quelques rôles de décision (répartiteur, instructeur, arbitre) qu'ils exercent surtout dans leur composante organisationnelle.

Proposition sur la nature du travail des directeurs d'école secondaire

Au terme de cette étude, il est possible de formuler quelques propositions sur la nature du travail de ces administrateurs scolaires. Comme mentionné plus tôt, chacune de ces propositions provient de l'analyse conjointe des données d'observation, des données perceptuelles, des formules d'agenda fournies par les participants ainsi que des impressions générales développées par le chercheur tout au long de l'étude au moyen des notes théoriques.

Succinctement, ces propositions soulignent que: (1) de par la structure de travail qu'ils adoptent, les directeurs d'école démontrent qu'ils sont essentiellement des gestionnaires de l'imprévu; (2) ils accomplissent d'abord et avant tout un travail de communication; (3) ils se comportent davantage comme des administrateurs au sens large du terme que comme des gestionnaires pédagogiques; (4) cependant, ils s'engagent parfois, d'une façon symbolique, dans la vie pédagogique qui se déroule dans leurs écoles; (5) ils consacrent la majeure partie de leur travail à stabiliser l'environnement dans lequel l'école et ses membres évoluent; (6) ils administrent leurs écoles sans en avoir le plein contrôle; (7) ils tendent à limiter leur intervention à l'intérieur de l'organisation dans laquelle ils travaillent; (8) ils évoluent à travers des cycles d'activités quotidiens et saisonniers; (9) en définitive, ils accomplissent un travail qui dévoile tant par sa structure que par son contenu, plus de similitude que de différences inter-individuelles; (10) finalement, les données recueillies démontrent qu'il existe parfois un écart considérable entre ce que font les directeurs d'école dans leur travail et ce qu'ils pensent ou aimeraient y faire.

Implications

Il est probable que les conclusions de cette étude s'avéreront d'une réelle utilité tout d'abord pour les directeurs d'école eux-mêmes. Ces résultats leur donneront en effet l'occasion de jeter un regard objectif sur ce qu'ils font réellement dans leur travail et sur la façon dont ils allouent leur temps. Ces résultats indiquent également que, pour être réalistes, les programmes de formation et de perfectionnement destinés aux directeurs d'école devraient proposer à ces derniers des modèles de gestion qui tiennent compte de la nature essentiellement dynamique de leur travail et des propriétés qui définissent l'école comme organisation.

Au niveau de la recherche, les descriptions empiriques présentées dans cette étude devraient tout d'abord faire l'objet d'études quantitatives destinées à en vérifier la plausibilité auprès d'un grand nombre de directeurs d'école. De plus, des études similaires pourraient être réalisées à divers moments de l'année académique auprès de directeurs d'école présentant des caractéristiques socio-professionnelles variées et évoluant dans des systèmes scolaires différents.

Des études seraient également nécessaires afin de déterminer les relations pouvant exister entre l'exercice des divers rôles de gestion et l'efficacité organisationnelle. Les résultats de ces études permettraient de déterminer l'importance relative que les directeurs d'école «devraient» accorder aux divers rôles de gestion dans leur travail, puis d'élaborer des programmes de formation et de perfectionnement vraiment appropriés.

■ **Références citées dans le résumé de la thèse**

BALES, R.F. (1950). *Interaction process analysis: A method for the study of small groups.* Chicago: Midway reprint.

BICKMAN, L. (1976). La récolte des données I: les méthodes d'observation, *in* C. Selltiz, L.S. Wrightsman, S.W. Cook: *Les méthodes de recherche en sciences sociales* (pp. 247-286). Montréal: Les éditions HRW.

BOUCHARD, T.J. Jr. (1976). Field research methods: interviewing questionnaires, participant observation, systematic observation, unobstructive measures, *in* M. Dunnette (Ed.): *Handbook of industrial and organizational psychology* (pp. 363-413). Chicago: Rand McNally.

BRIDGES, E.M. (1982). Research on the school administrator: The state of the art, 1967-1980. *Educational Administration Quarterly, 8,* 3, 123-133.

DUIGNAN, P.A. (1981). Ethnography: An adventure in interpretative research. *The Alberta Journal of Educational Research*, 27, 3, 285-297.

GLASER, B.G., STRAUSS, A.L. (1967). *The discovery of grounded theory: Strategies for qualitative research.* Chicago, Ill.: Aldine.

KAPFERER, J.L. (1980). Fieldwork in schools: The reciprocity of bias. *Australian Journal of Education,* 24, 3, 265-278.

LeCOMPTE, M.D., GOETZ, J.P. (1982). Problems of reliability and validity in ethnographic research. *Review of Educational Research*, 52, 1, 31-60.

LUTZ, F.W., IANNACCONE, L. (1969). *Understanding educational organizations: A field study approach.* Columbus, Ohio: Charles E. Merril.

McCALL, M.W. Jr., MORRISON, A.M., HANNAN, R.L. (1978). *Studies of managerial work: Results and methods.* Greensboro, N.C.: Center for creative leadership.

McCUTCHEON, G. (1978). On the interpretation of classroom observations. Paper presented at the Annual Meeting of the Educational Research Association. Toronto.

MARCH, J.G. (1974). Analytical skills and the university training of educational administrators. *The Journal of Educational Administration,* 12, 1, 17-44.

MINTZBERG, H. (1973). *The nature of managerial work.* New-York: Harper and Row.

SCHATZMAN, L., STRAUSS, A.L. (1973). *Field research: Strategies for a natural sociology.* Englewood Cliffs: Prentice-Hall.

2. ENTREVUE

Kerlinger (1973) mentionne que l'entrevue est la méthode la plus ancienne et la plus utilisée encore actuellement pour recueillir des informations. Ses caractéristiques de flexibilité dans son déroulement et d'adaptabilité à des objectifs et des sujets très variés expliquent sa grande popularité. Cette méthode paraît naturelle à cause du fait qu'elle prend la forme d'une relation interpersonnelle.

L'entrevue permet de recueillir de l'information à deux niveaux: les faits et les perceptions/opinions/attitudes. L'entrevue, généralement peu structurée, est fort utile quand il s'agit d'identifier les diverses composantes d'une problématique organisationnelle. Dans ce contexte, elle constitue un outil de recherche exploratoire. Si la démarche d'interrogation est déjà précisée étant donné la bonne connaissance qu'en possède le chercheur-intervenant, l'entrevue plus structurée est alors d'un apport appréciable. Dans ces deux cas extrêmes, l'entrevue peut être l'instrument unique de cueillette de données ou être jumelée avec d'autres techniques de recherche et d'intervention: observation, questionnaire, analyse de documents, etc.

2.1 Définition de l'entrevue

L'entrevue est, pour le spécialiste, un mode de connaissance basé sur l'interaction interviewer-interviewé comme méthode de cueillette d'informations. Essentiellement, il s'agit d'une conversation exécutée avec un but. Daunais (1984) rapporte que «décider de faire usage de l'entretien, c'est primordialement choisir d'entrer en contact direct et personnel avec des sujets pour obtenir des données de recherche».

L'entrevue se caractérise d'abord par le fait qu'il s'agit d'une communication verbale dynamique. En effet, la cueillette des données se fait dans le contexte d'une interaction interviewer-interviewé qui évolue constamment puisque chaque participant réagit aux propos de l'autre. Cette interaction a un effet direct sur l'information recueillie. Deuxièmement, l'entrevue se réalise en fonction d'un but précis évidemment relié à l'objectif fixé par le spécialiste. Troisièmement, l'entrevue est une conversation qui se situe dans un contexte social structuré où chaque interlocuteur a un rôle bien précis et défini dans la relation: l'interviewer recueille l'information selon un plan établi et un objectif déterminé; l'interviewé ou l'employé fournit les données recherchées (objectives et/ou subjectives).

2.2 Types d'entrevue

De façon générale, les auteurs distinguent deux types d'entrevue: l'entrevue directive ou structurée d'une part, et l'entrevue non directive ou non structurée d'autre part.

L'entrevue non directive correspond essentiellement à une discussion non structurée autour du but général fixé par le chercheur-intervenant. Ce type d'entrevue est également connu sous l'appellation d'entrevue libre. L'interviewer pose une question large et ouverte reliée à la problématique organisationnelle à l'étude et il n'intervient, par la suite, que pour ramener le sujet dans la voie de l'objectif si ce dernier s'en éloigne trop. L'expert ne suit pas une liste prédéterminée de questions. La façon dont l'entrevue évolue a une grande incidence sur le déroulement de celle-ci. Le contenu précis des questions, leur séquence et leur formulation sont entièrement entre les mains de l'interviewer et tout ceci peut varier d'une entrevue à l'autre (Aubé, 1984). Durant une entrevue non directive, l'interviewer intervient le moins souvent possible pour ne pas biaiser la continuité et l'essence du message dévoilé par le sujet. Il se contente de motiver ce dernier à répondre, d'une façon personnelle, à l'intérieur du thème proposé par le spécialiste. Celui-ci est alors prêt et disposé à entendre tout ce que le sujet lui dit sur ce thème. Il est réceptif au contenu de ses réponses, à son mode d'approche du problème, à ses réactions affectives et cognitives, etc.

Quant au sujet, il a la responsabilité d'apporter l'information en répondant aux questions. Il a toute la liberté de structurer ses réponses comme il l'entend et d'aborder le thème selon ce qui lui semble important ou ce qu'il en connaît le mieux. Il structure lui-même la séquence des points de son exposé et accorde à chacun la durée qui lui paraît appropriée.

Dans l'entrevue non directive ou non structurée, l'interviewer se définit plus comme un récepteur, un agent plus passif puisqu'il s'imprègne des informations transmises. L'interviewé est plus actif car il agit à la fois comme la source, l'organisateur du message et l'agent transmetteur d'informations.

Le second type d'entrevue de recherche se situe à l'opposé de celui que nous venons de décrire. Il s'agit de l'entrevue directive ou structurée. Dans ce type d'entrevue, l'interviewer imprime une direction à la rencontre même si son objectif n'est pas d'influencer autrui dans le contenu même de ses réponses. L'interviewer initie et dirige la communication. L'entrevue directive ou structurée utilise une approche très standardisée aux plans du contenu, de la formulation et de la séquence des questions. Parfois, même les réponses admissibles sont prédéterminées. L'entrevue très structurée s'apparente sensiblement au questionnaire si ce n'est que la transmission se fait verbalement plutôt que par écrit. L'interviewer et l'interviewé opèrent alors à l'intérieur d'un cadre préalablement très bien défini. L'interviewer prend la responsabilité de définir les domaines à couvrir durant l'entrevue et il dirige ensuite l'interviewé, à l'aide d'une série de questions préparées à l'avance, vers la transmission de l'information. Cette forme d'entrevue est donc la plus standardisée puisqu'elle se déroule toujours de la même façon avec les différents employés ou répondants. Quant à lui, l'interviewé a un rôle plus limité en ce sens qu'il doit répondre, de façon spécifique, aux questions qui lui sont soumises. Il doit moins organiser et élaborer une réflexion personnelle tel que c'est le cas suite à une question ouverte. Il doit même fréquemment répondre à l'intérieur des catégories de réponses définies par le chercheur-intervenant. Il y a également beaucoup moins de spontanéité dans une entrevue directive que dans une entrevue non directive.

Il faut ajouter qu'il existe également un type intermédiaire d'entrevue de recherche ou d'intervention fréquemment utilisé pour l'étude de certains phénomènes ou problématiques reliés au travail, soit l'entrevue semi-structurée. Le spécialiste utilise alors une attitude de semi-directivité en abordant chaque thème à couvrir par une question ouverte pour ensuite, selon les réponses de l'interviewé, approfondir la réponse générale par des questions plus spécifiques.

L'interviewer n'intervient que pour s'assurer que les diverses composantes ont été traitées, pour obtenir plus d'informations ou pour diriger la conversation à l'intérieur du plan général de l'entrevue.

L'entrevue semi-structurée semble être souvent celle qui constitue, dans plusieurs circonstances, la meilleure façon d'aller chercher l'information et ce, d'une manière relativement économique en temps et en argent. Cette forme mitigée de directivité est souvent celle que recommandent les auteurs, notamment Daunais (1984).

2.3 Habiletés et attitudes de l'interviewer

Comme l'entrevue est avant tout une conversation avec un but, l'interviewer doit être très sensible à tous les aléas de la communication (Gingras, 1983). Son attitude de base doit être axée sur l'écoute et la compréhension de l'interviewé (Layole, 1982). Dolan (1980) résume bien l'essentiel de ce qu'est une entrevue en disant «apprendre à interviewer, c'est avant tout apprendre à écouter».

Le chercheur-intervenant doit savoir écouter et savoir se taire. Celui-ci écoute le travailleur de façon patiente et amicale mais également avec un certain sens critique. Il peut discerner l'essentiel de l'accessoire, évaluer rapidement la valeur des informations fournies en fonction de l'objectif de l'entrevue et en faire une synthèse juste et complète.

Deuxièmement, l'interviewer expérimenté est capable d'accepter les silences et ne craint pas ces moments anxiogènes pour tout chercheur-intervenant relativement nouveau. Si le sujet ne répond pas immédiatement à la question, l'interviewer anxieux est porté à reformuler tout de suite sa question. Ce dernier oublie souvent qu'une question constitue une tâche demandée à l'interviewé et que ce dernier doit pouvoir y réfléchir et organiser les divers éléments de sa réponse avant de la verbaliser. Parfois même, certains silences sont très éloquents lorsqu'ils représentent une résistance émotive à aborder un thème difficile pour l'interviewé ou carrément un refus de répondre. L'interviewer compétent sait que les silences ont leur place dans une entrevue. Il apprend à les interpréter et les respecte à cause de leur grande signification psychologique. Les silences, sous forme de pauses, d'hésitations ou de moments de réflexion, font partie intégrante de toute communication articulée et profonde.

Troisièmement, le spécialiste fait preuve de souplesse et de support à l'endroit de l'interviewé. Il lui faut adapter son attitude et son langage selon l'interlocuteur et selon la situation. L'interviewer motive véritablement l'employé à répondre à ses questions par son écoute et son intérêt profond face à ce que lui raconte le sujet. Son encouragement est alors verbal et/ou non verbal (regard, position du corps, etc.).

Quatrièmement, l'interviewer compétent fait preuve de maturité en ce sens qu'il est capable de contrôler ses émotions et de demeurer à l'aise même dans des situations difficiles. Par respect pour le message transmis par le travailleur ou le cadre, le chercheur-intervenant n'établit pas de polémique avec le sujet et il évite de réagir de façon impulsive.

La richesse d'une entrevue est souvent proportionnelle à la sociabilité de l'interviewer. Ce dernier sait se faire accepter par l'interviewé et mettre ce dernier à l'aise, ce qui est nécessaire à sa libre expression. Toute attitude d'autorité de la part de l'expert risque d'atténuer la qualité de la relation interpersonnelle. L'attitude de l'interviewer doit plutôt être souple: il a avantage à s'effacer devant l'interviewé afin de le mettre en relief, de lui permettre de s'exprimer, de valoriser ses opinions/perceptions/expériences.

Enfin, l'interviewer compétent juge à partir des faits ou des opinions émises par le sujet plutôt qu'à partir de ses propres valeurs ou de ses sentiments. Son enregistrement correspond plus à une photographie de la réalité qu'à une interprétation de celle-ci. Le chercheur-intervenant a essentiellement le souci de l'objectivité.

2.4 Biais interviewer-interviewé

Les biais possibles de la part du spécialiste sont fort nombreux. Nous les présenterons ici selon deux catégories: les biais pouvant avoir un effet sur le déroulement même de l'entrevue et les biais pouvant affecter la qualité des données recueillies. Même si nous les divisons en deux groupes, il faut mentionner que tous ces biais sont cumulatifs et ont tous, à la limite, un effet sur la validité des informations recueillies par le chercheur-intervenant.

L'interviewer et l'interviewé entrent dans une dynamique complexe où les perceptions, opinions, attitudes, préjugés, comportements verbaux et non verbaux, apparence physique de chaque interlocuteur forment une entité subjective qui influence autant l'une et l'autre des parties. C'est à partir de cette dynamique que s'établit la relation qui va déterminer la valeur de l'entrevue.

L'interviewer postule généralement que les réponses d'un sujet forment une structure logique unifiée et organisée. Conséquemment, il s'attend à ce que les réponses de l'interviewé aux dernières questions soient en accord avec celles qu'il a données au début de l'entrevue. Souvent, l'interviewer surestime l'unité ou la cohérence de la personnalité et ce, malgré le fait que les réponses et les apparences laissent entrevoir une personnalité complexe et parfois contradictoire.

Un autre type de biais fréquemment présent dans l'esprit de l'interviewer est celui qui consiste à croire que certaines attitudes ou comportements sont plus présents dans un groupe de sujets. Cette attente risque d'affecter par la suite la cueillette des informations par l'introduction d'une perception sélective des éléments qui confirment cette attente.

Un troisième biais possible est celui que nous identifions comme l'effet de «halo». Le spécialiste se base alors sur ses premières impressions qui influencent, dans le même sens, toutes ses autres perceptions (et même l'enregistrement des données) durant l'entrevue.

Certains autres biais de l'interviewer se conjuguent avec ceux mentionnés précédemment pour affecter possiblement la validité des informations enregistrées lors d'une entrevue (Gingras, 1983). Durant l'entrevue, l'interviewer peut très bien ne pas reconnaître l'importance exacte de certains éléments de réponse fort significatifs. Il risque alors de surestimer ou sous-estimer leur importance relative. Une autre erreur possible est celle de l'omission. L'interviewer oublie ou élimine certaines informations qui sont, de fait, très pertinentes. L'erreur d'addition consiste, à l'inverse, à amplifier certains faits ou réponses du sujet en lui donnant beaucoup plus d'ampleur et d'importance que l'employé lui en accordait dans le contexte de l'entrevue. L'erreur de substitution conduit l'interviewer à remplacer certains mots-clés ou certaines narrations du sujet par un contenu imaginé par l'interviewer. Ces substitutions risquent d'avoir un sens et une connotation affective très différents par rapport à ce que l'interviewé avait lui-même rapporté au cours de l'entrevue. Enfin, si une certaine séquence d'événements ou si certaines relations entre des faits ne sont plus présentes dans la mémoire de l'interviewer, ce dernier peut, par erreur de transposition, relier ceux-ci entre eux en modifiant la dynamique relationnelle établie dans les propos même du travailleur ou du cadre.

Si nous envisageons maintenant les biais possibles de la part de l'interviewé (cadre ou employé), nous pouvons signaler qu'une situation d'entrevue trop formelle, distante et froide peut bloquer l'expression de ce dernier. Par contre, si l'entrevue se fait dans un contexte trop amical ou trop bienveillant, le sujet peut chercher à répondre dans le but premier de plaire à l'interviewer. Il oriente alors ses réponses, non pas en fonction de sa propre réalité mais en fonction des attentes qu'il cherche à déceler chez le chercheur-intervenant (Ferman et Levin, 1975).

Le fait d'être interviewé par un interviewer d'une classe sociale, d'un sexe ou d'une nationalité différente peut également avoir un effet sur les réponses formulées par le répondant. Un ouvrier se sent souvent mal à l'aise quand il est en relation avec un universitaire et ce, tout dépendant de la facilité d'adaptation de l'interviewer. Ce genre de situation peut avoir, auprès de l'interviewé, un impact à la fois sur la qualité et la quantité des informations fournies. Enfin, mentionnons un autre facteur pouvant avoir un impact sur l'interviewé. Si ce dernier craint que le fait de répondre puisse être une menace possible à ses intérêts personnels, il est certain qu'il peut avoir tendance à introduire certaines réserves et même faussetés dans ses réponses. Pour qu'il soit motivé à collaborer positivement avec un interviewer, le sujet doit percevoir qu'il y va de son intérêt personnel et qu'il a certains avantages à en retirer éventuellement.

2.5 Principes de base de l'entrevue

Nous signalerons ici trois principes de base de l'entrevue.

Le chercheur-intervenant contrôle le rythme de l'entrevue. La vitesse qui régit la séquence des questions, imprime à l'entrevue une certaine cadence. L'interviewer doit établir le rythme le plus approprié à l'interviewé: «assez rapide pour maintenir l'intérêt et assez lent pour permettre une couverture adéquate du sujet» (Gingras, 1983).

Deuxièmement, le spécialiste est empathique et à l'écoute du répondant. Certaines omissions ou hésitations laissent entrevoir parfois que le sujet ne veut pas répondre ou est incapable de répondre sans aide, sans encouragement. L'interviewer est sensible à ces comportements verbaux et non verbaux qui dénotent que certains thèmes sont plus émotifs que d'autres. Il lui faut comprendre la signification de ces comportements et agir en conséquence en fournissant le support nécessaire à l'interviewé ou en respectant ses refus de répondre.

Enfin, le dernier principe concerne le fait que l'entrevue se déroule dans un contexte de travail ou social défini et que l'information recueillie est interprétée à la lumière de ce contexte particulier. Les éléments latents sont tous aussi importants sinon plus que le contenu manifeste du message. L'information transmise n'est pas interprétée selon une approche dichtomique vraie ou fausse. Il est nécessaire d'y apporter les nuances fournies par les sentiments qui accompagnent la transmission du message. Souvent même, les réponses formelles du sujet se situent plus au niveau des symptômes d'une réalité qui, elle, est beaucoup plus profonde et psychologiquement plus significative. L'interviewer dépasse les mots du message primaire pour aller chercher les opinions, les attitudes ou perceptions réelles du sujet.

2.6 Étapes de l'entrevue

Dans cette section, nous exposerons les diverses étapes que le chercheur-intervenant doit généralement franchir pour réaliser une étude par entrevue. La figure 9 permet de mettre en relief les divers segments de l'entrevue. Ce graphique peut aider à saisir, de façon plus précise, les étapes à franchir pour le chercheur-intervenant ou le spécialiste utilisant cette méthode de recherche et d'intervention.

Figure 9: Schéma du déroulement de l'entrevue.

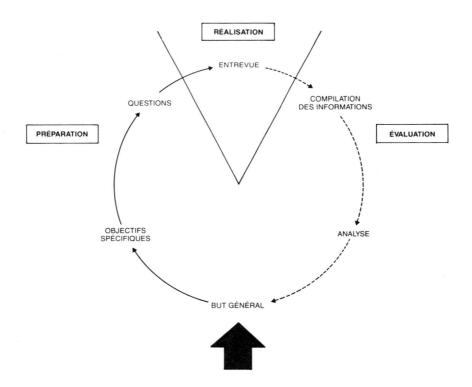

Choix du type d'entrevue

L'expert décide d'utiliser tel ou tel type d'entrevue en se basant sur un certain nombre de facteurs. L'objectif même de la démarche est d'abord pris en considération. S'agit-il d'explorer, de décrire ou d'expliquer un phénomène organisationnel? En second lieu, la nature du problème devient un élément très important dans le choix du genre d'entrevue. Si le problème est peu connu par les spécialistes, l'entrevue non structurée paraît préférable car elle permet aux employés d'apporter des éléments nouveaux qui n'auraient pu être imaginés par l'interviewer. Il est également nécessaire, pour choisir la stratégie d'entrevue, de tenir compte de la valeur émotive du problème de travail abordé. Dans ce dernier cas, une entrevue non directive accompagnée d'une attitude de support et d'encouragement de la part de l'interviewer peut donner de meilleurs résultats qu'une entrevue très structurée qui pourrait alors être perçue comme agressive et menaçante pour le sujet. D'autres éléments doivent également être pris en considération dans le choix, notamment la personnalité du chercheur-intervenant et celle de l'interviewé, le temps disponible pour cueillir l'information et le nombre de répondants à rencontrer. Plus les contraintes au niveau du temps et du nombre de sujets sont importantes, plus l'entrevue structurée (si elle est appropriée) est économique.

Élaboration du plan de l'entrevue

Bien que la qualité des informations recueillies dépend de la capacité d'expression du sujet et de l'habileté de l'interviewer, il n'en demeure pas moins qu'une des façons d'améliorer cette qualité, c'est de bien préparer l'entrevue.

Dans le cas d'une entrevue structurée, point n'est besoin d'insister sur le fait que les diverses questions doivent être préparées à l'avance de façon à assurer une certaine standardisation des entrevues. Pour une entrevue semi-structurée ou non structurée, l'interviewer établit quels sont les points d'intérêt à couvrir en fonction de l'objectif visé.

Un plan d'entrevue comporte, selon Dolan (1980), plusieurs avantages: prévoir l'organisation générale de l'entrevue (déroulement logique et chronologique), mieux diriger l'entrevue de façon à couvrir tous les domaines importants, améliorer la fidélité et la validité des informations recueillies et enfin donner aux sujets la certitude que l'interviewer maîtrise bien l'entrevue et sait où il va.

Préparation des questions

La décision d'utiliser des questions fermées ou ouvertes dépend directement du choix du type d'entrevue que le chercheur-intervenant juge le plus approprié pour l'objectif de l'étude et la nature du problème.

La question fermée n'est utilisée que si le problème est suffisamment bien défini pour qu'une entrevue structurée soit recommandée. Gingras (1983) mentionne que l'avantage de la question fermée est celui d'une mesure uniforme permettant ainsi une plus grande fidélité. En effet, ce type de question force le sujet à répondre en fonction de catégories de réponse déterminées à l'avance. Par contre, la question fermée donne accès à une information généralement plus superficielle et peu riche sur le plan de la dynamique interne du sujet, à moins d'y ajouter un grand nombre de questions d'approfondissement. De plus, si aucune des réponses proposées ne convient à l'interviewé, il y a risque qu'il soit forcé de choisir, parmi les réponses proposées, une alternative qui ne correspond pas ou peu à son point de vue personnel. Ceci affecte donc grandement la qualité de l'information recueillie.

Le second genre de question est la question ouverte. Elle fournit au sujet un cadre de référence assez large permettant à ce dernier de structurer sa réponse sans être limité par des catégories prédéterminées. L'objet de l'étude définit le cadre général de l'entrevue sans imposer de restriction sur les réponses admissibles de la part des employés. La question ouverte permet, par l'utilisation de questions d'approfondissement, d'aller beaucoup plus en profondeur et ainsi apporter un éclairage nouveau. Parfois même, par sa réflexion personnelle et par une direction judicieuse, l'interviewé peut en arriver à des conclusions qu'il n'aurait pu imaginer au départ. De plus, la question ouverte permet ensuite, par sa flexibilité et son orientation plus profonde, l'établissement de relations entre les diverses facettes du phénomène organisationnel à l'étude.

Il arrive parfois que, dans l'entrevue semi-structurée plus particulièrement, l'interviewer utilise les divers types de question selon la technique dite de l'entonnoir. Par rapport au thème à l'étude, l'entrevue débute par une question très large et progressivement d'autres questions plus précises focalisent sur certains aspects particuliers. Ainsi, les premières questions n'affectent pas les réponses aux questions suivantes puisque ces dernières s'intègrent logiquement dans la position initialement adoptée par l'interviewé.

Quels sont les critères qui permettent de juger de la valeur d'une question? Essentiellement, il est nécessaire que le chercheur-intervenant soit attentif à la pertinence, la clarté, l'objectivité et la possibilité pour l'interviewé d'y répondre (Kerlinger, 1973).

Conduite de l'entrevue

Comme le but premier de l'interviewer est d'obtenir de l'information de la part de l'interviewé, tout moyen éthiquement acceptable susceptible d'atteindre cet objectif doit être pris en considération.

Le premier contact avec l'interviewé est excessivement important car, dans les premières minutes, le chercheur-intervenant doit pouvoir évaluer le degré de collaboration du sujet, sa capacité de compréhension et de réponse, sa personnalité. Souvent, l'employé désire savoir pourquoi il a été choisi ou approché pour cette entrevue. Après avoir répondu aux interrogations de l'interviewé, le spécialiste sollicite sa collaboration en valorisant l'apport spécifique (expérience vécue, connaissance, etc.) qu'il peut apporter à l'atteinte de l'objectif de l'étude. Il est important de gagner la confiance du sujet en étant sincère et franc. L'interviewer explique d'abord l'objectif de la façon la plus directe possible en énumérant les sous-thèmes de la recherche sans cependant compromettre la valeur des informations éventuellement recueillies. Cette façon de partager le but de l'entrevue constitue un facteur de motivation facilitant la collaboration du sujet (Daunais, 1984). Il est alors utile d'exposer les avantages à retirer par chacune des parties (interviewer et interviewé) suite à cette collaboration. Il ne faut cependant pas que des promesses irréalistes soient faites au sujet. La collaboration de l'interviewé n'est possible que dans un climat de confiance (Laviolette, 1985). C'est également le moment pour le chercheur-intervenant d'expliquer et de s'entendre avec les travailleurs sur certains points fort importants, notamment la confidentialité, l'anonymat et l'enregistrement sur cassette de l'entrevue. Enfin, l'interviewer se doit, avant que ne débute l'entrevue, d'atténuer ou de corriger toute fausse perception, préjugé ou crainte de l'interviewé.

La séquence des questions est relativement importante pour créer un climat propice à l'entrevue. Certains auteurs (Ferman et Levin, 1975) suggèrent de débuter l'entrevue par des questions factuelles (âge, emploi, adresse, etc.) dans le but de sécuriser le répondant avant de passer au contenu même de l'entrevue qui devrait être abordé d'abord avec des questions ouvertes suivies par des questions fermées (Sommer et Sommer, 1980). Ainsi, il y a moins de risque d'établir une orientation prématurée ou une prédisposition quant à la modalité de réponse aux questions subséquentes. Il est, à notre avis, préférable d'aller des questions générales vers les questions particulières. À l'inverse, Daunais (1984) mentionne un certain risque à débuter avec les questions factuelles. Il craint que cette façon de répondre porte l'interviewé à continuer à agir de la même façon en élaborant peu lors des questions ouvertes. Ce danger paraît, selon nous, moins grave si la période de questions factuelles est relativement courte, si l'interviewer encourage la libre expression du répondant au moment des questions ouvertes et si le climat de l'entrevue met le sujet en confiance. De plus, le chercheur-intervenant doit être prudent et éviter toute séquence de questions pouvant être perçue comme agressive ou menaçante pour l'intégrité personnelle de l'employé.

Tout au long de l'entrevue, l'interviewer fait continuellement en sorte que l'interviewé se sente appuyé dans son expression. Il valorise ce que dit le sujet et crée un climat optimal d'expression en acceptant les comportements émotifs, en réduisant la tension et en évitant une atmosphère d'agressivité. Le rôle de l'interviewer est celui d'un facilitateur. Il est préférable d'éviter toute question-piège qui soulève souvent la méfiance et la suspicion. L'entrevue ne doit pas avoir l'air d'un interrogatoire en règle où le sujet a plus l'impression d'être un accusé qu'un collaborateur essentiel au succès de la démarche. Une technique très utile dans un tel contexte est celle de la reformulation. La technique de la reformulation repose sur le «principe qu'il faut renvoyer ses propos à l'interlocuteur» en reprenant le sens et non pas les mots. Il s'agit donc de reformuler ce qui est essentiel dans l'exposé du répondant (Aubé, 1984). En résumant les propos de l'interviewé, ce dernier a l'impression qu'il a effectivement été bien écouté. C'est une technique très efficace pour faire une synthèse, vérifier si la compréhension de l'interviewer est bien conforme à ce qu'a voulu dire le travailleur, à motiver le sujet et à effectuer des transitions harmonieuses lors du passage d'un thème à un autre. Cette technique offre alors au répondant la possibilité de corriger, compléter ou nuancer l'interprétation de l'interviewer. Quant à la technique d'interrogation, elle peut être perçue par le sujet de façon négative si elle est appliquée au tout début de l'entrevue à moins que le climat établi entre l'interviewer et le sujet soit excellent. Il est généralement suggéré de prévoir son utilisation, dans un second temps, pour approfondir certains aspects particuliers. Cette technique est mieux utilisée après avoir posé des questions ouvertes et avoir reformulé les propos de l'interviewé. L'interrogation possède une valeur certaine, si appliquée à bon escient, pour mieux comprendre ou pour mieux attirer l'attention de l'interlocuteur sur tel ou tel point précis.

Quand vient le moment de terminer l'entrevue, le sujet ne doit pas se sentir rejeté après avoir offert sa collaboration. Il importe donc de préparer la sortie. Par son comportement verbal ou non verbal, l'interviewer fait sentir à l'interviewé que la fin de l'entrevue approche. Il peut alors résumer l'entretien, demander au sujet s'il a certaines informations à ajouter avant de clore la rencontre, demander au sujet certaines informations factuelles qui auraient pu être oubliées, etc.

Quant à l'étape de l'analyse des données, elle est cruciale. Cependant, elle est toujours tributaire de la qualité des informations recueillies. En effet, l'analyse ne donnera pas plus que ce que le chercheur-intervenant y a investi lors des diverses étapes antérieures. En effet, si ce dernier s'aperçoit, par exemple, lors de l'analyse que les informations recueillies sont pauvres et incomplètes, il peut, en réécoutant la cassette d'enregistrement, s'apercevoir qu'il n'a pas suffisamment utilisé les questions d'approfondissement. Il ne doit jamais oublier l'objectif précis de son étude de façon à pouvoir éventuellement y répondre. Dans le cas d'une entrevue structurée, les unités de codage et d'analyse sont prévues à l'avance. Cette grille d'analyse est déjà établie ce qui facilite la réalisation de cette étape. Si l'entrevue utilisée est du type non structuré, le spécialiste doit alors bâtir ses unités de codage suite à une analyse du contenu des entrevues enregistrées ou des notes prises au moment de celles-ci. La nature de ces catégories dépend évidemment de l'objectif et de la nature du problème. Notons ici que ces catégories doivent être claires et mutuellement exclusives de sorte que les informations puissent être classées dans une seule catégorie à la fois. L'analyse du contenu d'une entrevue non structurée est beaucoup plus difficile et ardue que celle d'une entrevue structurée ce que souvent des chercheurs-intervenants inexpérimentés ont tendance à oublier. L'entrevue non structurée fournit généralement des données qui se prêtent plus à une analyse qualitative alors que celles obtenues dans une entrevue structurée permettent plus facilement une analyse quantitative.

2.7 Avantages et limites de l'entrevue

Un des principaux avantages de l'entrevue, c'est sa grande flexibilité. Elle peut prendre la forme d'une entrevue structurée, semi-structurée ou non structurée. De plus, dans les deux derniers cas, le chercheur-intervenant a l'occasion d'aborder les problématiques choisies en se donnant et en donnant à l'interviewé beaucoup de latitude. L'entrevue permet d'aborder de très nombreux problèmes reliés au travail et ce, avec beaucoup de diversité au niveau du format adopté.

De par sa flexibilité, l'entrevue permet d'explorer en profondeur les perceptions, opinions ou attitudes des employés. L'interviewer accompagne et guide les sujets dans leur réflexion et leur permet fréquemment d'aller plus loin qu'ils ne l'auraient fait seuls.

Par sa présence, l'interviewer joue le rôle d'une personne-ressource importante au niveau du processus. Par sa formation, il est habituellement en mesure de saisir ce qui se passe exactement. En effet, le sujet peut ne pas être capable de répondre pour diverses raisons ou ne pas avoir compris le sens de la question. Si quelque chose peut être fait pour corriger la situation, l'interviewer est présent pour tenter cette opération.

Au plan des principales limites, il convient de souligner que celles-ci sont généralement l'envers de la médaille constituée par les avantages.

La grande flexibilité cache un risque de manque de standardisation d'une entrevue à l'autre. Si les informations recueillies ne viennent pas exactement des mêmes questions, si les entrevues sont réalisées par des interviewers différents, si les biais personnels de chaque interviewer ne sont pas contrôlés, si les réactions des interviewés varient en fonction de chaque contexte dynamique interviewer-interviewé, il devient inquiétant de penser à la validité et à la fidélité des résultats. Par rapport à cette limite, il n'y a pas de remède miracle. Seules, une sélection et une formation adéquate des interviewers de même qu'une préparation soignée des entrevues aident à contrôler ces lacunes et à offrir une méthodologie valable de recherche et d'intervention. Les spécialistes doivent vivre avec le défaut de cette qualité qu'est la flexibilité.

La qualité de la relation interpersonnelle et la capacité d'expression du sujet peuvent aussi avoir un impact appréciable. Certains employés ont plus ou moins de difficulté à s'exprimer ou hésitent à étaler, dans une discussion, certaines informations sur leur vie plus personnelle. Si la capacité d'expression du sujet a son importance, il ne faut pas cependant sous-estimer la capacité de l'interviewer d'inciter à la communication.

Bien que la confidentialité des informations puisse être garantie au répondant, il est bien évident que, dans l'entrevue, l'anonymat n'existe pas. Certains sujets auraient pu s'exprimer plus facilement dans un questionnaire mais résisteront à le faire en présence du chercheur-intervenant.

Enfin, une dernière limite importante d'un point de vue pratique est celle de la rapidité et des coûts. Plus l'entrevue est non structurée, plus coûteuse et moins rapide est l'opération puisqu'il est alors nécessaire de mettre plus de temps pour rencontrer l'ensemble des sujets et analyser les données que si nous avions utilisé l'entrevue structurée ou le questionnaire. Mentionnons également les difficultés nombreuses que rencontre l'interviewer qui doit couvrir un territoire très vaste.

2.8 Illustration — Étude exploratoire des facteurs de productivité et d'improductivité au travail (François Berthiaume, M.Ps.)[1]

Lorsque confrontés à une baisse de rendement, les gestionnaires réagissent habituellement en s'attaquant au manque de motivation de leurs employés. Bien que dans certains cas cette affirmation semble justifiée, il n'en demeure pas moins que 85 % des variables ayant une influence sur la productivité au travail se retrouvent dans l'environnement interne d'une organisation (Porter, 1982) et non pas au niveau de l'attitude négative des individus qui y travaillent, et que 80 % des possibilités d'augmentation de la performance se situent au niveau de la transformation de l'environnement de travail (Brache, 1983).

Position du problème

En guise d'entrée en matière, nous tenons à préciser de quels aspects de la productivité au travail traite la présente étude. Pour ce faire, nous avons retenu une équation (Sharplin et Mondy, 1982) qui, sans avoir la prétention d'être plus opérationnelle ou complète que les autres, permet de délimiter clairement notre champ d'investigation.

Selon cette proposition (voir figure 1), la contribution d'un travailleur à la productivité de son unité de travail peut être évaluée à partir:

— de la qualité et de la quantité de travail effectué par cet individu;

— de sa contribution à la performance de ses confrères, c'est-à-dire de l'effet plus ou moins bénéfique ou néfaste du comportement de ce travailleur sur le rendement des autres travailleurs de son unité;

— de la quantité de supervision qui doit être exercée afin de s'assurer que cet individu accomplit correctement son travail.

Cette recherche traite plus particulièrement d'une des composantes de cette équation, c'est-à-dire de la quantité et de la qualité de travail effectué ou, plus précisément, des facteurs environnementaux perçus par les travailleurs comme ayant une influence déterminante sur la qualité et la quantité de travail qu'ils accomplissent et sur leur niveau de productivité individuelle.

---

1. Mémoire de maîtrise présenté en 1984 au Département de psychologie de l'Université de Montréal, sous la direction des professeurs André Savoie et Yvan Bordeleau.

Figure 1.
Évaluation de la contribution d'un travailleur à la productivité
de son unité de travail (Sharplin et Mondy, 1982).

Jusqu'à maintenant, relativement peu d'études ont tenté d'identifier les facteurs ayant une influence sur la productivité et l'improductivité au travail. La documentation regorge de recherches qui traitent des déterminants de la satisfaction ou de la motivation au travail mais qui ne traitent qu'indirectement de la performance individuelle. Nous n'avons relevé qu'une seule étude, traitant de productivité au travail, basée sur une méthodologie comparable à celle que nous avons privilégiée. Il s'agit de celle de White et Locke (1981) qui porte sur les facteurs perçus en tant que déterminants de la productivité et de l'improductivité au travail.

Dans le cadre de leur étude, White et Locke ont interviewé 152 employés d'une même entreprise. Ces individus provenant de trois principaux groupes occupationnels: des gestionnaires, des employés de bureau et des professionnels. Leurs réponses aux entrevues ont été codifiées sous forme de facteurs et regroupées à l'intérieur des trois grandes catégories suivantes:

— événements: événements ayant amené les individus à émettre certains comportements;

— agents: personnes ou choses ayant causé l'apparition des événements jugés responsables de la variation du niveau de productivité individuelle;

— traits internes: traits de personnalité ou sentiments perçus comme ayant eu une influence déterminante à l'intérieur de la situation.

De manière générale, les résultats de l'étude de White et Locke (1981) permettent de conclure que des facteurs causals différents influencent la productivité et l'improductivité au travail. De plus, ils révèlent plus de similitudes que de différences au niveau des réponses des trois groupes occupationnels.

L'étude de White et Locke (1981) a influencé considérablement le choix des hypothèses exploratoires retenues dans le cadre de notre étude. Dans un premier temps, nous voulions vérifier si les résultats obtenus par ces chercheurs pouvaient être généralisés à un groupe de répondants québécois. Nous nous sommes donc demandés si des facteurs différents influençaient au Québec la productivité et l'improductivité au travail.

Nous voulions aussi vérifier les résultats obtenus par White et Locke (1981) en fonction du groupe occupationnel des sujets. Notre deuxième hypothèse a donc été la suivante: est-ce que l'influence de ces facteurs varie en fonction du groupe occupationnel des répondants?

Finalement, notre troisième hypothèse porte sur les déterminants de la qualité et de la quantité du travail effectué. Elle représente un effort de recherche dans un domaine relativement négligé sinon complètement nouveau puisqu'aucune recherche comparative ne semble avoir considéré cette hypothèse. Généralement, on se contente de différencier «productivité» et «improductivité» à partir d'une simple variation de la quantité de travail accompli, postulant que la qualité de ce même travail demeure constante.

Méthodologie

Le but poursuivi par l'étude était d'identifier les facteurs perçus comme ayant un effet sur la productivité individuelle au travail. L'entrevue semi-structurée fut privilégiée comme mode de cueillette de données parce qu'elle permet aux sujets d'élaborer leurs réponses en se basant sur leurs propres expériences (Flanagan, 1954) et qu'elle permet aussi au chercheur de clarifier, le cas échéant, le sens donné à certaines informations.

Le protocole d'entrevue initialement développé se basait sur les travaux de White et Locke (1981). Une typologie de classification des facteurs, événements et agents, fut aussi élaborée à partir de ces travaux de recherche.

La validité et la fidélité de la grille d'entrevue et du mode de cueillette de données furent testées au cours d'une série de sept (7) prétests effectués auprès de soixante-et-un (61) sujets provenant de secteurs d'emploi et d'entreprises diversifiés.

Les trois premiers prétests ont été conduits à l'aide d'entrevues individuelles semi-structurées enregistrées sur magnétophone. Cette technique provoquait cependant de la méfiance et de l'anxiété chez certains participants à cause de la présence du magnétophone.

Les trois prétests suivants ont donc tenté de corriger cette situation en ayant recours à l'utilisation d'un questionnaire écrit. Cette deuxième façon de faire ne permettait malheureusement pas de recueillir des informations suffisamment détaillées pour permettre subséquemment une analyse suffisante des incidents critiques obtenus.

La dernière pré-expérimentation fut menée à l'aide d'entrevues individuelles semi-structurées où le chercheur recueillait directement, par écrit, les informations pertinentes, après avoir vérifié auprès des participants l'exactitude des propos retenus par l'interviewer. Ce mode de cueillette de données comportait un double avantage: premièrement, il ne provoquait pas de méfiance ou d'anxiété chez les sujets; deuxièmement, il permettait de clarifier les réponses données par les participants ce qui n'était pas possible avec la seconde technique utilisée (soit celle du questionnaire). En cours de pré-expérimentation, plusieurs modifications furent apportées à l'instrument original avant que la version finale ne soit, à son tour, pré-expérimentée. La grille d'entrevue fut modifiée de manière à prendre en considération les remarques pertinentes formulées par les sujets et à faciliter la cueillette des données, sans imposer aux répondants le recours à des activités mentales complexes.

La version finale du protocole a finalement été composée de quatre (4) séries de questions: une série mettant l'accent sur la quantité de travail accompli et l'autre sur la qualité de travail effectué dans chacune des deux conditions de productivité et d'improductivité. La séquence de présentation des questions était la même à l'intérieur de chacun des quatre protocoles.

Dans le but d'éviter les biais pouvant potentiellement être introduits par la séquence de présentation des séries de questions lors de l'expérimentation, l'ordre de passation s'est effectué en alternance: les questions se rapportant à une condition de productivité étaient présentées en premier lieu lors d'une entrevue et en second lieu à l'entrevue suivante.

Afin de s'assurer de la fidélité des informations recueillies par écrit, ces dernières étaient lues à haute voix par l'expérimentateur et corrigées par le sujet lorsqu'il considérait qu'elles ne correspondaient pas exactement à ce qu'il avait dit ou lorsqu'elles ne respectaient pas le sens souhaité par le répondant. Cette procédure avait pour but de permettre une clarification des informations recueillies et un enregistrement plus fidèle des données.

L'expérimentation s'est échelonnée sur une période d'environ un mois. Au cours de cette période, soixante-cinq individus ont été interviewés.

Présentation des résultats

Seuls les résultats se rapportant aux événements sont présentés dans le cadre de ce résumé du mémoire. Ce choix est motivé par les résultats de nombreuses études (Schneider et Locke, 1971; White et Locke, 1981), lesquelles démontrent que certains biais d'attribution causale peuvent fausser la validité des résultats liés aux agents. D'autre part, les résultats liés aux événements sont parfaitement valides et correspondent à certaines stimulations présentes à l'intérieur de l'environnement de travail. Celles-ci sont perçues comme influençant le niveau de productivité individuelle.

Nous avons analysé les résultats obtenus pour l'ensemble du groupe de répondants, en fonction des groupes occupationnels des sujets et en fonction de la quantité et de la qualité de travail accompli comme variables déterminantes des conditions de productivité et d'improductivité.

À la suite de ces analyses, nous pouvons effectuer deux constatations d'ordre général:

— premièrement, les répondants peuvent identifier clairement des événements qui influencent positivement ou négativement leur niveau de productivité;

— deuxièmement, ils arrivent à un certain consensus au niveau du choix des facteurs faisant ressortir clairement certains événements qui ont une influence majeure sur la productivité et l'improductivité au travail.

Analyse en fonction des conditions de productivité et d'improductivité

Le tableau 1 présente les résultats obtenus par l'ensemble du groupe de répondants. À l'intérieur de ce tableau et de ceux qui suivront, seuls les facteurs les plus fréquemment mentionnés ont été retenus pour la présentation.

Tableau 1
Résultats en fonction des conditions de productivité et d'improductivité.

Événement	Productivité (N = 64) %	Improductivité (N = 65) %
Indisponibilité des ressources	0,0	27,7
Routine de travail interrompue	0,0	24,6
Déplaisir lié à la tâche	0,0	9,2
Disponibilité des ressources	14,1	0,0
Routine de travail ininterrompue	12,5	0,0
Relations interpersonnelles plaisantes	9,4	0,0
Grande quantité de travail	18,8	7,7

De manière générale, ces résultats suggèrent que la plupart des événements fréquemment mentionnés ne sont associés qu'à une seule des deux conditions de productivité, à l'exception du facteur «grande quantité de travail». En effet, il semble qu'un surplus de travail raisonnable, tout en exigeant du travailleur un effort supplémentaire, entraîne une plus grande productivité individuelle alors qu'un surplus trop considérable, en perturbant l'exécution du travail habituellement effectué, produise plutôt l'effet inverse.

Les résultats obtenus semblent aussi laisser croire qu'en créant des conditions qui permettent d'établir des objectifs de travail difficiles mais atteignables, qui favorisent leur réalisation avec un minimum d'interruption, qui facilitent l'accès aux ressources nécessaires à leur accomplissement et qui se caractérisent par des relations interpersonnelles agréables, il serait possible d'améliorer sensiblement le niveau de productivité individuelle des répondants ayant participé à la recherche.

Analyse en fonction des groupes occupationnels

La deuxième hypothèse a trait aux résultats obtenus en fonction des groupes occupationnels des répondants (Tableau 2).

Tableau 2. Résultats en fonction des groupes occupationnels.

	Cadre (N = 30) %	Contremaître (N = 35) %	Chi-carré[1]
Événement — productivité			
Grande quantité de travail	10,0	25,7	1,71
Routine de travail ininterrompue	13,3	11,4	0,00
Relations interpersonnelles plaisantes	10,0	8,6	0,00
Disponibilité des ressources	10,0	17,1	0,22
Événement — improductivité			
Déplaisir lié à la tâche	10,0	8,6	0,00
Grande quantité de travail	0,0	14,3	2,85*
Routine de travail interrompue	33,3	17,1	0,22
Indisponibilité des ressources	13,3	40,0	4,48**

1. Chi-carrés basés sur un degré de liberté.
* $p < .1$
**$p < .03$

Dans l'ensemble, les résultats obtenus en fonction de cette seconde hypothèse font ressortir plus de similitudes que de différences au niveau des facteurs mentionnés par les deux groupes. Deux différences statistiquement significatives permettent d'affirmer que l'établissement d'objectifs de travail difficiles à atteindre mais réalisables et l'adoption de mesures qui facilitent l'accès aux ressources nécessaires à leur accomplissement éviteraient de façon plus marquée, chez les contremaîtres que chez les cadres, des situations improductives.

Analyse en fonction de la qualité et de la quantité de travail

La troisième hypothèse retenue a trait aux événements influençant la qualité et la quantité du travail effectué par un individu (Tableau 3). Aucune étude comparative traitant de cet aspect de la productivité au travail n'a été trouvée au sein de la documentation consultée. Il semble s'agir d'un domaine de recherche relativement peu exploité sinon complètement nouveau.

Comme dans le cas de la deuxième hypothèse, les résultats obtenus mettent en valeur peu d'événements qui ont un effet plus prononcé sur la qualité ou sur la quantité du travail effectué. Cependant, deux facteurs laissent sous-entendre que certains événements peuvent influencer surtout, ou uniquement, l'une ou l'autre de ces variables. Dans la situation présente, le fait de fixer des objectifs de travail difficiles à atteindre et de favoriser leur accomplissement dans un climat de coopération pourrait vraisemblablement permettre d'augmenter respectivement la quantité et la qualité de travail effectué par les individus composant le groupe de répondants.

Tableau 3. Résultats en fonction de la qualité et de la quantité de travail.

	Qualité (N = 17) %	Quantité (N = 47) %	Chi-carré[1]
Événement — productivité			
Grande quantité de travail	0,0	25,5	3,80*
Routine de travail ininterrompue	5,9	14,9	0,29
Relations interpersonnelles plaisantes	29,4	2,1	7,96**
Disponibilité des ressources	17,6	12,8	0,01
Événement — improductivité			
Déplaisir lié à la tâche	0,0	12,8	1,13
Grande quantité de travail	11,8	6,4	0,03
Routine de travail interrompue	23,5	23,4	0,00
Indisponibilité des ressources	23,5	29,8	0,03

1. Chi-carrés basés sur un degré de liberté.   * $p < .1$ ** $p < .03$

Implications des résultats et conclusions

Les résultats obtenus dans le cadre de la présente étude n'ont pas la prétention d'être généralisables. Ils représentent plutôt un diagnostic de la situation particulière rencontrée au sein de l'entreprise ayant servi de milieu d'investigation. Chaque environnement organisationnel possède ses caractéristiques propres et, sans analyse préalable, il nous paraît hasardeux de suggérer des «recettes miracles» applicables dans n'importe quelle organisation. Cependant, les conclusions majeures qui découlent des résultats présentés sont en accord avec celles de la recherche de White et Locke (1981) et peuvent, dans ce contexte, être possiblement généralisées.

De manière générale, les résultats de notre étude font ressortir le rôle déterminant des facteurs environnementaux en matière de productivité au travail. De plus, nos résultats permettent de conclure que ces facteurs peuvent être perçus et clairement identifiés par les travailleurs qui en subissent l'influence. À la suite de l'identification préalable de ces variables, il paraît possible de modifier l'environnement de travail de manière à maximiser la fréquence d'apparitions de conditions environnementales qui facilitent le travail et à minimiser celle des circonstances dont l'effet est néfaste. Une telle manipulation des conditions environnementales peut permettre, sans aucun doute, d'accroître la productivité individuelle. Ce genre d'intervention met l'accent sur les facteurs humains habituellement laissés pour compte lorsqu'on parle de productivité au travail et est complémentaire aux actions plus «quantitatives» généralement privilégiées. Selon nous, favoriser à la fois l'efficience des équipements, l'utilisation rationnelle des ressources et la création de conditions environnementales qui facilitent le travail ne peut qu'entraîner une productivité accrue.

Références citées dans le résumé du mémoire

BRACHE, A. (1983). Seven assumptions that block performance improvement. *Management Review*, 72, 3, 21-26.

FLANAGAN, J.-C. (1954). The critical incident technique. *Psychological Bulletin*, 51, 327-358.

PORTER, R.B. (1982). Perspectives on productivity. *Public Productivity Review*, 6, 289-292.

SCHNEIDER, J., LOCKE, E. (1971). A critique of Herzberg's incident classification system and a suggested revision. *Organizational Behavior and Human Performance*, 6, 441-457.

SHARPLIN, A.-D., MONDY, R.W. (1982). Looking beyond individual productivity. *Supervisory Management*, 27, 11, 2-10.

WHITE, F.M., LOCKE, E. (1981). Perceived determinants of high and low productivity in three occupational groups: A critical incident study. *Journal of Management Studies*, 18, 4, 375-387.

3. ANALYSE DE CONTENU

L'analyse de contenu est une méthode relativement ancienne ayant sa source dans la linguistique, le journalisme et les sciences politiques. Actuellement, chaque discipline adopte cette technique à ses besoins et à ses modes d'interrogation de la réalité (Muchielli, 1974). Sa popularité croissante vient du fait que les chercheurs-intervenants ont pris de plus en plus conscience du potentiel énorme que représentent les diverses formes de communication orale et écrite qui existent dans toute société ou organisation. Il s'agit là d'une source riche d'informations sur le comportement humain. L'analyse de contenu a surtout été utilisée en sociologie-anthropologie, en communication et en sciences politiques (Holsti, 1969). Cependant, de plus en plus de psychologues du travail ou de psychosociologues des organisations s'intéressent à cette méthode qui peut être fort utile dans une démarche de recherche et d'intervention.

Tout milieu organisationnel offre une somme considérable de données sur le comportement de ses membres et ce, sous des formes très diverses. La société moderne est caractérisée par l'information et nous ne pouvons que constater l'abondance des sources documentaires concernant pratiquement tous les sujets de préoccupation des individus et de la société. Il y a donc là un matériel d'une richesse inestimable. Kelly (1984) mentionne que l'utilisation de cette technique est basée sur la présomption que les spécialistes ont intérêt à analyser le contenu des communications des individus, groupes, entreprises, institutions ou organisations dans le but d'y découvrir des informations qui ne sont peut-être pas disponibles autrement. Pour ce faire, le chercheur-intervenant s'équipe d'une méthodologie systématique et rigoureuse d'analyse de ces contenus. Malheureusement à cause de son apparente facilité, l'analyse de contenu est parfois mal appliquée par des utilisateurs inexpérimentés.

3.1 Définition de l'analyse de contenu

Il y a plusieurs années, Berelson (1952) a suggéré la définition de l'analyse de contenu suivante: «une technique de recherche visant la description objective, systématique et quantitative du contenu manifeste des communications». Cette définition a traversé les années puisqu'elle a été reprise essentiellement par Holsti (1969) et Kelly (1984). De plus, elle a suscité beaucoup de discussion à savoir si l'expert devait se limiter à décrire le contenu manifeste ou s'il pouvait interpréter en tenant compte du contenu latent. Il semble bien que les divers chercheurs-intervenants abordent l'analyse de contenu en n'excluant pas le contenu latent. Cependant, en mettant l'accent sur le contenu manifeste, l'analyse élimine, jusqu'à un certain point, les préjugés ou les jugements a priori. Le contenu manifeste doit être le seul considéré dans l'analyse mais il n'exclut pas toute extrapolation ou référence au contenu latent (valeurs, attitudes, motifs, etc.). Par contre, ces inférences devraient se faire à partir de l'analyse du contenu objectif traité. Essentiellement, cette façon de définir l'analyse de contenu a pour souci premier d'éliminer, comme modalités primaires d'approche, l'intuition, les impressions personnelles et la subjectivité. L'analyse de contenu est donc une méthode d'observation et de mesure qui permet à l'analyste d'observer le comportement par le biais des communications disponibles. Ce dernier questionne non pas les sujets mais le matériel documentaire.

Les trois caractéristiques principales de l'analyse de contenu sont l'objectivité, la systématisation et l'approche quantitative. L'analyse de contenu est objective dans le sens qu'elle élimine l'intervention du chercheur-intervenant auprès des sujets et diminue conséquemment les risques de biais dûs à cette interaction. De plus, elle est objective par le fait que les unités et les catégories d'analyse sont claires et précises de sorte qu'une analyse de contenu peut être vérifiée et reproduite. En second lieu, elle est systématique puisqu'elle prend en considération tout le contenu qui relève de la problématique à l'étude et le classe selon un système de catégories également défini selon les objectifs de la recherche ou de l'intervention. Enfin, l'analyse de contenu est quantitative. En effet, l'analyste considère «le message comme une séquence d'éléments isolables susceptibles d'être classés par catégories et traités d'une manière statistique» (Gaudreault, 1984). Nous reviendrons plus loin sur les diverses statistiques utilisées par les analystes.

L'analyse de contenu est particulièrement utile quand le spécialiste veut enrichir un schéma théorique ou préciser une stratégie de recherche ou d'intervention éventuelle. Le contenu des documents analysés permet également, par la découverte de nouveaux faits, de reformuler certaines hypothèses. Enfin, dans des études strictement descriptives, cette technique va même jusqu'à rendre possible la vérification d'une hypothèse. Il s'agit là de trois objectifs susceptibles d'être atteints par l'utilisation de l'analyse de contenu. Quant aux problématiques qui peuvent être abordées par cette technique, elles sont excessivement nombreuses: les phénomènes sociaux et organisationnels tels que présentés par le biais des médias d'information ou journaux d'entreprise, la pensée ou les valeurs des gestionnaires selon le contenu de leur discours ou des entrevues accordées, l'étude de la personnalité selon l'expression d'un sujet à des tests dits projectifs, les besoins des employés tels qu'exprimés à travers le contenu des conventions collectives, l'évolution des politiques d'une entreprise par le biais des rapports annuels, etc. Il n'en demeure pas moins que nous devons être conscients que la valeur d'une recherche ou d'une intervention utilisant l'analyse de contenu est essentiellement fondée sur l'aptitude de l'analyste à formuler des hypothèses intéressantes permettant de relier les données disponibles au problème abordé.

3.2 Types de matériel documentaire

De façon générale, les experts utilisent deux grandes familles de documents selon le but et la nature même de leur objectif. Selltiz et al. (1977) et Tremblay (1968) parlent respectivement des deux catégories dans les termes suivants: d'une part, les documents personnels ou humains et d'autre part, les communications de masse ou documents officiels.

Documents personnels

Un document personnel est caractérisé par le fait d'être un document tangible (écrit ou enregistré), d'être le fruit de la propre initiative de l'auteur ou dont l'origine est telle que le contenu a été imaginé et formulé par l'auteur et enfin, d'être le récit de ses expériences personnelles. Il s'agit essentiellement d'un document qui rend accessible la vision du monde de leur auteur par la façon dont il exprime cette dernière. Trois formes plus courantes de documents personnels sont habituellement disponibles.

Premièrement, le journal personnel d'un individu est un document où ce dernier inscrit systématiquement, au jour le jour, les principaux événements de sa vie, ses émotions et ses réflexions. C'est la narration quotidienne d'une expérience de vie. À cause de son caractère intime et authentique, le contenu d'un tel journal constitue une très grande richesse. De plus, l'auteur enregistre l'information au moment même où celle-ci se passe. Il y a donc moins de décalage dû à des lacunes de mémorisation.

Deuxièmement, les autobiographies, chères actuellement aux hommes politiques et aux présidents d'entreprise, constituent des histoires de vie racontées a posteriori. L'auteur possède alors un certain recul par rapport aux événements relatés. Tremblay (1968) mentionne que, par introspection, l'auteur tente de se remémorer les principaux événements de sa vie, d'évaluer l'influence de ceux-ci sur sa vie et l'impact qu'il a pu avoir sur ces événements. L'analyste tient constamment compte de deux niveaux d'information: l'événement lui-même et l'interprétation que l'auteur donne de celui-ci. De plus, nous devons être bien conscients de la mémorisation sélective des événements relatés par l'auteur et de l'effet des oublis possibles. Généralement, plus l'événement cité est éloigné dans le temps, plus les risques d'erreur dûs à la mémorisation augmentent.

Enfin, le troisième genre de documents personnels est la correspondance. À cause de leur spontanéité, les lettres reflètent généralement assez bien les pensées de l'auteur. Évidemment, la qualité de l'analyse dépend de la capacité de l'analyste de replacer leur contenu dans le contexte organisationnel ou psychologique du moment, de tenir compte de la nature des échanges et de la facilité d'expression des sujets.

Documents officiels

Les documents officiels ou communications de masse peuvent prendre des formes multiples: journaux et revues, publications gouvernementales officielles, rapports annuels des entreprises, émissions de radio et de télévision, films, etc. Par le biais de ces médias, l'analyste peut se préoccuper autant du passé que du présent, tout dépendant de la disponibilité de ces documents dans le temps. Comme ceux-ci n'ont pas été élaborés en fonction d'un objectif de recherche ou d'intervention précis, ils sont plus exempts des biais théoriques ou des conceptions a priori du chercheur-intervenant.

3.3 Étapes de l'analyse de contenu

La méthodologie de l'analyse de contenu a pour but d'éviter l'interprétation subjective des textes. Évidemment, l'entraînement de l'analyste et la rigueur de la méthodologie constituent les meilleures garanties d'élimination relative de ces risques. Il faut considérer comme un prérequis le fait que le spécialiste connaît et comprend le langage utilisé par les sujets s'il veut être en mesure de bien saisir, au-delà des mots, la signification des textes.

Définition de l'objectif

L'expert définit d'abord clairement la question de recherche ou l'objet de son intervention de façon à pouvoir opérationnaliser, par la suite, des hypothèses précises de recherche ou des modalités d'action. Avant de décider du genre de matériel documentaire à analyser, les objectifs sont définis avec clarté. Le choix du matériel vient, comme dans toute démarche, après cette étape fondamentale. Plus l'objectif est précis, plus la documentation sera utilisée de façon efficace (Kientz, 1971).

Rassemblement du corpus

Une fois l'objectif de l'étude documentaire bien identifié, vient le moment de sélectionner et de rassembler le matériel approprié. La composition du corpus est encore ici fonction de l'objectif de l'analyste. Tremblay (1968) souligne que celui-ci, au moment de la formation du corpus, prend en considération certains faits très importants: reconstituer la méthodologie de la collecte des données et se familiariser avec les instruments de collecte, évaluer les schèmes conceptuels de l'auteur et les replacer dans leur contexte, porter un jugement sur la qualité interne (validité, exhaustivité) du document, déterminer enfin l'utilité possible de ce document en tenant compte des objectifs visés.

Advenant que le matériel documentaire soit disponible en trop grande quantité pour être utilisé en entier, le spécialiste procède par échantillonnage de façon à constituer un corpus représentatif de l'ensemble disponible. La validité entière de l'approche dépend de la qualité des techniques d'échantillonnage utilisées. Par le biais de ces techniques, la quantité d'information est réduite à un volume convenable. L'échantillonnage peut, selon la nature de l'information, s'effectuer en tenant compte de divers paramètres: les sources, les dates, les unités indirectes (espace consacré à un thème, position de l'article dans le journal, etc.).

Choix des unités d'analyse

Kelly (1984) définit l'unité de contenu comme étant les éléments et les caractéristiques d'une communication précise que l'analyste est intéressé à examiner. La plus petite unité est le mot. Une seconde unité correspond à un thème ou une simple affirmation sur un sujet quelconque. Il s'agit d'une unité très utilisée quand il s'agit d'étude portant sur les opinions, perceptions et attitudes. Une troisième unité peut être constituée par le paragraphe. Cette unité est cependant moins utilisée parce qu'elle revêt une assez grande imprécision. Cet auteur parle enfin, d'une dernière unité, soit l'item. Ainsi, l'unité complète (article, livre, émission, etc.) est alors classifiée.

L'analyse de contenu vise donc à découper le contenu selon l'unité d'analyse retenue pour ensuite y appliquer le traitement approprié. L'unité d'analyse est une unité de signification. Le choix de telle ou telle unité (mot, phrase, paragraphe, item) est relativement secondaire puisque l'essentiel de l'analyse de contenu est centré sur l'unité de sens. Il faut donc choisir l'unité qui revêt pour l'expert le plus de sens en fonction de son objectif.

Classement en catégories

Une catégorie est une notion qui correspond à un ensemble ou une classe d'unités de sens. Pour rendre plus compréhensible la masse des informations, l'analyste regroupe ces unités de sens sous des catégories plus larges. Les critères habituellement retenus pour former les catégories sont au nombre de cinq: l'objectif adopté, la nature du contenu, l'exhaustivité, l'exclusivité et l'objectivité.

D'abord, les catégories sont élaborées en fonction de leur capacité éventuelle à répondre aux questions posées par le chercheur-intervenant ou en fonction des hypothèses. Ce dernier doit donc définir clairement les variables auxquelles il s'intéresse du point de vue conceptuel (Rancourt, 1985). Les catégories sont également déterminées par le contenu analysé puisqu'elles sont reliées ou qu'elles découlent directement du regroupement des unités d'analyse et ce, surtout dans le cas d'études exploratoires où des hypothèses précises ne sont généralement pas formulées. Troisièmement, les catégories se doivent d'être exhaustives en ce sens qu'elles permettent de classer tout le matériel significatif de façon à répondre à l'ensemble de la problématique organisationnelle concernée. Toutes les unités pertinentes trouvent leur place dans des catégories. Quatrièmement, les catégories sont exclusives, ce qui signifie que chaque unité trouve sa place dans une seule catégorie. Sinon, un recouvrement trop large des catégories rend plus aléatoire le classement des unités et plus difficile éventuellement l'interprétation des données recueillies. Enfin, les catégories doivent être objectives. La définition de chaque catégorie a avantage à être suffisamment précise et les indicateurs de classification bien identifiés de sorte que plusieurs analystes pourraient arriver à une classification semblable si la procédure était répétée. Cette capacité de reproduction est une dimension cruciale de la qualité d'une analyse de contenu.

Analyse des données

L'analyse de contenu peut faire appel à deux niveaux d'analyse des données: les niveaux qualitatif et quantitatif.

Disons d'abord que l'analyse de contenu vise essentiellement à éviter l'interprétation subjective des données, c'est-à-dire fondée sur des impressions plus ou moins floues. Dans cette optique, l'analyse qualitative n'exclut pas l'analyse quantitative qui permet, pour sa part, une plus grande rigueur et objectivité en regard du contenu soumis à l'analyse. En ce sens, Muchielli (1974) souligne le fait que l'analyse qualitative s'appuie sur une analyse quantitative au niveau des commentaires et des généralisations. Lors de cette étape, l'analyse qualitative comporte moins de risques étant donné son appui sur certains résultats quantitatifs.

Quant à l'analyse quantitative des données, il faut mentionner que la quantification constitue une procédure beaucoup plus rigoureuse que la simple description qualitative. Par contre, le désir de quantification ne doit pas devenir une fin en soi qui risque de faire perdre de vue le sens profond du contenu documentaire. L'opération quantification peut être une étape permettant ensuite une analyse plus qualitative et non pas l'objectif ultime de la démarche. Il existe tout un éventail de calculs plus ou moins sophistiqués qui permettent d'organiser et de présenter, avec une certaine rigueur, les résultats de l'analyse de contenu. Le choix de ces calculs se fait évidemment en fonction des objectifs du chercheur-intervenant. Les mesures les plus fréquemment utilisées sont: les fréquences ou les pourcentages correspondant au taux d'occurrence d'un thème, la durée en temps (nombre de minutes) accordée à un thème, l'espace (surface, grosseur du titre, position dans le journal) consacré à un contenu spécifique, les échelles permettant de mesurer l'intensité d'un contenu (échelle «pas du tout favorable» à «très favorable»), les mesures associatives entre deux ou plusieurs catégories par l'utilisation d'indices de corrélation (Pearson, Tau, etc.). Il ne faudrait surtout pas oublier que la meilleure analyse quantitative n'est pas nécessairement la plus sophistiquée mais plutôt la plus simple qui permette d'atteindre les objectifs fixés au départ.

L'informatique constitue présentement un outil exceptionnel mis à la disposition des analystes. Certains logiciels actuellement disponibles facilitent énormément l'analyse quantitative du matériel documentaire en économisant temps, argent et efforts. Il est alors possible d'analyser beaucoup plus rapidement le matériel disponible et même un corpus très étendu ce qui aurait été impossible avec les méthodes classiques d'analyse de contenu (Rancourt, 1985).

3.4 Avantages et limites de l'analyse de contenu

Dans cette cette dernière section, nous résumerons les principaux avantages et limites de la méthodologie de l'analyse de contenu.

Cette technique confère au traitement des données une certaine rigueur et objectivité par l'élimination, du moins en partie, de la subjectivité de l'analyste. Le fait de ne pas être obligé d'entrer en contact direct avec les sujets pour recueillir les données, les rendant alors conscients d'être sous la loupe de l'expert, diminue les risques de biais dûs à l'effet Hawthorne. L'analyste travaille à partir de matériel déjà disponible et n'a pas, au moment même de l'analyse, à générer le matériel documentaire.

Un autre avantage non négligeable est relié au fait que l'analyse de contenu peut être la seule méthode réellement disponible au chercheur-intervenant. En effet, s'il s'agit de voir l'évolution dans le temps de certaines perceptions, opinions ou attitudes, les seules informations disponibles se trouvent colligées dans des documents. Si le spécialiste des organisations désire, par exemple, étudier l'évolution des politiques administratives au cours des cinquante dernières années, il y a fort à parier qu'il y a peu d'employés vivants qui pourraient en témoigner. Le problème consiste à avoir à sa disposition des données effectivement comparables à travers le temps, soit une définition identique de la variable étudiée à différentes époques.

Vient ensuite l'avantage de la fidélité. En effet, il est facile de répéter une même étude dans les mêmes conditions si le matériel documentaire de base est disponible et si les procédures d'analyse sont bien décrites.

Enfin, étant donné que l'analyse de contenu n'implique aucune expérimentation sur le terrain, aucun équipement particulier et qu'il s'agit d'un travail pouvant s'exécuter pratiquement n'importe où, les coûts d'application de cette méthode sont relativement modestes.

Passons maintenant aux limites. Le principal problème est relié à la qualité des documents. L'analyste, étant contraint de travailler avec le matériel disponible, doit être très sensible aux biais découlant du matériel même. En dépit de la difficulté à évaluer les biais par rapport aux événements décrits, aux intentions de l'auteur ou aux méthodes de collecte des données, les sources documentaires demeurent une richesse indéniable. Ainsi, le chercheur-intervenant doit tenir compte du fait qu'il travaille sur une traduction du document original, que le document peut être un faux, que l'auteur pouvait avoir des intérêts personnels à faire de fausses déclarations, etc.

Une autre limite est reliée aux biais de l'analyse. Pour expliquer les lacunes de fiabilité inter-analystes ou intra-analystes, il faut, en plus de la dimension rigoureuse de la procédure, faire référence à la personnalité, à la sensibilité et à l'émotivité de ces derniers comme sources de biais potentiels. L'idéologie du chercheur-intervenant, sa sensibilisation plus grande à certaines dimensions du problème ou de la vie organisationnelle, son désir (implicite ou explicite) de prouver ses hypothèses sont autant de facteurs pouvant limiter la qualité et la validité d'une analyse de contenu.

L'analyse de contenu a également un pouvoir explicatif limité. C'est une méthode de travail mieux adaptée à des études ayant pour objectif d'explorer ou de décrire une situation. La généralisation des résultats est toujours limitée à l'univers du ou des auteurs des documents et à la période où ceux-ci furent rédigée.

Enfin, l'analyse de contenu nécessite beaucoup d'investissement en temps et en énergie. Faire une analyse de contenu constitue un travail méticuleux, difficile et parfois même fastidieux. L'analyste doit donc être capable de faire preuve de patience.

3.5 Illustration — Les facteurs d'adaptation à la retraite: étude exploratoire (Ghyslaine Blais, M.Ps.)[1]

Position du problème

La transition constituée par le passage du travail à la retraite revêt l'importance d'un événement de taille dans l'histoire de vie de l'individu. Effectivement, des changements majeurs prennent place dans la vie du nouveau retraité. Au premier plan, c'est le sentiment d'identité qui est affecté par la perte de l'emploi qui occupait un rôle majeur dans l'intégration sociale de l'individu. Quant au plan économique, un changement considérable s'y produit: le nouveau retraité n'a désormais d'autres revenus que ses épargnes.

Les difficultés d'adaptation rencontrées au troisième âge et dues à la retraite sont reconnues par plusieurs auteurs (Bromley, 1966; Butler, 1972; Gitelson, 1975; Kimmel, 1974). Toutefois, les premières recherches effectuées dans le domaine offrent, dans l'ensemble, des résultats plutôt contradictoires. Certaines soutiennent que la retraite se révèle problématique pour la majorité des travailleurs, tandis que d'autres minimisent l'effet néfaste de ce nouveau style de vie. La seule conclusion qui peut être tirée de l'ensemble des recherches antérieures est que, pour la majorité des retraités, la perte du rôle de travailleur ne se solde pas nécessairement par une crise. Certains autres auteurs (Barfield et Morgan, 1978; Loether, 1975; Shanas, 1968) soutiennent que l'éventuelle insatisfaction associée à la retraite, si elle existe, ne sera que de courte durée et, avec le temps, les retraités éprouveront une satisfaction croissante de leur situation.

La présente recherche a donc pour but de vérifier l'importance des aspects mentionnés dans ces études comme étant reliés à l'adaptation des retraités. Il s'agit de la santé, la situation financière, la pratique d'activités ou de loisirs, la préparation à la retraite et enfin, l'attitude adoptée envers l'idée de la retraite (volontaire ou forcée). Nous présumons que ces facteurs jouent un très grand rôle dans l'adaptation à la retraite. Le thème des relations sociales est légèrement modifié dans la présente étude. Les relations familiales sont scindées en trois groupes: les enfants, le conjoint et la parenté. Nous retenons également les relations amicales, les relations avec les anciens camarades de travail retraités et celles avec les anciens camarades de travail encore en fonction. Leur importance respective dans l'adaptation à la retraite est explorée.

---

1. Mémoire de maîtrise présenté en 1985 au Département de psychologie de l'Université de Montréal, sous la direction du professeur Jean Morval.

Un point nouveau est également considéré dans la présente étude. Il s'agit du logement qui paraît être un facteur très important dans l'adaptation à la retraite. Une seule étude antérieure (Hendrick et al., 1982) en avait fait mention.

Procédure *(analyse de contenu)*

Les facteurs d'adaptation à la retraite tels qu'évoqués par un groupe de retraités font l'objet de cette recherche. Un total de 56 retraités, dont 33 femmes et 23 hommes, ont été rencontrés. Tous sont des anciens employés du Centre Hospitalier Hôtel-Dieu de Sherbrooke. Une série d'entrevue semi-directives, d'une durée d'environ 20 minutes chacune et effectuées de façon individuelle au domicile même des répondants, ont permis de décrire et de classifier par analyse de contenu de nombreux besoins. La méthode utilisée est celle élaborée par Dupont (1982) qui lui-même applique une modification à la technique d'analyse de contenu de Stone (1966). Toutefois, quelques remaniements additionnels propres aux besoins de l'étude sont apportés à la méthode de Dupont (1982).

Comme les entrevues ont été enregistrées sur bande magnétique, la première étape consiste à retranscrire chacune d'elles «verbatim», après quoi l'analyse de contenu comme telle pourra être appliquée.

La phase initiale (I) vise à faire l'analyse syntaxique des textes et la seconde (II) correspond à l'analyse sémantique. Une phase intermédiaire a pour objectif de construire un dictionnaire de catégories.

Phase I

L'objectif poursuivi par la phase I est de donner à toutes les entrevues une forme standard permettant ensuite d'appliquer l'analyse de contenu ou l'analyse sémantique de façon plus aisée et plus fiable. Dix entrevues, choisies au hasard parmi les 56, seront traitées par 3 juges travaillant individuellement sur les mêmes dix entrevues. À chacun, on remet la transcription verbatim des dix entrevues en question, de même qu'une série de consignes et également les feuilles prévues pour la transcription des entrevues en propositions:

a) tous les verbes ou expressions verbales sont soulignés (dans les 10 textes);

b) un trait «/» est utilisé pour séparer entre elles les propositions (principales, subordonnées, indépendantes);

c) le «groupe verbe» de toutes les propositions ayant été souligné (voir a), les groupes «sujet» et «complément ou attribut» sont maintenant identifiés pour chacune;

d) toutes les propositions ainsi découpées sont retranscrites sur une feuille à cinq colonnes prévue à cet effet: le juge divise chaque proposition selon les trois colonnes «groupe sujet», «groupe verbe» et «groupe complément/attribut». La première colonne de gauche correspond au numéro assigné à chaque proposition. Quant à la dernière colonne (extrême droite) identifiée «catégorie», elle ne sera utilisée que dans la dernière phase de l'analyse (phase II). Finalement, le numéro de l'entrevue est inscrit dans le haut de la page.

Nous retrouvons donc, à la fin de la phase I (analyse syntaxique), chacune des 10 entrevues retranscrites en liste de propositions, découpées en trois groupes, «sujet», «verbe» et «complément/attribut». L'objectivité nécessaire de la part de l'analyste pourra ainsi être conservée au cours des étapes ultérieures.

Phase de la construction du dictionnaire de catégories

Durant cette phase intermédiaire, les trois juges travaillent à partir de l'analyse syntaxique de ces 10 entrevues. Pour ce faire, chaque juge considère individuellement la première proposition:

a) en premier lieu, l'idée principale en est dégagée (ex.: solitude);

b) cette idée principale est inscrite dans la colonne «catégorie» (en ligne avec la proposition étudiée) qui avait été laissée libre lors de la phase I. Un numéro, inscrit à côté de la nouvelle catégorie, est assigné à celle-ci;

Considérons maintenant la seconde proposition.

c) si celle-ci renforme une idée principale (catégorie) qui n'est pas la même que celle dégagée pour la première proposition (ex.: logement), une nouvelle catégorie est créée, inscrite et numérotée (n° 2) en ligne avec cette seconde proposition;

d) une des propositions subséquentes peut appartenir à une catégorie déjà créée: inscription du même numéro dans la colonne appropriée («catégorie»);

e) toutes les propositions des 10 entrevues sont traitées de cette façon. À la fin de cette phase, chacun des trois juges a donc élaboré un dictionnaire de catégories, c'est-à-dire une liste de catégories qu'il recopie sur une feuille blanche ordinaire (chacune des catégories et le numéro correspondant).

Le degré d'accord inter-juge pour la catégorisation des propositions des 10 entrevues est alors vérifié.

Avant de commencer la phase II, ou l'analyse sémantique, un dictionnaire commun est élaboré à partir des trois listes créées par les juges. Celui-ci compte, pour cette étude, 95 catégories.

Phase II

La phase II est alors entreprise, avec le concours des trois juges travaillant sur 10 nouvelles entrevues choisies au hasard parmi les 46 restantes. Cette vérification vise à mettre à l'essai le dictionnaire commun obtenu. Chacun des juges travaille individuellement:

a) chacun verbatim est retranscrit sous forme de propositions, tel que décrit à la phase I;

b) pour chaque proposition, on indique, dans la colonne «catégorie», le numéro correspondant à la catégorie du dictionnaire;

c) si une proposition ne correspond à aucune des catégories du dictionnaire, une nouvelle catégorie est créée par le juge et inscrite dans la colonne «catégorie». Un nouveau numéro est alors assigné et indiqué à côté de la nouvelle catégorie créée.

À nouveau, la transformation des entrevues sous forme de listes de propositions, par les trois juges, est évaluée. De plus, il faut évaluer le travail des trois juges quant à leur catégorisation respective des propositions selon le dictionnaire. Si un trop grand désaccord existe entre les juges, le dictionnaire sera à nouveau modifié: catégories retranchées, d'autres regroupées ou divisées. Le cas échéant, une vérification de l'efficacité du nouveau dictionnaire peut s'avérer nécessaire. Dans ce contexte, trois entrevues choisies au hasard sont catégorisées par les trois juges individuellement.

L'analyse requérant la participation des trois juges est alors terminée. Le chercheur passe alors à l'analyse de l'ensemble des entrevues. Cette fois, la totalité des entrevues (56) sont retranscrites sous forme de propositions et recatégorisées (tel que décrit à la phase II).

L'analyse de contenu étant entièrement complétée, les fréquences d'apparition de chaque catégorie sont comptées à travers les 56 discours, de même que le pourcentage de gens ayant mentionné chacun des thèmes.

Résultats et interprétation

L'information recueillie auprès des sujets de l'étude est donc découpée en 82 catégories (version finale du dictionnaire). Cependant, pour les besoins de l'étude, et vu que plusieurs catégories «brutes» font partie du même grand thème, ou se classent sous la même idée, un regroupement en 19 grands thèmes a été effectué.

Une vérification du pourcentage de gens mentionnant chacun des thèmes sera d'abord effectuée dans le but d'obtenir une idée générale des points communs entre les sujets. Toutefois, l'étude des fréquences sera plus révélatrice que celle des pourcentages car elle constitue un indice «d'intensité» (répétitions multiples par le même sujet) de la catégorie.

Il apparaît donc que les thèmes qui avaient été prédits au départ comme les plus susceptibles d'orienter le discours des répondants sont effectivement les plus importants d'entre tous. Il s'agit des activités effectuées, du logement, de la situation financière, des anciens camarades de travail et de la santé. Ces thèmes se rangent en tête de liste des besoins les plus pressants ou des facteurs d'adaptation à la retraite. Cependant, les thèmes de la préparation à la retraite et des dispositions ou attitudes envers la retraite semblent beaucoup moins importants que les précédents et encore moins importants que prévu pour le groupe d'âge 65-78 ans. Les thèmes du conjoint, des anciens camarades de travail, des amis et de la famille avaient été prédits comme des sujets directeurs. En général, seuls les deux premiers se sont révélés très importants dans le discours des retraités. Par contre, le thème du logement qui n'avait pas été envisagé comme un des sujets principaux, s'avère être d'une importance évidente.

Variation dans l'intérêt des thèmes selon l'âge des retraités

Toutefois, quand nous comparons les intérêts de discussion des retraités les plus anciens (74-78 ans) avec les intérêts des plus récents retraités (65-66 ans), l'ordre de ces thèmes n'est pas le même pour les deux groupes. Le sexe apporte également certaines variantes.

Le thème des activités effectuées demeure, pour les deux groupes d'âge, le thème le plus favorisé. Cependant, la santé, la situation financière et les anciens camarades de travail sont des thèmes plus fréquemment évoqués par les retraités moins âgés. Quant au groupe des plus âgés (74-78 ans), les thèmes du logement, du conjoint et de la préparation à la retraite sont les plus fréquemment mentionnés.

Comparaison des sexes dans l'importance accordée à chaque thème

Le sexe d'appartenance semble également être un facteur à considérer dans l'analyse. Nous découvrons que, peu importe l'âge, plus de femmes que d'hommes évoquent la famille, les amis et la situation financière comme facteurs favorisant l'adaptation à la retraite. Chez les hommes, ce sont les thèmes de la santé, des activités et du logement qui sont les plus discutés.

Dans l'ensemble, les résultats de l'étude confirment les données de d'autres recherches qui ont étudié les facteurs de satisfaction à la retraite. Toutefois, le logement semble être un facteur nouveau souligné par la présente recherche. En plus, les variables «sexe» et «groupe d'âge» offrent une nouvelle dimension à l'étude des facteurs d'adaptation à la retraite.

Références citées dans le résumé du mémoire:

BARFIELD, R.E., MORGAN, J.N. (1978). Trends in satisfaction with retirement. *The Gerontologist*, 18, 19-23.

BROMLEY, B.D. (1966). *The psychology of human aging*. Baltimore, Pinguin Books.

BUTLER, R.N. (1972). A life-cycle perspective: public policies for later life, *in* Carp (Ed.): *Retirement* (pp. 157-176). New-York: Behavioral Publications.

DUPONT, S. (1982). *Étude sur les comportements manifestés en situation d'absentéisme au travail*. Mémoire de maîtrise, Université de Montréal.

GITELSON, M. (1975). The emotional problems of elderly people, *in* W.S. Sze (Ed.): *The human life cycle* (pp. 575-589). New-York: Jason Aronson.

HENDRICK, C., WELLS, K.S., FALETTI, M.V. (1982). Social and emotional effects of geographical relocation on elderly retirees. *Journal of Personality and Social Psychology,* 12, 951-962.

KIMMEL, D. (1974). *Adulthood and aging*. New-York: Wiley.

LOETHER, H.J. (1975). *Problems and aging*. Encino: Dickenson.

SHANAS, E. (1968). The family and social class, *in* E. Shanas, P. Townsend, D. Wedderburn, H. Friis, P. Milhoj, J. Stehauver (Ed.): *Old people in three industrial societies*. New-York: Atherton Press.

STONE, M. (1966). *The general inquirer, a computer approach to content analysis*. Cambridge: MIT Press.

Chapitre 5

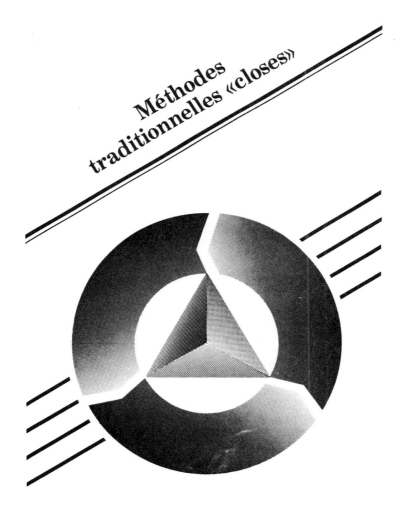

Méthodes
traditionnelles «closes»

D ans le chapitre qui suit, nous y exposerons quatre méthodes de recherche et d'intervention: la sociométrie, l'échelle d'attitude, le questionnaire de sondage et la simulation. Il s'agit essentiellement de méthodes «closes» ou d'instruments fortement structurés et en ce sens, contraignants pour le chercheur et/ou le sujet. En effet, le spécialiste des organisations doit, avec ces méthodes, planifier à l'avance sa démarche de cueillette d'informations et est contraint de la respecter. Quant au sujet, sa liberté d'expression est réduite puisqu'il doit fournir de l'information à l'intérieur d'un cadre de recherche ou d'intervention prédéterminé.

1. SOCIOMÉTRIE

Il y a quelques dizaines d'années, Moreno (1954) mit au point une technique fort intéressante pour l'étude de la vie socio-affective des groupes et plus précisément des affinités et des répulsions que les membres d'un groupe entretiennent entre eux. Cette méthode, connue sous le nom de sociométrie, a connu un essor considérable au cours des années '50 mais a, par la suite, été plus ou moins versée dans l'oubli. Avec l'avènement de l'informatique, la sociométrie a élargi son champ d'application aux réseaux de communication et à l'état relationnel de multiples groupes relevant de la psychologie sociale et organisationnelle. Comme le souligne Morval et Van Grunderbeeck (1977), la sociométrie reste encore fort utile dans le domaine de la psychologie sociale et il y a certes lieu de réfléchir à nouveau sur son utilité et sur sa capacité d'adaptation aux problématiques de l'organisation contemporaine.

1.1 Définition de la sociométrie

Moreno (1954) définit la sociométrie comme un «instrument qui sert à mesurer l'importance de l'organisation qui apparaît dans les groupes sociaux, à la lumière des attractions et des rejets qui se manifestent à l'intérieur d'un groupe». Il s'agit essentiellement de la métrique des relations sociales (Moles et Duguet, 1966).

À l'origine, la sociométrie considérait les relations socio-affectives existant dans un groupe. Cette préoccupation s'est élargie au point de considérer également le fonctionnement ou la dynamique d'un groupe. La sociométrie sert maintenant à mesurer toutes les formes de relations intergroupes: affectives, leadership, compétence, centrées sur la tâche, etc. En ce sens, sa capacité d'adaptation n'a comme limite que la créativité du chercheur-intervenant. Essentiellement, la sociométrie permet de connaître la position sociale de chaque membre du groupe en tenant compte des choix et des rejets émis et perçus par chacun des membres. Le statut sociométrique de chaque personne est ainsi établi et fréquemment représenté sous une forme graphique appelée sociogramme. Il est nécessaire que le spécialiste établisse clairement le critère précis en fonction duquel les participants à une enquête sociométrique vont énoncer leurs choix et rejets: formation de groupes de travail, désignation de chefs d'équipe, etc. (Bastin, 1961).

La sociométrie constitue un instrument de diagnostic qui vérifie l'état de santé des relations sociales et la structure d'un groupe. Elle ne se limite pas à l'étude monographique et clinique de collectivités mais elle concentre l'attention du chercheur-intervenant sur certains modèles de portée plus générale en respectant les perspectives reliées à l'individu, aux relations personnelles et à la structure du groupe.

Quelles sont donc les caractéristiques principales de la sociométrie? Pour que la sociométrie ait une signification réelle pour les individus, elle doit respecter les éléments suivants (Maisonneuve, 1965):

— l'étude s'effectue sur le terrain et non en laboratoire en manipulant certaines variables, ce qui serait plus ou moins abstrait par rapport au vécu quotidien.

— la recherche s'effectue en tenant compte essentiellement des désirs subjectifs. Ce n'est pas un inventaire des relations sociales effectives.

— ces désirs sont exprimés en fonction de critères précisés par le chercheur-intervenant: jeu, compétence, travail en équipe, etc.

— idéalement, des choix et rejets motivés et réels doivent être exprimés dans un contexte d'application prochaine sinon il y a risque que toute l'opération soit perçue comme un jeu sans conséquence.

À l'intérieur du cadre défini précédemment de la sociométrie, cette méthodologie de mesure du social revêt des possibilités d'application nombreuses. Si certains mettent l'accent sur l'individu et ses relations sociales de même que sur la structure d'un groupe primaire (Muchielli, 1973), d'autres dont Moles et Duguet (1966) et Ancelin-Schützenberger (1972), soulignent l'utilité de la sociométrie pour l'étude, non pas seulement des relations socio-affectives, mais également des relations hiérarchiques. Enfin, la technique est très souple dans ses voies d'application et c'est au spécialiste de choisir et de définir le critère qui encadre les choix et rejets énoncés par les sujets.

1.2 Évolution de la sociométrie

À l'origine, la sociométrie avait pour objectif l'étude des relations entre individus formant un groupe primaire, c'est-à-dire un groupe où les personnes ont des contacts face à face spontanés, sans tenir compte des rôles ou statuts de ceux-ci dans le groupe. Il s'agit de personnes qui se connaissent entre elles. Les experts parlent alors de la micro-sociométrie. Au fur et à mesure que le nombre de personnes impliquées augmente, la représentation graphique devient plus complexe de sorte qu'il est quasi impossible de construire une carte sociométrique claire. La sociométrie est, dans ce contexte, un instrument d'analyse et de calcul fort important dont l'utilisation a été facilitée par le développement accéléré de l'informatique. D'autres formes de diagrammes mieux adaptés aux grands groupes sont nés subséquemment.

De plus, si les études originales portaient généralement sur la structure informelle des groupes, les chercheurs-intervenants utilisent aujourd'hui la sociométrie pour l'analyse des structures formelles, notamment en milieu organisationnel. Il est maintenant possible de confronter les structures formelles et informelles, ce qui est très utile lors de certaines réorganisations au sein de groupes de travail (Muchielli, 1973). La théorie des graphes et les traitements statistiques sophistiqués permettent également d'analyser les réseaux de communication (Goldhaber, 1979), ce qui constitue une application intéressante de la sociométrie. Les auteurs parlent maintenant de la macro-sociométrie et les critères utilisés dépassent la simple notion d'attraction ou de répulsion longtemps considérée comme la seule mesure sociométrique, du moins dans le contexte de la micro-sociométrie (Lindzey et Byrne, 1969).

1.3 Étapes de la sociométrie

Nous décrirons maintenant l'application de la sociométrie en faisant ressortir ses cinq étapes principales. La présente section constitue évidemment une brève synthèse des fondements de cette méthode et ne prétend, en aucun cas, être exhaustive par rapport à la diversité des indices possibles et aux développements nombreux et variés de celle-ci.

Objectif de l'enquête

Le point crucial relié à l'objectif de l'étude est celui du choix et de la définition opérationnelle du ou des critères retenus par le spécialiste. Cette étape est déterminante dans l'obtention de résultats significatifs. Le choix du critère et sa formulation dans un questionnaire auront un impact direct sur la qualité et la pertinence des informations recueillies (Lortie, 1984). Évidemment, la sélection des critères est fonction de l'objectif de l'étude ou de l'intervention.

Maisonneuve (1965) et Bastin (1961) signalent la nécessité d'utiliser un critère spécifique. Il serait trop vague d'utiliser comme critère «la formation d'un groupe». Les sujets auraient alors une impression de confusion qui risquerait d'attaquer la crédibilité de l'enquête. Nous suggérons généralement des critères plus précis: la formation d'un groupe de travail, le choix d'un contremaître, etc. Il faut donc référer à des situations concrètes et spécifiques. Si le critère est énoncé d'une façon précise, les participants interprètent plus uniformément les directives formulées. Si le critère est vague, celui-ci peut être compris et interprété, de façon différente, par les divers sujets. Par contre, un critère très spécifique constituerait un excès contraire qui pourrait correspondre à une évaluation poussée des habiletés ou aptitudes des divers membres du groupe (par exemple: résoudre un problème de mathématiques). Il y aurait alors risque d'éliminer tout l'aspect affectif. Cependant, il faut encore ici tenir compte de l'objectif même de la démarche.

Quant au nombre de critères à retenir, le chercheur-intervenant prend en considération les divers aspects de la problématique à l'étude. Un seul critère peut être insuffisant mais une multiplication de ceux-ci alourdit la démarche, affecte la motivation des participants et rend fastidieux le travail de dépouillement des données. Bastin (1961) suggère de s'en tenir à deux ou trois critères au maximum. Le(s) critère(s) doit(doivent) évidemment permettre le jeu des affinités ou répulsions profondes des sujets.

Voici maintenant un exemple concret de critères possibles pour une étude en milieu organisationnel:

Critère: leadership de type intellectuel

«On organise dans ton département un comité chargé de réunir de la documentation sur différentes questions d'intérêt commun. Quel est parmi vous celui (ou éventuellement ceux) qui va le diriger le mieux?»

Critère: popularité

«On divise ton département en deux groupes: quel est, parmi vous celui (ou éventuellement ceux) que tu aimes surtout garder dans la même section que toi?»

Préparation de l'instrument

Comme nous l'avons souligné antérieurement, le spécialiste place les sujets dans un contexte concret et vraisemblable. De plus, il ne doit y avoir aucune confusion possible dans l'esprit des sujets quant à la situation ou critère qui sert, pour ces derniers, à formuler leurs choix et/ou rejets.

Les directives consistent, de façon habituelle, à demander aux sujets de nommer les personnes avec lesquelles ils aimeraient exécuter l'activité spécifiée. C'est la dimension positive ou celle des choix. Il est aussi possible de demander de nommer les personnes avec lesquelles les participants n'aimeraient pas accomplir cette activité. Ce second volet est évidemment négatif et correspond aux rejets. Ces directives peuvent être plus développées si on demande à chacun des individus de préciser les choix et rejets perçus à son égard. Nous reparlerons plus loin de ces divers indices sociométriques.

Un autre aspect important des directives concerne la désignation du nombre de choix et/ou rejets à exprimer. Les auteurs (Bastin, 1961; Maisonneuve, 1965) suggèrent de ne pas limiter ce nombre à 1 car ce serait forcer, de façon plus ou moins simpliste, la formulation des préférences des sujets. Psychologiquement, cette contrainte va à l'encontre d'une réalité importante, soit celle de l'existence de sujets expansifs (émet plusieurs choix et/ou rejets) qui auraient alors à restreindre leur champ sociométrique. Par contre, forcer l'individu à formuler obligatoirement un nombre spécifique de choix et/ou rejets aurait pour effet de pousser celui qui a peu de contacts à répondre plus ou moins au hasard pour satisfaire le chercheur-intervenant. Cette limitation du nombre de choix et/ou rejets irait à l'encontre de la spontanéité caractéristique de cette méthode (Bastin, 1961). Au risque de compliquer le dépouillement et l'analyse des données, les auteurs croient préférable de ne pas limiter précisément le nombre de choix et/ou rejets. Par contre, d'une façon réaliste, les sujets mentionnent de 2 à 5 noms.

Enfin, dans les directives, les chercheurs demandent généralement de mettre les mentions en ordre au niveau des choix et des répulsions, le rang 1 étant attribué à celui qui est le plus préféré, ou le plus rejeté si tel est la directive. Maisonneuve (1965) préconise d'attribuer éventuellement 3 points à la mention occupant le rang 1, 2 point pour le rang 2, 1 point pour le rang 3 et ½ point pour chacune des mentions suivantes.

À titre d'exemple, nous présentons ici les directives détaillées qui pourraient être utilisées pour une étude effectuée en milieu de travail:

«Nous voici maintenant arrivés au moment de constituer de nouvelles équipes de travail. Vous savez que, pour leur formation, on ne tient pas compte de celle dans laquelle vous vous trouvez actuellement, certaines équipes seront scindées, d'autres regroupées.

Je voudrais néanmoins pouvoir me baser sur votre avis pour la constitution des nouvelles équipes de travail. Plusieurs d'entre vous se connaissent même depuis assez longtemps. Vous avez donc eu l'occasion de vous apprécier. Il est bien difficile, pour un ensemble de personnes, de vivre pendant des mois sans qu'il y ait quelques heurts, quelques conflits. C'est à cette expérience sociale que je vais faire appel. Je vais vous poser quelques questions auxquelles je vous demande de répondre avec beaucoup de sincérité. Des réponses que vous me donnerez dépendra le choix des personnes qui seront affectées aux diverses équipes et le plaisir ou le déplaisir que vous aurez à vous y trouver.

Vos réponses ne seront lues que par moi. Ne vous occupez pas des réponses de votre voisin, ne cherchez pas non plus à influencer certains collègues de travail. Ne permettez pas non plus à vos voisins de s'intéresser à ce que vous écrivez. Il s'agit d'un questionnaire confidentiel qui n'intéresse que vous et moi.

Prenez une feuille de papier; inscrivez votre nom, prénom et la date.

Voici la 1re question. Vous n'écrivez pas la question sur votre feuille, mais seulement les réponses. Je vous la répéterai deux fois, puis vous écrirez immédiatement votre réponse.

1re question. — Quels sont, parmi vos collègues de travail, ceux avec lesquels vous aimeriez vous retrouver dans les nouvelles équipes de travail? Indiquez-en autant que vous le voulez, aussi peu que vous le voulez. Mettez-les par ordre de préférence, en commençant par celui avec lequel vous aimeriez le mieux vous trouver.

2e question. — Quels sont, parmi vos collègues de travail, ceux avec lesquels vous préféreriez ne pas vous retrouver dans les nouvelles équipes de travail? Indiquez-en autant que vous le voulez, aussi peu que vous le désirez. Mettez-les par ordre, en commençant par celui avec lequel vous aimeriez le moins vous retrouver.

3e question. — Devinez ceux qui vous ont choisi (à la 1re question). Vous pouvez répondre de trois façons:
- ou bien citer des noms: ...
- ou bien écrire: «personne ne m'a choisi»;
- ou bien écrire: «je ne sais pas».

Je sais que cette question peut paraître difficile à certains. Seulement, je n'ai pas dit: «Dites ceux qui...», mais «devinez ceux qui...». Vous pouvez donc répondre par des noms sans être tout à fait certains d'avoir été choisi. Essayez de répondre de la 1re ou de la 2e manière. La réponse «je ne sais pas» est la moins bonne car si vous ne parvenez pas à désigner ceux qui vous choisissent, c'est que vos relations avec eux ne sont pas encore bien stables. J'en tiendrai compte lors des affectations éventuelles.

4e question. — Devinez ceux qui ne vous ont pas voulu avec eux (à la 2e question).

Même consigne que pour la 3e question.»

Les divers éléments importants auxquels tout chercheur-intervenant doit apporter une attention particulière, sont les suivants:

La motivation: «Nous voici... à vous y trouver»;

La mise en confiance et le caractère confidentiel du questionnaire: «Vos réponses ne seront lues... que par vous et moi»;

La situation préférentielle:
- Les limites de l'aire préférentielle: «Parmi vos collègues de travail».
- Le signe des désignations: à la 1re question, «Ceux avec lesquels vous aimeriez vous retrouver»; à la 2e question, «Ceux avec lesquels vous préféreriez ne pas vous retrouver».
- Le critère du choix et de rejet: constitution des nouvelles équipes de travail. Nous avons choisi ici un questionnaire à un seul critère.
- La non-limitation du nombre de choix et de rejets: «Indiquez-en autant que vous le voulez, aussi peu que vous le voulez».
- L'utilisation d'un ordre: à la 1re question, «Mettez-les par ordre de préférence, en commençant par celui avec lequel vous aimeriez le mieux vous retrouver»; à la 2e question, «Mettez-les par ordre, en commençant par celui avec lequel vous aimeriez le moins vous retrouver».

Cet exemple constitue une illustration complète de ce que pourrait être la présentation des directives d'une enquête sociométrique.

Administration du questionnaire sociométrique

La qualité des données recueillies est aussi fonction de la coopération des sujets impliqués. Conséquemment, il est nécessaire que les conditions d'administration du questionnaire sociométrique soient motivantes et positives. Pour les enquêtes en milieu organisationnel, les employés ou les cadres doivent se sentir impliqués et concernés par la situation ou le critère retenu par le spécialiste. C'est là l'essentiel de ce que nous pourrions appeler le climat de l'opération. Ce climat n'est généralement pas neutre car la situation, par son caractère réaliste, suscite des réactions, des affects, des attentes, des perceptions dont il est difficile de contrôler l'impact aux niveaux individuel et groupal (Maisonneuve, 1965).

Toute enquête sociométrique exige une introduction auprès des participants. Il faut cependant éviter un caractère trop solennel qui puisse créer une tension exagérée chez les employés. Le chercheur-intervenant doit également permettre à un sujet de ne pas répondre s'il le désire. En ce sens, la présentation laisse entrevoir que cette enquête est conditionnelle à leur acceptation individuelle. Enfin, l'anonymat complet des réponses individuelles est assuré aux participants.

Deuxièmement, le spécialiste n'accepte pas, au cours de l'administration que les sujets discutent entre eux de leurs choix. De plus, celui-ci est encouragé à répondre à toutes les questions que lui adressent les participants puisqu'il ne s'agit pas ici de la passation d'un test de capacité intellectuelle ou autre. Enfin, dans ce genre d'enquête, les personnes ont généralement tout le temps nécessaire pour répondre au questionnaire. Comme il n'y a pas de limite de temps, il ne faut donc pas presser les sujets.

Suite à l'administration du questionnaire sociométrique, il arrive parfois que l'expert y ajoute un entretien ayant pour but d'obtenir certaines informations qualitatives, certaines précisions quant à la compréhension des consignes et quant aux divers choix/rejets énoncés personnellement. Il est bon que cet entretien soit effectué par une personne connue des sujets (peut être le chercheur-intervenant qui les a rencontrés lors de l'administration du questionnaire) sans être en contact direct et continu avec eux comme peut l'être, par exemple, un supérieur hiérarchique.

Un autre problème relatif à l'administration du questionnaire est celui des absents. Il arrive toujours dans un groupe qu'il y ait certaines personnes absentes au moment de la passation du questionnaire sociométrique. Si ces absences ne sont que de courte durée, il est nécessaire de signaler que ces personnes absentes doivent être considérées dans les choix des sujets du groupe. Si l'absence est de longue durée, il est préférable de les éliminer. Au retour des absents de courte durée, chacun de ces derniers est appelé à compléter le questionnaire. Pour que ce type d'enquête soit valable, certains auteurs, notamment Lortie (1984), suggèrent que le pourcentage de répondants soit au moins de 90 %.

Enfin, l'aversion que les sujets peuvent avoir à rejeter des personnes constitue une autre difficulté relative à cette phase de l'administration. La vraie réponse à ce problème réside cependant dans l'étape de la préparation de l'instrument. Pour réduire cette résistance, l'expert évite une formulation traumatisante des questions de rejet. Certains auteurs, dont Bastin (1961), suggèrent alors d'éviter dans ces questions le terme rejet alors que d'autres (Maisonneuve, 1965) signalent qu'il est plus approprié d'aller chercher ces informations non pas dans un questionnaire mais lors d'un entretien sociométrique.

Calcul des indices sociométriques

Dans l'approche sociométrique, quatre questions de base fournissent les divers indices qui servent à analyser les relations intragroupes:

— les choix positifs émis par chaque membre du groupe (p);

— les choix négatifs ou rejets émis par chaque membre du groupe (n);

— l'anticipation de choix positifs ou le nombre d'individus par lesquels le sujet se croit choisi (ṕ);

— l'anticipation de choix négatifs ou le nombre d'individus par lesquels le sujet se croit rejeté (ń).

Il faut signaler que le nombre total de questions adressées aux sujets correspond ainsi à 4 fois (quatre questions), le nombre de critères retenus par le chercheur-intervenant. Si ce dernier retient, par exemple, trois critères ou situations (formation d'une équipe de travail, influence auprès de l'autorité, fiabilité des membres du groupe), le questionnaire sociométrique comprendra douze questions précises.

À partir de ces quatre indices de base (nombre de choix émis, nombre de rejets émis, nombre de choix anticipés et nombre de rejets anticipés), il est alors possible, pour chacun des critères, de calculer certains autres indices fort révélateurs (Bastin, 1961) comme nous le verrons plus loin:

— le nombre de choix reçus par le sujet (p̄);

— le nombre de rejets reçus par le sujet (n̄);

— le nombre de choix réciproques ($\bar{p}$);

— le nombre de rejets réciproques ($\bar{n}$);

— le nombre d'individus qui se croient choisis par le sujet ($\grave{p}$);

— le nombre d'individus qui se croient rejetés par le sujet ($\grave{n}$).

Chaque sujet est le foyer d'un réseau d'interrelations dont on distingue deux vecteurs, soit centrifuge et centripète (Bastin, 1961; Maisonneuve, 1965). Le vecteur centrifuge correspond au sentiment d'attrait ou d'aversion que le sujet éprouve envers tel ou tel membre du groupe. Le vecteur centripète, au contraire, correspond au sentiment positif ou négatif dont le sujet est l'objet. Le vecteur centripète permet d'identifier les leaders (beaucoup de choix reçus), les négligés (peu de choix reçus), les isolés (aucun choix reçu), les rejetés partiels (plus de rejets que de choix reçus), les rejetés intégraux (plusieurs rejets reçus mais aucun choix reçu). Quant au vecteur centrifuge, il aide à localiser les sujets solitaires (pas ou peu de choix ou rejets émis). Enfin, les choix réciproques ou les rejets réciproques aident le chercheur à identifier les relations dyadiques, la formation de sous-groupes et le clivage entre ceux-ci.

Bastin (1961) propose une façon assez ingénieuse d'indiquer, dans la matrice des résultats, les divers indices sociométriques s'appliquant à chaque répondant. Il est possible, tel qu'indiqué dans la figure 10, de localiser dans l'espace les indices négatifs et positifs, les indices centrifuges et centripètes de même que les rapports existant entre ces indices.

Figure 10. Rapports entre les indices sociométriques.

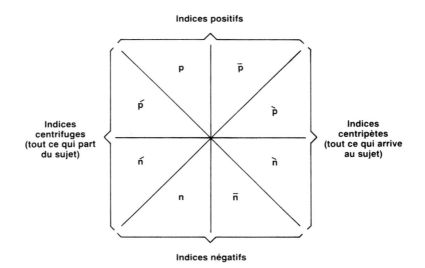

Par rapport à l'horizontale:
— Au-dessus: Les indices positifs (ṕ, p, p̄, p̀)
— Au-dessous: Les indices négatifs (ń, n, n̄, ǹ)

Par rapport à la verticale:
— À droite: Les indices centripètes (p̄, p̀, ǹ, n̄)
— À gauche: Les indices centrifuges (p, ṕ, ń, n)

La surface est donc divisée en quatre secteurs:
— Indices positifs centrifuges (p, ṕ)
— Indices positifs centripètes (p̄, p̀)
— Indices négatifs centrifuges (ń, n)
— Indices positifs centripètes (n̄, ǹ)

À partir de ces quelques indices de base, les chercheurs-intervenants ont élaboré des axes d'analyse fort significatifs en ce qui concerne les relations inter-individuelles dans un groupe. Ces notions sont très bien résumées par Maisonneuve (1965), tel qu'illustré dans la figure 11.

Figure 11.
Système des notions correspondant aux opérations sélectives et perceptives des membres d'un groupe.

+	−
Choix émis (p) EXPANSIVITÉ (ou SYMPATHIE) DÉCLARÉE par chacun	Rejets émis (n) ANTIPATHIE (ou OSTRACISME) DÉCLARÉ
Choix reçus (p̄) POPULARITÉ RÉELLE de chacun (= statut sociométrique)	Rejets reçus (n̄) IMPOPULARITÉ RÉELLE
Choix escomptés (ṕ) POPULARITÉ PERÇUE par chacun	Rejets escomptés (ń) IMPOPULARITÉ PERÇUE
Impressions qu'un sujet donne aux autres de le choisir (p̀) EXPANSIVITÉ PERÇUE (par l'ensemble des sujets)	Impressions qu'un sujet donne aux autres de le rejeter (ǹ) ANTIPATHIE PERÇUE

(Tiré et adapté de Maisonneuve, 1965)

Représentations graphiques

Les diverses représentations graphiques des indices sociométriques sont issues d'une forme de matrice ou d'un tableau qui synthétise les résultats bruts du questionnaire sociométrique. Bien que ces matrices soient plus ou moins complexes, elles consistent essentiellement en une liste nominative. La description des relations interpersonnelles demeure difficile à partir de la sociomatrice d'où la nécessité de représenter celles-ci sous une forme plus visuelle ou plus graphique.

Nous illustrons, à la figure 12, un genre de sociomatrice à partir de laquelle le spécialiste compile les divers résultats significatifs. Il s'agit ici d'un exemple à partir d'un seul critère. D'ailleurs, Paquette (1975) suggère l'emploi d'une sociomatrice par critère.

L'avantage principal de la sociomatrice est sa capacité d'organiser, sous une forme relativement aisée à analyser, une quantité de données assez considérables. C'est le cas des analyses sur des groupes constitués de nombreux sujets.

Moreno (1954) a le mérite d'avoir proposé diverses modalités de représentation graphique des relations interpersonnelles qu'il a alors nommées sociogrammes. Avec les années, les auteurs ont raffiné ces graphiques de sorte qu'actuellement ces derniers parlent de carte sociométrique, de cible sociométrique ou de carte générée par ordinateur. Soulignons cependant ici qu'il n'y a pas de règles ou de conventions reconnues par tous les chercheurs-intervenants en ce qui concerne la construction des sociogrammes. Chaque expert peut donc innover en fonction de ses besoins. À titre d'illustrations, nous allons tout de même présenter des exemples de ces diverses représentations graphiques.

Les choix et rejets émis par tous les participants constituent un réseau très complexe d'interactions sociales qu'il n'est pas possible de visualiser clairement dans la sociomatrice qui est un instrument d'analyse et non de synthèse. Essentiellement, la carte sociométrique identifie les personnes par des cercles ou triangles (ou les deux selon le sexe, par exemple) et les relations par des lignes. La figure 13 illustre une carte sociométrique qui constitue, de fait, une véritable radiographie du groupe en faisant ressortir les leaders, sous-groupes, clivages, cliques, membres-charnières, liaisons, isolés, rejetés, etc. (Lortie, 1984).

Figure 12.
Sociomatrice des indices centrifuges et centripètes (pour un critère).

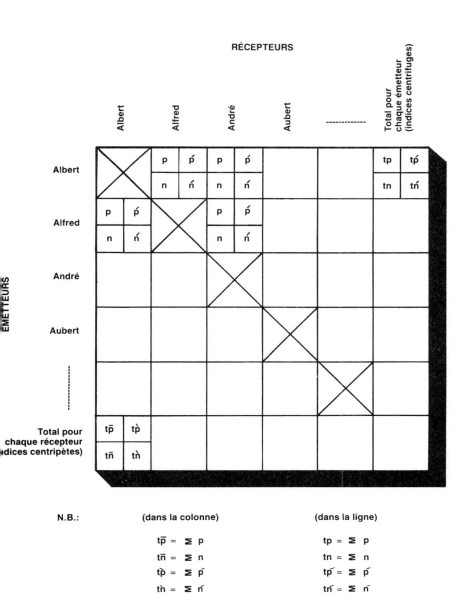

N.B.:

	(dans la colonne)	(dans la ligne)
	t$\overline{\text{p}}$ = $\geq$ p	tp = $\geq$ p
	t$\overline{\text{n}}$ = $\geq$ n	tn = $\geq$ n
	t$\grave{\text{p}}$ = $\geq$ ṕ	tṕ = $\geq$ ṕ
	tǹ = $\geq$ ń	tń = $\geq$ ń

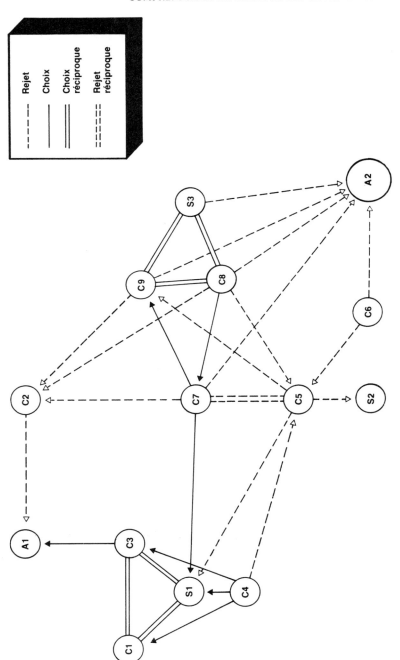

Figure 13. Exemple d'une carte sociométrique.

(Tiré de Lortie, 1984)

Une autre forme de représentation graphique est celle de la cible sociométrique. D'après cette technique mise au point par Northway (1967), le spécialiste trace des cercles concentriques qui représentent généralement des probabilités différentes d'être choisi. Les sujets plus choisis (ou les plus rejetés, selon l'objectif de l'auteur) sont placés dans le cercle du centre alors que les plus rejetés ou isolés se retrouvent en périphérie. Comme l'indique également la figure 14, il est possible de sectionner le graphique pour bien marquer les interrelations, selon certaines caractéristiques des sujets tels le sexe, l'âge, la fonction, etc.

Figure 14. Exemple d'une cible sociométrique.

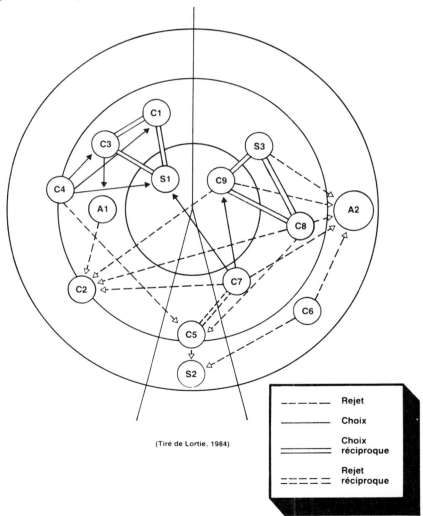

(Tiré de Lortie, 1984)

Une troisième catégorie de représentation graphique correspond à ce que Bastin (1961) et Maisonneuve (1965) nomment le sociogramme individuel. Ce graphique en constellation place un sujet au centre et il y a autant de rayons qu'il y a de compagnons dans le groupe. Ce sociogramme représente essentiellement le réseau de relations d'un individu tel que représenté à la figure 15.

Figure 15. Exemple d'un sociogramme individuel.

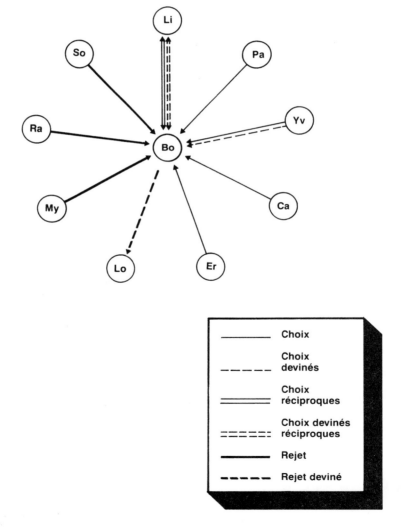

Enfin, certaines représentations graphiques informatisées ont été développées au cours des dernières années. L'avènement de l'ordinateur et de la micro-informatique ouvre des perspectives d'utilisation fort intéressantes de la sociométrie et aide à atténuer l'aspect laborieux de la conception des représentations graphiques. Richards (1975) a mis au point des programmes spécifiques pour l'analyse de réseaux et l'étude des relations entre les individus d'une organisation (NECOPY, NEGPLOT, NETLINK, NETCHART). L'ordinateur analyse donc les données brutes et produit divers modèles de représentations graphiques, selon les besoins du chercheur-intervenant, telles qu'illustrées partiellement à la figure 16.

Figure 16. Exemple d'une carte produite par NETLINK.

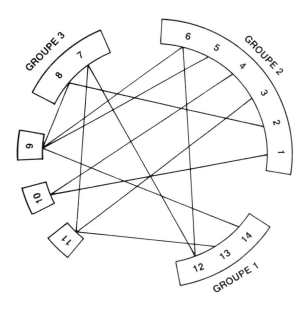

(Tiré et adapté de Lortie. 1984)

1.4 Avantages et limites de la sociométrie

Le premier avantage de la sociométrie réside dans sa capacité à saisir et mesurer l'univers relationnel d'un groupe à partir de la perception des membres de celui-ci. La qualité des relations interpersonnelles est excessivement importante dans l'étude du climat et du fonctionnement de tout groupe d'individus ou organisation. Fréquemment, ces données ne peuvent être obtenues autrement, sans risquer des distorsions importantes dues à la résistance des sujets concernés et à la désirabilité sociale. De plus, il ne s'agit pas généralement d'informations accessibles à l'observation directe.

Le second avantage de cette méthode correspond au fait qu'elle requiert et permet l'implication de tous les membres d'un groupe. Ainsi, chacun est directement concerné dans la cueillette des informations ce qui accroît, à leurs yeux, la crédibilité de cette approche de recherche et d'intervention.

Un autre avantage est relié à sa capacité d'adaptation. Au cours des années, les chercheurs-intervenants ont adapté la sociométrie à la fois en regard des multiples problématiques abordées et des modalités possibles de représentation graphique. C'est une technique qui a été transformée par la créativité des spécialistes. C'est d'ailleurs cette caractéristique qui explique son utilisation en psychologie sociale, psychologie organisationnelle, psychologie militaire, psychologie scolaire, etc.

Le quatrième avantage concerne la fidélité de l'approche sociométrique. D'abord, il est possible de s'assurer de la stabilité de la mesure. En effet, si un questionnaire sociométrique est appliqué à deux reprises, dans un délai assez court, l'expert obtient alors des résultats passablement similaires. Bastin (1961) a obtenu des coefficients de fidélité test-retest, avec un intervalle d'une semaine entre les administrations, variant de .92 à .96. La question du délai entre les administrations est cruciale car si celui-ci est trop long la fidélité peut diminuer non pas à cause des qualités métrologiques de l'instrument sociométrique mais plutôt suite à des changements réels survenus dans la structure même du groupe. Un autre aspect de la fidélité de cette méthode est celui de la fidélité de l'interprétation. À cause du caractère très rigoureux des indices sociométriques, deux chercheurs-intervenants qui effectueraient à un moment donné la même étude auprès du même groupe, formuleraient des interprétations fort similaires. Sur ces plans, la sociométrie est donc une méthode relativement fidèle ou constante.

Passons maintenant aux principales limites de la sociométrie. Nous décrirons sommairement quatre réserves qui ne sont cependant pas des limites exclusives à la sociométrie. Au contraire, elles sont reliées pratiquement à toute recherche ou intervention sur le terrain.

La sociométrie permet de saisir la dynamique d'un groupe à un moment temporel précis. La lecture de la réalité a donc une valeur très relative à cause des changements profonds qui peuvent survenir rapidement. La saisie est limitée dans le temps. De plus, toute expérimentation dans un groupe comporte le risque de modifier la dynamique même de celui-ci tel que l'ont démontré certaines études. Ce danger existe également quand les spécialistes font appel à la sociométrie.

Deuxièmement, les participants à une étude sociométrique peuvent manifester une certaine réserve à accepter les résultats d'une enquête surtout en niant les rejets mis en relief. Il est très difficile, pour tout sujet d'un groupe, d'accepter ouvertement l'existence de clivages, de rejets ou d'isolés. De tels résultats affectent la solidarité affective d'un groupe et engendre des comportements de négation.

Un autre aspect de la sociométrie peut constituer, pour certains chercheurs-intervenants, une répulsion plus ou moins forte et c'est le manque de règles précises dans l'élaboration des représentations graphiques. C'est le défaut de la qualité déjà mentionnée plus haut, soit la grande capacité d'adaptation de la sociométrie. Si certains y voient là un avantage, d'autres se sentent plus insécures face à cette absence de règles spécifiques.

Enfin, il faut signaler certaines limites reliées à l'évaluation des qualités métrologiques de l'enquête sociométrique. En ce qui concerne le calcul de la fidélité interne, il n'est pas possible d'évaluer la consistance d'un questionnaire puisque celle-ci est généralement évaluée par l'équivalence des deux moitiés d'un questionnaire. De plus, étant donné le caractère très spécifique du critère et des directives, il est également impossible de parler de l'évaluation de deux formes parallèles. Quant à l'aspect validité, il est très difficile d'établir une corrélation entre les résultats obtenus par un questionnaire sociométrique et un critère extérieur. La seule confirmation de la validité obtenue par les experts est généralement de type assez clinique. Elle fait souvent suite à des entretiens individuels ou à des discussions de groupe. Certaines caractéristiques de la sociométrie paraissent donc plus ou moins compatibles avec l'établissement d'indices métrologiques rigoureux.

1.5 Illustration — L'organisation informelle dans un centre de réadaptation: une étude sociométrique (Elmer A. Spreitzer, Ph.D.)

Position du problème

Le but de la présente recherche consiste à déterminer, auprès des clients d'un centre de réadaptation, si leur organisation informelle se caractérise par des attitudes positives par rapport à l'organisation formelle de l'institution et par un leadership appuyant cette structure formelle. Selon l'auteur, peu d'études organisationnelles ont été menées sur les centres de réadaptation. Ces institutions mettent à la disposition de leurs bénéficiaires des services médicaux, psychosociaux ou de formation professionnelle et visent la réadaptation de personnes handicapées ou atteintes d'incapacités.

Par ailleurs, plusieurs études sociologiques ont traité de l'existence de l'organisation informelle et démontré que celle-ci influence le fonctionnement organisationnel. On est alors parvenu à différentes conclusions concernant l'impact de la structure informelle sur les buts de l'organisation. En général, les études d'établissements industriels, de prisons et d'hôpitaux psychiatriques mettent en évidence les aspects subversifs de l'organisation informelle (Roy, 1952; Sykes, 1958; Goffman, 1961). Cependant, les recherches portant sur les établissements militaires démontrent les effets positifs de processus émergents dans le groupe, particulièrement sur le développement de la cohésion sociale (Shils et Janowitz, 1948).

Par la suite, une nouvelle dimension s'ajouta aux recherches sociologiques de l'organisation informelle. Cette nouvelle tendance s'est manifestée par l'étude de la relation entre le contexte organisationnel et le type d'organisation informelle. Certains chercheurs ont ainsi formulé le problème: dans quel contexte organisationnel les membres d'une entreprise deviennent-ils aliénés ou impliqués dans les objectifs formels de l'établissement? (Street, 1965). Les caractéristiques des relations informelles varieraient selon le contexte organisationnel.

L'objectif général de la recherche étant de décrire les modalités de l'organisation informelle dans un centre de réadaptation et d'identifier certaines

---

1. Thèse de doctorat présentée en 1968 au Département de sociologie de l'Ohio State University, sous la direction du professeur Saad Nagi. Le résumé français a été réalisé par Yves Chagnon, étudiant au doctorat en psychologie industrielle et organisationnelle à l'Université de Montréal.

implications thérapeutiques de celles-ci, voici les quatre questions spécifiques sur lesquelles portent cette étude:

Quelles sont les attitudes des clients envers le personnel de l'établissement, le programme de formation professionnelle et l'institution? Y a-t-il une «contreculture» parmi les clients?

Quelle est la relation entre les attitudes des bénéficiaires envers l'environnement interne du centre de réadaptation et les relations sociales parmi les clients? Est-ce que leurs attitudes varient selon leur intégration au sous-système client?

Quelle est la hiérarchie informelle de leadership parmi les clients? Qui sont les leaders et quels sont les fondements de leur influence?

Quelles relations existe-t-il entre les leaders informels et la structure formelle? Généralement, les leaders informels supportent-ils les buts organisationnels ou s'y opposent-ils?

Méthodologie

Description de l'institution

L'établissement participant à l'étude est le Pennsylvania Rehabilitation Center à Johnston. L'éligibilité des bénéficiaires à cet établissement requiert qu'une déficience chronique nuise à l'individu dans son travail. Il est particulièrement important que les services de réadaptation aide le bénéficiaire à se trouver un emploi.

Échantillonnage

Le groupe de répondants est constitué de tous les clients: (1) qui sont au centre depuis au moins deux mois et (2) qui participent à un programme de formation professionnelle. Un séjour de deux mois représente un temps d'exposition jugé suffisant pour qu'un individu entre en contact avec l'organisation informelle. Un total de 222 bénéficiaires participent à l'étude.

L'instrument de recherche

Les données sont obtenues à l'aide d'un questionnaire. L'instrument de recherche recueille des données sur les variables suivantes: les renseignements démographiques, les attitudes envers l'environnement interne du centre, le leadership informel parmi les bénéficiaires, l'évaluation de la thérapie, la communication personnel-client, l'intégration sociale du répondant et différentes autres mesures sociométriques. La cueillette de données s'est échelonnée sur une période de cinq jours.

Mesures sociométriques

La sociométrie permet de recueillir des informations explicites sur les relations d'un répondant avec d'autres individus; elle permet de localiser les individus dans un réseau de relations interpersonnelles. Lorsque ces réseaux sont superposés à la structure formelle, les sociologues réfèrent généralement à ce phénomène comme étant l'organisation informelle.

En ce qui concerne l'identification des leaders parmi les clients, les réponses à deux mesures sociométriques incluses dans le questionnaire furent utilisées. Les questions sont formulées de la manière suivante:

«Dans n'importe quel groupe d'individus, certaines personnes ont plus d'influence que d'autres. Il y a plusieurs raisons qui expliquent cela. En considérant les bénéficiaires que vous cotoyez le plus fréquemment, lequel d'entre eux a le plus d'influence?»

«En considérant tous les bénéficiaires présentement au centre, plutôt qu'uniquement le groupe de bénéficiaires que vous cotoyez le plus fréquemment, quel bénéficiaire est un des plus influents auprès des autres bénéficiaires du centre? Cette personne n'est pas nécessairement une de vos connaissances ou un de vos amis.»

Pour l'auteur, le terme «leader» réfère à un bénéficiaire ayant reçu un total de deux choix ou plus aux deux questions sociométriques; ceux qui ont reçu moins de deux choix ne sont pas considérés leaders. Cette procédure quelque peu arbitraire est utilisée pour deux raisons: d'abord elle permet de comparer les résultats de cette recherche à ceux de d'autres études effectuées au Michigan. Elle représente aussi un compromis entre le fait de considérer leader ceux ayant reçu un très grand nombre de choix et la nécessité d'avoir suffisamment de données pour les analyses statistiques.

D'autre part, il s'agit non seulement d'identifier les leaders mais également les bénéficiaires influencés par ces derniers. Par exemple, est-ce que le leader influence les bénéficiaires ayant certaines caractéristiques communes avec lui?

Pour répondre à cette question, une technique conçue par Coleman (1959) est utilisée. La technique d'analyse des paires est un moyen de mesurer le degré d'homogénéité des paires sociométriques concernant différents attributs. Dans la présente étude, par exemple, on peut déterminer si les bénéficiaires sont influencés par des leaders qui ont le même type de handicap, qui font partie du même groupe d'âge, etc. La technique de Coleman implique la distribution des choix à l'aide d'une table. Les colonnes représentent les caractéristiques des clients choisis et les lignes correspondent aux caractéristiques des clients qui font les choix. Les cellules de la principale diagonale constituent ainsi le nombre de paires sociométriques homogènes par rapport à une caractéristique donnée. L'indice d'homogénéité a été conçu afin de mesurer:

> «... l'écart entre l'homogénéité réelle et le nombre attendu de paires homogènes qui auraient été trouvées si ... les choix n'avaient pas été homogènes. Quand l'écart est positif (il y a davantage d'homogénéité que ce qui est attendu par la chance), celui-ci est exprimé sous la forme d'une fraction de sa valeur maximum possible -- la valeur obtenue si tous choisissaient d'autres individus comme eux (toutes les paires se situent dans la principale diagonale). Quand l'écart est négatif (l'homogénéité est moindre que ce qui est attendu par la chance), celui-ci est exprimé par une fraction de sa valeur minimum possible -- la valeur obtenue si tous choisissaient d'autres personnes qui ne leur ressemblent pas (la principale diagonale ne contient pas de paires sociométriques)» (Coleman, 1966).

Le questionnaire comprend également une section permettant de connaître le type de leader informel présent dans l'institution. Deux indicateurs d'habiletés instrumentales et socio-affectives sont utilisés. Voici les indicateurs tels que présentés dans le questionnaire.

1. HABILETÉS INSTRUMENTALES

a) Habiletés professionnelles

«Supposons qu'a un moment donné, durant les heures de classe, vous voulez certains conseils ou vous avez besoin d'aide par rapport à un aspect particulier du cours. À quels bénéficiaires, présentement au centre, allez-vous demander de l'aide?»

b) Réalisations concernant la réadaptation

«Supposons qu'un prix serait décerné à l'équipe de bénéficiaires qui a démontré le plus d'amélioration durant leur séjour au centre. Vous aimeriez beaucoup gagner ce prix et vous pouvez choisir vos propres coéquipiers. Quels clients, présentement au centre, aimeriez-vous avoir le plus comme coéquipiers pour le concours -- c'est-à-dire ceux qui ont montré la plus grande amélioration durant leur séjour au centre?»

2. HABILETÉS SOCIO-AFFECTIVES

a) Empathie

«Supposons que vous venez juste de recevoir de très mauvaises nouvelles. Vous réalisez que rien ne peut être fait à ce sujet mais vous ne vous sentez pas bien et vous aimeriez discuter du problème avec quelqu'un. Avec quels bénéficiaires, présentement au centre, aimeriez-vous le plus discuter du problème?»

b) Amitié

«Qui considérez-vous comme vos meilleurs amis parmi les clients présentement au centre, c'est-à-dire les bénéficiaires avec qui vous passez le plus fréquemment vos temps libres?»

Présentation des résultats

D'abord, une comparaison des attitudes des clients considérés comme étant intégrés ou non intégrés au groupe de bénéficiaires est effectuée afin de déterminer l'orientation dominante de l'organisation informelle. Aucun des résultats concernant la relation entre l'implication sociale et les attitudes des clients envers l'environnement interne du centre de réadaptation n'est statistiquement significatif.

L'analyse des résultats ayant trait aux relations entre les caractéristiques démographiques des clients et leurs attitudes démontre que les bénéficiaires les plus âgés ont des attitudes significativement plus favorables envers l'institution; ceux qui sont plus intelligents ont des attitudes plus positives envers le programme de formation; les clients ayant été antérieurement sur le marché du travail ont des perceptions plus favorables envers l'institution; et finalement, les répondants ayant séjourné plus longtemps au centre ont des attitudes plus négatives envers le personnel.

Une comparaison des résultats de cette étude avec ceux obtenus dans les recherches réalisés au Michigan dans des établissements correctionnels montre que les relations interpersonnelles sont plus intenses et spontanées dans les établissements de services thérapeutiques que dans les institutions de détention. Aussi, il y a une relative décentralisation du leadership dans la structure informelle des organisations de services thérapeutiques.

Dans la présente étude, le leader émergent tend à posséder les caractéristiques suivantes: il n'est pas célibataire, il a un niveau d'intelligence plus élevé et il a déjà été sur le marché du travail avant d'être admis au centre. La technique d'analyse des paires de Coleman indique que la tendance vers l'homogénéité des choix est plus forte parmi les catégories de bénéficiaires ayant des attitudes plus positives envers l'environnement thérapeutique, les patients plus âgés, les patients de sexe masculin, les individus non célibataires et ceux ayant déjà été sur le marché du travail. Les données des questions sociométriques indiquent que les leaders informels sont de type socio-affectif. Ils obtiennent également des scores plus élevés sur les indicateurs sociométriques d'habiletés instrumentales.

D'autre part, les leaders informels ne tendent pas à être davantage coopératifs avec la structure formelle que ceux qui ne sont pas leaders. Les résultats concernant la communication «personnel de l'établissement-client» sont équivoques. Les leaders soutiennent plus fréquemment qu'on ne leur communique pas assez souvent leur progrès ou qu'on ne les informe pas suffisamment sur leur situation. Les leaders veulent davantage demander des questions au personnel de l'établissement sur ces sujets. De plus, l'évaluation des réactions à la thérapie n'est pas plus favorable pour les leaders que pour ceux qui ne le sont pas. Les leaders informels sont considérés comme étant significativement plus actifs que les autres bénéficiaires dans la socialisation des nouveaux clients du centre. Les données démontrent également que les leaders ont un peu plus tendance à respecter les règlements de l'institution. Aussi, il y a une probabilité légèrement plus grande que ces derniers reçoivent des notes plus élevées dans les cours de formation professionnelle.

Selon l'auteur, les résultats de la recherche démontrent que l'organisation informelle de l'institution a généralement une orientation positive envers le personnel, le programme de réadaptation et l'institution.

Références citées dans le résumé de la thèse

COLEMAN, J. (1959) Relational analysis: The study of social organization in survey methods. *Human Organization*, 17, 28-36.

COLEMAN, J. (1966) *Medical innovation: A diffusion study.* Indianapolis: Bobbs-Merrill.

GOFFMAN, E. (1961) *Asylums.* Garden City: Doubleday Anchor.

ROY, D.F. (1952) Quota restriction and goldbricking in a machine shop. *American Journal of Sociology*, 57, March, 427-442.

SHILS, E., JANOWITZ, M. (1948) Cohesion and desintegration of Wehrmacht in World War II, *Public Opinion Quarterly*, 12, 280-315.

STREET, D. (1965) The inmate group in custodial and treatment settings. *American Sociological Review*, 30, February, 42.

SYKES, G.M. (1958) *The society of captives.* Princeton: University of Princeton Press.

2. ÉCHELLE D'ATTITUDE

Plusieurs auteurs ont défini ce qu'est une attitude et il convient, avant de décrire les échelles d'attitude, d'en saisir l'essentiel.

Si Thurstone et Jones (1959) ont mis, dans leur définition de l'attitude, l'accent sur le fait qu'il s'agit de la somme des sensations, idées et convictions envers un objet précis, certains autres auteurs ont ajouté la dimension fort importante de la prédisposition à l'action (Chisman, 1976):

— sorte d'état d'esprit représentant une prédisposition à se former certaines opinions (Maier, 1955)

— organisation relativement stable de croyances vis-à-vis un objet ou une situation qui prédispose une personne à répondre d'une façon préférentielle (Rokeach, 1968)

— entité psychologique non observable directement qui, comme les instincts, les tendances ou les aptitudes, agit dans des manifestations verbales et non verbales (Debaty, 1967)

— idée, chargée d'émotion, qui prédispose à la réponse comportementale (Triandis, 1971).

Si nous tentons de faire une synthèse de ces quelques définitions, nous pouvons conclure que l'attitude est une entité psychologique formée d'idées, de croyances, de convictions accompagnée de sensations ou d'émotions, qui, face à un objet, fait naître un état d'esprit qui prédispose l'individu à réagir par le biais de manifestations verbales ou non verbales.

Daneau (1984) fait bien ressortir les trois niveaux d'analyse reflétés dans cette définition: cognitif, affectif et comportemental. La dimension cognitive de l'attitude se rapporte à l'information et à la connaissance que possède le sujet face à l'objet d'attitude. Ce niveau réfère aux croyances et convictions qui peuvent être basées sur des faits, des préjugés, des stéréotypes, etc. L'aspect affectif concerne les sentiments ou émotions, plaisants/déplaisants ou favorables/défavorables, associés à l'objet d'attitude. Enfin, le niveau comportemental est associé à la prédisposition de l'individu à réagir ou à prendre action, positivement ou négativement, quand il est confronté à l'objet d'attitude.

Les attitudes agissent donc comme guide en incitant les gens à adopter des comportements leur permettant de s'approcher des objets envers lesquels ils éprouvent des sentiments positifs et éviter ceux envers lesquels ils éprouvent des sentiments négatifs. Les attitudes constituent ainsi d'excellents indicateurs de l'orientation affective des travailleurs ou des cadres envers des objets spécifiques. Une meilleure connaissance des objets envers lesquels les membres d'une organisation sont positifs ou négatifs, peut aider l'employeur à apporter les correctifs, à restructurer les postes, à modifier les pratiques de gestion et de prise de décision, à transformer certaines procédures inadéquates, etc. Muni d'une bonne connaissance des attitudes des employés, un employeur a alors la possibilité de les renforcer, de les modifier ou d'apporter les changements organisationnels nécessaires (Racicot, 1985).

Fishbein et Ajzen (1975) présentent une conception nouvelle de la notion d'attitude. Ces auteurs considèrent que les attitudes réfèrent à l'évaluation favorable/défavorable face à un objet ce qui correspond à la composante affective de la conception classique décrite ci-dessus. Les composantes cognitive et conative ne peuvent, selon ces deux auteurs, être considérées comme des caractéristiques intégrantes de l'attitude. Ils proposent donc de catégoriser les concepts liés aux attitudes en quatre catégories spécifiques: affects, cognitions, intentions behaviorales et comportements. Des termes comme opinion, satisfaction, préjugé, valeur et croyance réfèrent tous à la catégorie cognition. Fishbein et Ajzen (1975) suggèrent donc de n'utiliser que le terme croyance pour toute cognition. La totalité des croyances d'une personne envers un objet est la source qui influence ultimement ses attitudes et ses comportements à l'égard de celui-ci.

Comme l'attitude constitue une dimension latente, elle ne peut être observée que par le biais de ses manifestations comportementales et verbales. Dans ce dernier cas, les auteurs réfèrent généralement à ce que nous désignons sous le terme d'opinion. En effet, Tiffin et McCormick (1967) définissent l'opinion comme «l'expression d'un jugement ou d'un point de vue déterminé sur un sujet ou un problème particulier». Nombre d'auteurs ont constaté (Béland, 1984) que les attitudes ne peuvent pas prédire, de façon parfaite, les comportements verbaux ou non verbaux. Étant donné que le comportement est fonction de la personnalité et de l'environnement, il ne faut pas se surprendre que les attitudes seules ne puissent expliquer totalement le comportement adopté par les individus. En effet, une telle conception fait abstraction totalement de l'un des deux éléments essentiels du comportement, soit l'influence de l'environnement.

Enfin, concluons cette section consacrée à la description de l'attitude en mentionnant, avec Summers (1970), que celle-ci se caractérise par les aspects suivants:

— constitue des prédispositions à agir plutôt que des actions comme telles;

— ne change pas spontanément du fait de leur relative stabilité;

— s'organise selon une configuration de manifestations de l'individu face à l'objet d'attitude;

— engage émotivement les individus envers l'objet d'attitude.

2.1 Définition de l'échelle d'attitude

Selltiz et al. (1977) mentionnent que l'échelle d'attitude est une technique employée «pour combiner une ou plusieurs mesures de façon à ne former qu'un seul score à assigner à chaque individu». De façon plus opérationnelle, l'échelle d'attitude présente une série d'opinions auxquelles le répondant est invité à réagir en mentionnant son degré d'adhésion aux opinions émises. Il est alors possible, par convergence, d'inférer l'existence chez le sujet d'une attitude d'un niveau égal à celui des opinions choisies (Debaty, 1967). Il faut donc concevoir l'échelle d'attitude comme un rassemblement d'opinions caractérisant l'attitude possible face à un objet, individu ou situation. Par le rejet ou l'adhésion de l'individu à l'égard des diverses opinions, il est possible d'inférer la direction et l'intensité de l'attitude du sujet par rapport à l'objet d'attitude. Les opinions choisies constituent donc l'expression de ces attitudes. C'est là le fondement même de l'échelle d'attitude.

Le postulat à la base de cette méthode réside dans le fait que le chercheur-intervenant assume que la personne interrogée est suffisamment en contact avec ses émotions ou sentiments, qu'elle les reconnaît, qu'elle est capable et prête à les révéler. Si la situation incite la personne à ne pas exprimer ses réels sentiments, nous sommes en face d'une personne qui, par des biais conscients ou inconscients, peut invalider les informations fournies. Nous reviendrons plus loin, de façon plus explicite, sur les limites des échelles d'attitude. Une autre facette importante de l'échelle d'attitude correspond au fait que le continuum métrologique reflète bien le continuum psychologique familier à l'individu quand il évalue ses attitudes.

Pour qu'une échelle d'attitude soit réellement utile et utilisable, elle doit répondre à certaines caractéristiques métrologiques: être unidimensionnelle, fidèle et valide.

Un échelle d'attitude est dite unidimensionnelle ou homogène si elle ne mesure qu'un seul objet d'attitude à la fois. Selltiz et al. (1977) soulignent que si toutes les variables ou énoncés mesurent un seul et même objet, nous pouvons supposer que les réponses à ces stimuli devraient être passablement reliées entre elles. À ce moment, l'échelle d'attitude est considérée comme unidimensionnelle. Si ces liens sont relativement faibles, il faut alors envisager la possibilité que les divers énoncés de l'échelle d'attitude mesure des objets d'attitude différents et qu'il faille étudier la possibilité de scinder cette échelle en plusieurs échelles plus précises répondant au critère d'unidimensionnalité. La seconde qualité métrologique d'une échelle d'attitude est la fidélité. Par cette notion psychométrique fondamentale, nous faisons référence à la stabilité des réponses à un questionnaire ou la tendance que possède l'échelle de donner les mêmes résultats quand le même échantillon de personnes répond à celui-ci une deuxième fois dans des conditions identiques. Les experts parlent alors de la fidélité test-retest. Pour le lecteur qui voudrait approfondir cette notion, nous recommandons la lecture de l'excellent volume d'Anastasi (1982).

Enfin, la notion de validité constitue une autre caractéristique essentielle de l'échelle d'attitude. La validité réfère à la capacité que possède l'instrument de mesurer effectivement ce qu'il se propose de mesurer de sorte que des différences entre employés ou entre organisations au niveau des résultats seront considérées comme le reflet de différences réelles au niveau de l'attitude des sujets. Diverses formes de validité peuvent être évaluées: validité de contenu, validité de construit, validité prédictive et validité concomitante. Encore ici, l'utilisateur intéressé à approfondir ces notions psychométriques, aura avantage à consulter le volume d'Anastasi (1982).

2.2 Étapes de l'élaboration d'une échelle d'attitude

Comme nous le verrons plus loin dans cette section, plusieurs types d'échelle d'attitude existent. Nous les décrirons alors sommairement en référant aux étapes typiques à franchir pour chaque méthode. Ici, nous ferons plutôt référence à des étapes plus générales auxquelles viendront ensuite s'ajouter celles qui sont spécifiques à chacune des échelles d'attitude concernées.

Comme pour toute étude, le choix du thème ou du contenu d'une échelle d'attitude relève essentiellement de la préoccupation du chercheur-intervenant, elle-même dictée par un problème précis, par une priorité organisationnelle, par ses propres intérêts de recherche ou d'intervention, etc. Le nombre de sujets pouvant être abordés, sous forme d'échelles d'attitude, est pratiquement infini. Comme une échelle d'attitude doit être unidimensionnelle, le focus est donc centré sur un objet bien délimité, par exemple l'attitude face aux gestionnaires de l'organisation, aux politiques administratives, etc.

La seconde étape vise à bien définir la population-cible de l'étude. Ceci est d'autant plus important que la formulation des énoncés doit être adaptée au niveau des connaissances et du vocabulaire familier dans le groupe. Il est essentiel pour le spécialiste des organisations de s'assurer que les individus, auxquels s'adresse l'échelle d'attitude, possèdent bien la capacité d'y répondre. Il est inutile, par exemple, de mesurer l'attitude des employés face à certaines formes particulières de gestion: par exemple, la gestion par objectif, la co-gestion, la gestion participative, etc. La fiabilité des réponses serait alors fort douteuse car tous ne possèdent pas des connaissances sophistiquées face à ces modalités de gestion, relativement abstraites pour le commun des mortels.

Bien que la formulation des énoncés représente la troisième étape, il faut souligner que cette étape se déroule de façon pratiquement simultanée avec l'étape suivante qui correspond au choix de l'échelle. Les énoncés sont formulés de telle sorte que, par les réponses des sujets, il est possible de les différencier selon le degré de leur attitude favorable ou défavorable face à l'objet d'étude. Pour ce faire, les énoncés doivent être clairs et simples sinon l'ambiguïté de l'interprétation des sujets, employés ou gestionnaires, obligera l'expert à les éliminer lors des diverses étapes spécifiques à la construction d'une échelle d'attitude. Debaty (1967) présente cinq règles importantes à retenir au moment de la formulation des énoncés:

— l'énoncé doit exprimer une opinion et non un fait;

— l'énoncé doit être court, simplement exprimé et adapté au vocabulaire des gens;

— l'énoncé doit exprimer une pensée complète;

— l'énoncé doit être formulé d'une façon active qui implique une
  prise de position personnelle;

— l'objet d'attitude mesuré doit constituer le sujet de l'énoncé.

Enfin, la quatrième étape est celle du choix relié aux divers types d'échelle de réponses. De façon générale, le choix du type d'échelle et du nombre de catégories dépend de l'objectif de l'analyse, de la population impliquée et des préférences du chercheur-intervenant. Disons cependant que les échelles de réponse prennent généralement trois formes (Daneau, 1984):

Échelle graphique

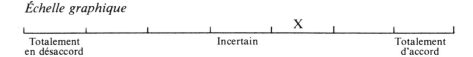

| Totalement | Incertain | Totalement |
| en désaccord | | d'accord |

Le sujet indique sa réponse en mettant un «X» dans la catégorie du continuum correspondant à son opinion envers l'objet à l'étude. Le continuum peut aller de très favorable à très défavorable, positif à négatif, totalement en désaccord à totalement d'accord, etc.

Échelle numérique

Négatif   –3   –2   –1   0   ①   2   3   Positif

Le répondant encercle sur cette échelle le chiffre qui correspond à son évaluation. Généralement, les extrêmes sont définis par un mot ou une phrase et les points intermédiaires sont représentés par des chiffres, en passant par un point neutre équivalent à 0.

Échelle à catégories spécifiques

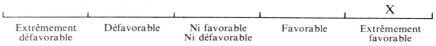

| Extrêmement défavorable | Défavorable | Ni favorable Ni défavorable | Favorable | Extrêmement favorable |

Dans ce type d'échelle, chaque catégorie du continuum est définie précisément et le sujet indique son opinion par un «X» dans la catégorie appropriée.

Quant au nombre de catégories à utiliser dans une échelle, le spécialiste tient généralement compte de divers éléments. Plus le nombre de catégories est grand, plus il est difficile pour le sujet de choisir une seule catégorie pour représenter son évaluation. En effet, les nuances apportées dans cette échelle sont parfois assez minces ce qui complique le choix du sujet. Par contre, plus le nombre est restreint, plus le répondant a de la difficulté à trouver une catégorie correspondant bien à sa position personnelle. Bien que fréquemment le nombre de catégories utilisées se situe entre 5 et 7, nous signalons que plus l'attitude des sujets est claire et précise, plus le nombre de catégories peut augmenter alors que c'est l'inverse quand l'attitude est plutôt floue ou mal définie. En ce qui concerne le choix du nombre pair ou impair de catégories, tout dépend de l'utilité perçue par le chercheur-intervenant d'avoir un point neutre/moyen (impair) ou de sa préférence pour forcer les sujets à se prononcer, positivement ou négativement, vis-à-vis l'objet d'attitude (pair).

2.3 Principaux types d'échelle d'attitude

Bien que plusieurs types d'échelle d'attitude existent (Shaw et Wright, 1967; Miller, 1977), nous nous limiterons ici à décrire sommairement les trois principaux genres d'échelle d'attitude utilisés dans les recherches et interventions en psychologie organisationnelle ou en gestion: l'échelle des équidistances subjectives (Thurstone), l'échelle des évaluations additives (Likert) et le sémantique différentiel (Osgood).

Échelle des équidistances subjectives (Thurstone)

L'échelle de Thurstone consiste essentiellement en un nombre d'énoncés dont les positions respectives sur le continuum psychologique positif-négatif ont été déterminées au préalable par une opération de classement effectué par un groupe de juges. Le répondant choisit alors les énoncés qui correspondent le mieux à ses sentiments envers le sujet abordé dans l'échelle d'attitude.

Pour élaborer une échelle de ce genre, le spécialiste des organisations rassemble un grand nombre d'énoncés (environ 100) envers l'objet d'attitude. Ces énoncés peuvent être formulés suite à des entrevues, à une recension de la littérature sur le sujet, etc. Il est nécessaire ici de s'assurer que l'ensemble des énoncés représentent des degrés d'affect différents face à l'objet d'attitude, qu'ils ne sont pas formulés de façon ambiguë et qu'ils font appel chez le répondant à ses émotions et non à ses connaissances puisque l'échelle de Thurstone vise à mesurer l'aspect affectif de l'attitude.

La seconde phase est celle de la constitution d'un groupe de juges ayant pour mandat de classer les énoncés, sur le continuum défavorable/favorable, en regard de l'objet d'attitude. Ces juges doivent provenir autant que possible de la population-cible. Thurstone suggère d'utiliser environ une centaine de juges. Cependant, de nombreuses études ont évalué l'impact de l'utilisation d'un nombre plus restreint de juges et il semble bien qu'il soit possible de travailler adéquatement avec un groupe de 30 à 50 juges (Daneau, 1984; Selltiz et al., 1977). Chaque énoncé est inscrit sur une bande de papier et chaque juge doit classer celui-ci sur une échelle caractérisée par onze catégories identifiées de A à K. Ce continuum va d'une extrême hautement défavorable à l'objet (A) à l'autre extrême hautement favorable (K). La catégorie milieu (F) représente un point neutre. Les juges ont pour mandat de classer chaque énoncé essentiellement en fonction de la signification interne à l'énoncé et non en fonction de leur propre niveau d'adhésion à l'énoncé. Pour faciliter la tâche, les juges classent individuellement les énoncés en trois piles: «défavorable», «moyen», et «favorable». Par la suite, ils subdivisent à nouveau chaque pile en trois ou quatre nouvelles catégories. Thurstone suggère de rejeter la classification d'un juge si celui-ci place plus du tiers des énoncés dans une même catégorie car il peut s'agir là d'un signe de fatigue, de lassitude ou de refus de discriminer réellement sur la base du contenu des énoncés.

L'étape suivante consiste à calculer la valeur d'échelle de chaque énoncé ou sa position relative sur le continuum et la distribution de la classification effectuée par les juges. La valeur d'échelle correspond donc à la valeur médiane de l'énoncé et l'indice de distribution à l'écart interquartile ou semi-interquartile. Par la suite, il s'agit de sélectionner de 20 à 25 énoncés qui ont des valeurs d'échelle ou valeurs médianes se distribuant tout au long du continuum et qui ont simultanément les écarts de distribution les plus petits. Ce dernier indice signifie que, dans l'ensemble, les juges ont été relativement consistants entre eux dans la façon de classer un énoncé spécifique sur le continuum. Plus cet écart interquartile a une valeur élevée, plus les juges ont classé l'énoncé dans des positions éloignées sur le continuum. Les énoncés rejetés sur cette base sont souvent des énoncés ambigus, trop longs, formulés d'une façon complexe en utilisant des termes inusités ou vagues.

Ainsi, quand vient le moment de rédiger l'échelle d'attitude finale, nous sommes assurés qu'il y a dans celle-ci des énoncés qui représentent, de façon assez cohésive, les divers points du continuum ou les divers contenus affectifs reliés à l'objet d'attitude. Dans le questionnaire même, les énoncés sont présentés aux sujets dans un ordre aléatoire qui ne permet pas à ces derniers de reconnaître la valeur d'échelle des énoncés puisque cette dernière n'est évidemment pas inscrite. Le répondant ne doit cocher que les énoncés avec lesquels il est en accord. Dans le but d'illustrer plus concrètement ce qu'est une échelle d'attitude de type Thurstone ou une échelle des équidistances subjectives, nous présentons ci-dessous une illustration accompagnée, pour une meilleure compréhension, des valeurs d'échelle de chaque énoncé retenu dans l'exemple:

Exemple d'une échelle d'attitude selon la méthode de Thurstone

Mettez un crochet vis-à-vis chaque énoncé qui exprime votre opinion face à votre employeur actuel.

_____ Je pense qu'il faudrait apprendre à tous les employés de la compagnie à exécuter leur travail mieux qu'ils ne le font actuellement (Valeur d'échelle 4,72).

_____ Dans mon travail, je n'ai aucune occasion de me servir de mon expérience (Valeur d'échelle 3,18).

_____ Je suis en général capable de savoir où j'en suis avec mon patron (Valeur d'échelle 7,00).

_____ Je pense que je resterai dans mon emploi aussi longtemps que je ferai du bon travail (Valeur d'échelle 8,33).

_____ Une grande proportion des employés partiraient s'ils pouvaient trouver un travail identique ailleurs (Valeur d'échelle 1,67).

_____ Je pense que la politique de la compagnie consiste à payer ses employés juste assez pour qu'ils ne partent pas (Valeur d'échelle 0,80).

_____ Je n'ai jamais compris quelle était au juste la politique du personnel de la compagnie (Valeur d'échelle 4,06).

_____ Dans l'ensemble, la compagnie nous traite comme nous la servons (Valeur d'échelle 6,60).

_____ Je ne peux jamais savoir ce que mon patron pense de moi (Valeur d'échelle 2,77).

_____ J'en suis arrivé au point de me sentir réellement partie de l'entreprise (Valeur d'échelle 9,72).

(Bergen, 1939: voir Tiffin et McCormick, 1967)

Enfin, la dernière étape a pour objectif de situer le répondant sur l'échelle d'attitude. Selltiz et al. (1977) suggèrent de considérer la médiane des valeurs d'échelle des énoncés retenus comme l'indication de la position du sujet sur le continuum défavorable/favorable à l'égard de l'objet. Si tout fonctionne comme prévu, celui-ci devrait être en accord avec un petit nombre d'énoncés occupant des positions assez rapprochées sur le continuum de l'échelle d'attitude.

Soulignons en terminant que le chercheur-intervenant, désirant construire ce genre d'échelle, doit être conscient que cette tâche requiert un travail, préliminaire à l'expérimentation elle-même, assez considérable. De plus, le spécialiste se doit d'être prudent dans l'interprétation des résultats individuels car le même score correspond parfois à des patrons différents d'attitude. C'est là remettre en évidence tout le problème du nivellement des mesures de tendance centrale.

Échelle d'évaluations additives (Likert)

L'échelle de Likert est certes l'échelle la plus couramment utilisée dans les recherches en milieu de travail. Cette échelle est constituée d'une série d'énoncés associés au concept étudié. Le répondant indique son niveau d'accord ou de désaccord pour chaque item en utilisant une des catégories de réponse de l'échelle suivante: (1) fortement d'accord, (2) d'accord, (3) indécis, (4) désaccord, (5) fortement en désaccord. L'attitude du sujet envers le thème de l'échelle est ainsi mesurée par la somme totale des valeurs des réponses à l'ensemble des énoncés.

L'élaboration d'une échelle d'attitude élaborée selon la méthodologie développée par Rensis Likert (1932) comprend six étapes principales.

La première étape correspond à la formulation des énoncés. Ceux-ci doivent être clairement favorables ou défavorables envers l'objet d'attitude à mesurer. Le chercheur-intervenant essaie d'en accumuler le plus grand nombre possible. Tout dépendant du nombre d'énoncés souhaité dans la version finale de l'échelle d'attitude, il prévoit en réunir au départ au moins deux fois plus que nécessaire. Au cours du processus de validation que nous décrirons plus loin, une certain nombre d'items seront rejetés. Daneau (1984) suggère un minimum de 60 énoncés. Ces items peuvent provenir ou être inspirés de diverses sources: documentation sur le sujet concerné, entrevues, questionnaires, etc.

La seconde étape est celle de l'expérimentation. Le spécialiste fait alors appel à un groupe de personnes semblables à celles à qui s'adressera éventuellement l'échelle d'attitude. Ces dernières doivent cependant partager toute l'étendue des attitudes possibles face à l'objet à l'étude. Il est souhaitable de ne pas choisir un groupe dont l'attitude est très homogène entre les membres, carrément négative ou carrément positive, en regard du thème de l'échelle. Ces individus ont ensuite à répondre au questionnaire en indiquant leur degré d'accord personnel face à chaque énoncé.

La troisième étape a pour but d'attribuer à chaque individu un résultat global représentant son attitude face à l'objet. Si le spécialiste décide d'attribuer un résultat élevé à une attitude favorable, il accorde alors la valeur de 5 à la catégorie «fortement d'accord» et 1 à «fortement en désaccord» pour tous les énoncés favorables à l'objet et l'inverse pour les énoncés défavorables (pondération de 1 pour la catégorie «fortement d'accord» et 5 pour «fortement en désaccord»). Si le chercheur-intervenant décide d'attribuer un résultat élevé à une attitude défavorable, la procédure décrite précédemment devrait alors être inversée. Le résultat total du sujet est donc constitué de la somme des valeurs numériques des réponses attribuées à l'ensemble des énoncés de l'échelle.

Quant à l'étape de validation, elle s'effectue selon deux méthodes assez équivalentes. La première méthode consiste à identifier les énoncés qui discriminent bien entre les individus les plus défavorables et les plus favorables à l'objet d'attitude. Par exemple, l'expert retient deux groupes de sujets: les 25 % plus forts au résultat total (groupe favorable) et les 25 % plus faibles (groupe défavorable). Il s'agit alors de voir, pour chaque énoncé, si les résultats moyens des deux groupes diffèrent de façon statistiquement significative. Sinon, l'énoncé ne peut être retenu dans l'échelle finale. La seconde méthode consiste à calculer les corrélations entre chaque énoncé et le résultat global pour l'ensemble des sujets qui ont participé à l'expérimentation. Si la corrélation pour un item est faible, l'énoncé est écarté. Ainsi, il est possible de s'assurer que tous les énoncés retenus se rapportent bien à la même attitude générale.

La cinquième étape est celle de la rédaction finale de l'échelle d'attitude. À ce niveau, seuls les énoncés permettant une bonne discrimination sont retenus. Généralement, l'échelle finale est constituée de 20 à 25 énoncés, formulés à peu près également de façon positive et négative (Moser et Kalton, 1972). Cette variation a pour but de forcer le répondant à lire attentivement chaque item et évite ainsi que ce dernier développe une façon de répondre plutôt automatique. Dans la rédaction finale de l'échelle, l'ensemble des énoncés est évidemment présenté d'une façon aléatoire.

Enfin, la dernière étape recouvre l'administration et la correction de l'échelle d'attitude. La correction des réponses de chaque individu se fait en calculant la somme totale des valeurs numériques attribuées aux catégories correspondant aux réponses du sujet. Ceci tient évidemment compte du sens favorable ou défavorable de l'énoncé face à l'objet d'attitude tel que décrit auparavant. Cette façon de procéder postule que chaque énoncé a un poids équivalent dans le résultat global de l'échelle d'attitude. On retrouvera ci-dessous un exemple d'une échelle d'attitude de type Likert. Il faut cependant signaler que toute échelle, utilisant une façon de répondre s'apparentant à une échelle de Likert, n'a pas nécessairement suivi le processus d'élaboration décrit dans cette section. Cela signifie donc qu'une série d'énoncés utilisant ce genre de catégories de réponse ne doit pas être considérée automatiquement comme une échelle d'évaluations additives.

Exemple d'une échelle d'attitude selon la méthode de Likert

Certaines tâches sont plus intéressantes et satisfaisantes que d'autres. Nous voulons connaître comment les gens se sentent par rapport à différentes tâches. Ce questionnaire contient dix-huit énoncés relatifs au travail. Vous devez encercler l'expression, située en dessous de l'énoncé, qui décrit le mieux votre sentiment par rapport à votre travail actuel. Il n'y a pas de bonne ou mauvaise réponse. Nous désirons avoir votre opinion réelle pour chacun de ces énoncés.

— Pour moi, mon travail est comme un loisir.

Fortement d'accord	D'accord	Incertain	Désaccord	Fortement en désaccord

— Mon travail est suffisamment intéressant pour ne pas m'ennuyer.

Fortement d'accord	D'accord	Incertain	Désaccord	Fortement en désaccord

— Il me semble que mes amis sont plus intéressés par leur travail.

Fortement d'accord	D'accord	Incertain	Désaccord	Fortement en désaccord

— Je considère mon travail comme plutôt déplaisant.

Fortement d'accord	D'accord	Incertain	Désaccord	Fortement en désaccord

— Etc.

(Brayfield et Rothe, 1951: voir Robinson, Athanasiou, Head, 1969)

Un des principaux avantages de ce type d'échelle d'attitude est sa simplicité. En effet, il n'est pas nécessaire d'utiliser des juges comme c'est le cas pour l'échelle de Thurstone. De plus, l'échelle de Likert est généralement reconnue pour sa grande fidélité interne ou sa capacité à mesurer une attitude uni-dimensionnelle. La cohérence est généralement bonne. Enfin, l'échelle de Likert, contrairement à celle de Thurstone, permet aux répondants de nuancer leur réponse à chaque énoncé. Fréquemment, les gens sont mal à l'aise si nous leur demandons de se prononcer soit en accord ou soit en désaccord avec un énoncé. Les cinq niveaux de l'échelle de Likert permettent une plus grande souplesse dans l'expression des répondants.

Quant au désavantage majeur, c'est celui de la difficulté d'interpréter le résultat global. Le résultat global de divers individus peut être semblable mais représenter des configurations de réponses très différentes.

Sémantique différentiel (Osgood)

Osgood, Suci et Tannenbaum (1957) ont développé la technique du séman-tique différentiel. Celle-ci permet de mesurer pour un individu la signification d'un thème, concept ou objet d'attitude. Concrètement, le sujet doit situer, sur une échelle en sept points caractérisée aux extrémités par deux adjectifs antagonistes, le sens que prend à ses yeux le concept étudié. Il indique alors sa réponse en plaçant un crochet dans une des sept catégories de réponse.

La première étape de la construction d'une telle échelle d'attitude consiste à choisir les paires d'adjectifs antagonistes qui serviront à évaluer l'objet d'attitude. Même si aujourd'hui la plupart des auteurs font un choix adapté à l'objet évalué, il est intéressant de mentionner que Osgood et ses collègues ont utilisé un très grand nombre de paires d'adjectifs. Suite à des analyses factorielles, ils en sont arrivés à la conclusion que ces paires d'adjectifs se regroupaient autour de trois facteurs distincts qui servaient à évaluer tout objet d'attitude: l'évaluation des propriétés de celui-ci, l'évaluation de sa puissance et l'évaluation de son caractère actif (Selltiz et al., 1977). Les paires d'adjectifs attachés à chacun de ces sous-groupes sont par exemple les suivantes:

Évaluation des propriétés de l'objet
    Juste — Injuste
    Propre — Sale
    Bon — Mauvais
    Précieux — Sans valeur

Évaluation de la puissance de l'objet
   Grand — Petit
   Fort — Faible
   Lourd — Léger

Évaluation du caractère actif de l'objet
   Actif — Passif
   Rapide — Lent
   Chaud — Froid

Ces auteurs ne mentionnent pas qu'il faut nécessairement retenir spécifiquement ces échelles bipolaires. Cependant, ils mentionnent que les spécialistes devraient cependant faire en sorte que les adjectifs retenus permettent les trois types d'évaluation puisque ceci serait, selon eux, constant dans les nombreuses analyses qu'ils ont effectuées. Le nombre de paires d'adjectifs retenues pour former une échelle d'attitude se situe généralement entre 10 et 15. Dans le but d'identifier les adjectifs discriminatifs, Lemon (1973) suggère de demander à deux groupes de sujets, un reconnu pour son attitude positive face à l'objet et l'autre pour son attitude négative, de dresser une liste d'adjectifs correspondant à leur attitude face à l'objet d'étude. Chaque groupe dresse sa liste et le chercheur sélectionne les adjectifs qui discriminent le mieux entre ces deux groupes de sujets.

Vient ensuite le moment de rédiger la version finale de l'échelle d'attitude. Il s'agit de placer au-dessus des diverses paires d'adjectifs servant à l'évaluation, le stimulus soit le mot ou la phrase représentant l'objet d'attitude. L'exemple illustré ci-dessous permet de mieux saisir ce à quoi ressemble ce type d'échelle d'attitude. Il faut noter que, pour éviter des configurations de réponses, il est souhaitable que les adjectifs positifs ou négatifs ne soient pas tous situés du même côté des échelles bipolaires. La distribution de la polarité des échelles doit être aléatoire. Si la même série de paires d'adjectifs sert à évaluer plusieurs concepts, il est préférable que l'ensemble des paires soit répété dans le même ordre.

Quant à l'étape de l'administration, les sujets reçoivent comme consigne de répondre en indiquant leur choix par un crochet placé sur chaque échelle bipolaire caractérisée aux extrêmes par deux adjectifs opposés. Ils répondent sans hésitation selon leur impression première.

*Exemple d'une échelle d'attitude selon la méthode
de Osgood, Suci et Tannenbaum*

PARTICIPATION

agréable	: ___ : ___ : ___ : ___ : ___ : ___ : ___ :	désagréable
petit	: ___ : ___ : ___ : ___ : ___ : ___ : ___ :	grand
rapide	: ___ : ___ : ___ : ___ : ___ : ___ : ___ :	lent
mauvais	: ___ : ___ : ___ : ___ : ___ : ___ : ___ :	bon
fort	: ___ : ___ : ___ : ___ : ___ : ___ : ___ :	faible
mort	: ___ : ___ : ___ : ___ : ___ : ___ : ___ :	vivant
logique	: ___ : ___ : ___ : ___ : ___ : ___ : ___ :	illogique
bienveillant	: ___ : ___ : ___ : ___ : ___ : ___ : ___ :	hostile
confus	: ___ : ___ : ___ : ___ : ___ : ___ : ___ :	clair
léger	: ___ : ___ : ___ : ___ : ___ : ___ : ___ :	lourd
jeune	: ___ : ___ : ___ : ___ : ___ : ___ : ___ :	vieux
déséquilibré	: ___ : ___ : ___ : ___ : ___ : ___ : ___ :	équilibré
précis	: ___ : ___ : ___ : ___ : ___ : ___ : ___ :	imprécis
apathique	: ___ : ___ : ___ : ___ : ___ : ___ : ___ :	dynamique
coopératif	: ___ : ___ : ___ : ___ : ___ : ___ : ___ :	non coopératif

(Desbiens, 1978)

La correction est relativement simple et semblable à celle effectuée pour une échelle de type Likert. Il s'agit, pour chaque concept étudié, de faire la somme des valeurs numériques attribuées aux réponses de l'individu pour l'ensemble des paires d'adjectifs proposées. Si le chercheur-intervenant désire que le résultat élevé corresponde à l'attitude favorable, il accorde 7 points à l'adjectif positif et 1 point à l'adjectif négatif et ce, pour chaque échelle bipolaire. Les catégories intermédiaires se voient attribuer les valeurs correspondantes. Il serait également possible, pour l'expert, d'effectuer des analyses comparatives des divers concepts ou objets d'attitude étudiés en considérant la même paire d'adjectifs pour tous les stimuli proposés.

Au plan des avantages et désavantages de la technique du différentiel sémantique, il faut souligner que, comme pour l'échelle de type Likert, il s'agit d'une échelle additive. Sa construction et sa correction sont relativement simples et rapides. C'est une technique qui donne d'excellents résultats quand le spécialiste des organisations place son intérêt surtout au niveau de la signification psychologique des concepts, ce qui est particulièrement le cas des études interculturelles ou interorganisationnelles portant sur les valeurs de travail ou les styles de gestion. L'inconvénient majeur, selon Lemon (1973), réside dans le fait que l'adjectif peut avoir un sens très différent s'il est appliqué à plusieurs concepts simultanément. L'adjectif «fort» n'a pas la même signification s'il est appliqué aux concepts parfum, gestionnaire, sportif, cuisine, etc. De plus, les répondants peuvent utiliser des bases différentes de jugement. Par exemple, un cadre pourra utiliser l'adjectif «petit» pour décrire son salaire s'il le compare à celui du président de l'entreprise alors qu'un autre utilisera l'adjectif «grand» s'il compare son salaire à celui de l'employé moyen. Enfin, le sémantique différentiel peut apporter des difficultés d'interprétation à cause de configurations de réponses très différentes qui aboutissent au même résultat global. De plus, l'information recueillie avec cette technique situe le niveau d'attitude du répondant face à un objet d'attitude mais fournit peu d'éclairage sur la source de ces attitudes.

Il y a évidemment d'autres formes d'échelle d'attitude: par exemple, le scalogramme de Guttman et l'échelle d'écart social de Bogardus (Selltiz et al., 1977; Babbie, 1979). Comme cet ouvrage n'est pas exhaustif sur le plan des échelles d'attitude, nous nous sommes limités à décrire brièvement seulement trois types d'échelle d'attitude qui nous paraissent être les plus couramment utilisées dans les recherches en psychologie industrielle et organisationnelle de même que dans les sciences de la gestion.

2.4 Avantages et limites de l'échelle d'attitude

Au bilan des avantages, l'échelle d'attitude permet d'abord d'obtenir, au moyen du résultat global unique d'un sujet, la direction et l'intensité de son attitude à l'égard de l'objet proposé et ce, sur un continuum allant, par exemple, de défavorable à favorable ou de négatif à positif (Dubuc, 1983). De plus, l'échelle d'attitude possède à peu près les mêmes avantages que le questionnaire. D'ailleurs, c'est souvent la forme de présentation que prend l'échelle d'attitude auprès des répondants. En ce sens, elle permet, grâce à l'anonymat du répondant, d'avoir accès aux sentiments et croyances réels de ce dernier. Il est relativement plus facile à un sujet de transmettre son attitude réelle lorsqu'il doit répondre seul à un questionnaire que lorsqu'il est confronté à un observateur ou interviewer. De plus, le sujet a tout le temps désiré pour répondre à l'échelle d'attitude et ce, contrairement à ce qui se produit lorsque la technique de l'entrevue est utilisée. Un autre avantage majeur est relié au fait qu'une échelle d'attitude peut être répondue par plusieurs personnes simultanément, ce qui constitue une économie importante de temps et d'argent. L'administration peut même s'effectuer par la poste, ce qui permet d'expérimenter auprès d'un très grand nombre de personnes réparties sur un territoire géographique très vaste. Enfin, étant donné le caractère uniforme de la façon de recueillir les informations, l'analyse et l'interprétation des données sont relativement faciles à réaliser.

Quant aux limites de l'échelle d'attitude, celles-ci sont assez similaires à celles du questionnaire de sondage. L'uniformité prédéterminée a malheureusement son pendant négatif, soit une moindre flexibilité et un impact moins motivant pour le sujet comparativement à l'entrevue. Le répondant est forcé de répondre en fonction du cadre établi par le chercheur-intervenant et ne peut en déroger. À ce chapitre, ce dernier ne peut pas vérifier non plus si le sujet a bien compris la question ou bien interprété les concepts proposés. Une autre limite relève du fait que le répondant ne peut répondre à une échelle d'attitude que dans la mesure où son attitude est accessible à sa conscience. Enfin, certains types d'erreur de réponse peuvent également être considérés au bilan des limites de l'échelle d'attitude, notamment la désirabilité sociale, l'effet de halo qui pousse le sujet à généraliser son évaluation d'une caractéristique à toutes les autres dimensions servant à l'évaluation de l'objet d'attitude, l'effet de tendance centrale qui incite les répondants à répondre plutôt au centre de l'échelle et à éviter les évaluations extrêmes, l'erreur de générosité qui fait en sorte que certains répondants ont tendance à surestimer les qualités de l'objet étudié (Selltiz et al., 1977; Lemon, 1973).

2.5 Illustration — Le style de gestion du personnel préconisé par les administrateurs universitaires et privés (Michel Dion, M.Ps.)[1]

Position du problème

Il existe actuellement peu de recherches empiriques en administration universitaire et il est difficile de connaître les raisons de cette situation. Par ailleurs, le management a élaboré ses modèles explicatifs surtout à partir des milieux d'affaires et on peut s'interroger sur la pertinence de ces modèles pour des

---

1. Mémoire de maîtrise présenté en 1986 au Département de psychologie de l'Université de Montréal, sous la direction du professeur André Savoie.

organisations appartenant à d'autres milieux. Si ces principes managériels doivent être transformés pour pouvoir s'adapter au contexte de l'enseignement supérieur, il y a peu d'efforts constatés dans ce sens.

Il semble pourtant que le besoin existe. Certaines études (Dressel, 1976; Millett, 1975; Heimler, 1967; Haas et Collen, 1963) portant sur la comparaison du milieu des affaires et de l'enseignement supérieur concluent en effet que ces deux secteurs d'activité se caractérisent par des différences importantes sur des aspects essentiels de leur fonctionnement: l'université se distingue des entreprises industrielles et commerciales en privilégiant a priori un mode démocratique de prise de décision et en fonctionnant sans réellement mesurer la qualité de ses actions et ce, dans un cadre de relations de travail d'un type bien particulier (permanence d'emploi et non-utilisation du système récompense-punition). D'autre part, jusqu'à maintenant, il n'est apparu aucun consensus sur les critères d'efficacité ou de succès de l'institution d'enseignement compte tenu du nombre de facteurs intervenant dans la production d'un résultat et du délai requis pour juger de la qualité du résultat.

Conséquemment, le rôle et les responsabilités d'un administrateur universitaire n'auraient pas leur correspondance dans les milieux extérieurs à l'enseignement supérieur (Drucker, 1968; Corson, 1960). Le directeur de département est un collègue de ceux qu'il dirige, issu de cette équipe et qui, généralement, y retournera après un mandat de quelques années. Nulle part ailleurs, un supérieur est considéré par ses subordonnés comme leur représentant alors qu'en même temps, la haute direction le voit comme un délégué de l'administration centrale auprès d'un département. D'où une possibilité de conflit de rôle et d'ambiguïté dans son appartenance (Bennett, 1982; McLaughlin et al., 1977; Gross et Grambsch, 1974; Brann, 1972; Hill et French, 1967).

Les exigences du poste de directeur de département dont parlent de nombreux auteurs, ont surtout rapport aux qualités de communication et de relations humaines (Brown, 1977; Roach, 1976; Dressel et al., 1969). Il est question de compétences de communicateur, de capacité à consulter et à permettre l'expression des opinions, d'habileté à gagner la confiance des professeurs et, de façon très globale, de qualification à entretenir de bonnes relations interpersonnelles (Hoyt et Spangler, 1978; Siever et al., 1972). Qu'en est-il, dans ces conditions, du style de gestion de ces administrateurs par rapport au style des gestionnaires du milieu des affaires?

Les recherches empiriques de Halpin et de l'équipe de l'Ohio State Leadership Studies ont permis d'identifier deux dimensions essentielles à la compréhension du phénomène «style de gestion» (leadership): la considération et l'encadrement. La considération équivaut à l'accent mis par le leader sur le bien-être des autres membres du groupe. L'encadrement réfère à l'activité initiée par le leader (organisation, définition des moyens, respect des normes et des échéanciers, planification des objectifs). Les membres de l'équipe de l'Ohio State Leadership Studies, surtout Hemphill (1957) et Halpin (1955, 1966), affirment que le leader efficace est celui qui valorise autant la considération que l'encadrement.

La présente recherche a pour objectif d'identifier le style de gestion du personnel d'administrateurs universitaires de souche académique (directeurs de département ou de centre de recherche) et de comparer leurs résultats, sur la base du questionnaire «Style de gestion du personnel» (Bordeleau, 1977), à ceux d'administrateurs de carrière provenant du secteur privé (directeurs de production, d'exploitation, de ventes).

Dès lors, les hypothèses de la recherche soutiennent que, les variables âge et scolarité étant contrôlées, les résultats des cadres académiques par rapport à ceux des cadres du secteur privé seront plus élevés à toutes les échelles des facteurs relations interpersonnelles et exercice souple de l'autorité que ceux du secteur privé.

Méthodologie

L'expérimentation a eu lieu en mai 1984 dans une importante université québécoise et les résultats au «Style de gestion du personnel» de cadres académiques ont été comparés aux résultats de cadres du secteur privé selon les comportements souhaités d'un bon supérieur.

Sujets

Le groupe de cadres universitaires tiré du secteur académique est composé de 55 personnes dont les fonctions sont celles de directeurs de département, de directeurs de centres de recherche et de chefs de section, soit des fonctions toutes jugées comparables par l'université en termes de tâches et responsabilités.

L'âge moyen des membres du groupe est de 47.6 années (écart-type de 7.65) et leur scolarité moyenne est de 21.7 années (écart-type de 2.82). La très grande majorité (85.5 %) sont de sexe masculin et 94.5 % sont de nationalité canadienne (de naissance ou par naturalisation). Une proportion de 83.6 % a le français comme langue maternelle (première langue apprise en bas âge et encore comprise). Étant donné qu'ils ont en moyenne 16.3 années de service (écart-type de 6.21) dont 5.1 années dans des tâches de cadre académique, ils sont tous présumés bien connaître les modalités de fonctionnement du milieu universitaire québécois.

La population complète de cadres académiques de cette université est composée de 75 personnes ayant au moins un an d'expérience à titre d'administrateur universitaire. Les 55 participants à l'étude représentent donc 73.3 %

de cette population. À l'exception d'une faculté hors campus dont l'ensemble des cadres n'ont pas été rejoints, toutes les facultés et autres unités académiques y sont représentées.

Le groupe de référence du secteur privé est composé de 225 cadres de diverses entreprises québécoises du secteur privé. Leurs fonctions sont du type directeurs de services (achat, vente, production, exploitation) de niveau supérieur et intermédiaire. Ils ont un âge moyen de 36.2 ans (écart-type de 7.89), une scolarité moyenne de 15.1 années (écart-type de 2.94), sont tous de nationalité canadienne, de langue maternelle française et en majorité (98.2%) des hommes. Leur résultat au «Style de gestion du personnel» provient d'une banque de données tirées de recherches antérieures réalisées sous la direction du professeur Yvan Bordeleau de l'Université de Montréal.

Les résultats des tests de différences entre les deux groupes sur le plan de l'âge et de la scolarité indiquent des différences significatives. Étant donné les écarts minimes au niveau des pourcentages de sujets des deux sexes entre les milieux universitaire et privé, cette variable n'a pas été contrôlée.

Instrument de mesure

Les recherches recensées ont, pour la plupart, utilisé le «Leadership Behavior Description Questionnaire» développé par des chercheurs de l'Ohio State University ou un instrument dérivé de ce questionnaire. Sa validité de prédiction de l'efficacité administrative en enseignement supérieur a été reconnue (McCarthy, 1972; Greenfield, 1968). Une des adaptations du LBDQ est le «Leadership Opinion Questionnaire» (LOQ) développé par Fleishman (1957). Le LOQ et le LBDQ mesurent les mêmes dimensions: considération et encadrement. Comme le «Style de gestion du personnel» utilisé dans la présente recherche, le LOQ est un questionnaire que les participants complètent en donnant leur appréciation de ce qu'ils croient être les comportements d'un bon gestionnaire.

Après le constat de l'absence d'outil adapté au contexte québécois, la création d'un instrument de mesure de ce type a été réalisée par Bordeleau (1977): le questionnaire «Style de gestion du personnel». Il s'agit de 75 énoncés mesurant les comportements préconisés en situation de gestion du personnel à partir desquels le sujet note, sur une échelle en six points de type Likert, son degré d'accord ou de désaccord avec chacun des énoncés décrivant divers comportements d'un supérieur. Le cadre de référence est la représentation que se fait le sujet d'un bon supérieur de sorte qu'il nous informe ainsi des comportements qu'il préconise en gestion du personnel.

Les énoncés se distribuent selon neuf échelles décrites ainsi par Bordeleau (1977):

— **Souci d'impartialité (SOIM)**
«L'échelle «Souci d'impartialité» détermine jusqu'à quel point le répondant a tendance à refuser les accrocs à l'équité. Le concept d'équité insiste sur le fait que chacun doit recevoir ce qui lui est dû proportionnellement à son mérite.»

— **Intérêt pour le développement des subordonnés (IDSU)**
«L'échelle «Intérêt pour le développement des subordonnés» détermine jusqu'à quel point le répondant a tendance à s'intéresser à la croissance professionnelle des subordonnés.»

— **Utilisation souple du statut (USST)**
«L'échelle «Utilisation souple du statut» détermine jusqu'à quel point le répondant a tendance à ne pas abuser de sa position hiérarchique pour s'imposer et à reconnaître que sa compétence peut avoir certaines limites.»

— **Surveillance et contrôle flexibles (SCFL)**
«L'échelle «Surveillance et contrôle flexibles» détermine jusqu'à quel point le répondant a tendance à manifester de la souplesse dans les fonctions de surveillance et de contrôle et dans l'application des règlements.»

— **Connaissance minimale du travail des subordonnés (CMTS)**
«L'échelle «Connaissance minimale du travail des subordonnés» détermine jusqu'à quel point le répondant a tendance à considérer souhaitable de ne pas trop s'impliquer directement dans le travail des subordonnés, ce qui ne nécessite alors qu'une connaissance générale du travail de ceux-ci.»

— **Bienveillance face aux problèmes personnels des subordonnés (BPSU)**
«L'échelle «Bienveillance face aux problèmes personnels des subordonnés» détermine jusqu'à quel point le répondant a tendance à manifester de l'intérêt pour les subordonnés en tant qu'individus, pour leurs problèmes personnels et pour l'aide qu'il peut leur apporter.»

— **Relations amicales avec les subordonnés (RASU)**

«L'échelle «Relations amicales avec les subordonnés» détermine jusqu'à quel point le répondant a tendance à entretenir des relations amicales et même familières avec les subordonnés au travail et en dehors du travail.»

— **Ouverture à la discussion et au travail en équipe (ODTE)**

«L'échelle «Ouverture à la discussion et au travail en équipe» détermine jusqu'à quel point le répondant a tendance à favoriser les relations ouvertes et franches avec les subordonnés, la discussion et la consultation des subordonnés.»

— **Relations de support au travail (RSTR)**

«L'échelle «Relations de support au travail» détermine jusqu'à quel point le répondant a tendance à favoriser l'initiative et le rendement, à faciliter l'exécution du travail par les subordonnés et à reconnaître les réactions individuelles au travail.»

Sa validité a été établie sur une population canadienne-française composée de 591 sujets (77.2 % d'hommes et 22.8 % de femmes) ayant une moyenne d'âge de 27.4 ans (écart-type: 8.2 ans) et une scolarité moyenne de 13.8 années (écart-type: 2.3 ans). Les coefficients alpha variant de .73 à .83 indiquent une fidélité interne satisfaisante pour les neuf échelles du questionnaire (Bordeleau, 1977).

Déroulement de l'expérience

Une lettre est d'abord envoyée aux cadres académiques identifiés dans la population visée par la recherche, suivie d'un appel téléphonique sollicitant un rendez-vous. Par la suite, les participants sont rencontrés un à un et les principaux éléments de la recherche, déjà exposés dans la lettre de sollicitation, sont rappelés. Après avoir transmis certaines directives, l'interviewer interroge le répondant sur quelques informations descriptives non contenues dans le questionnaire mais éventuellement utiles à l'analyse des résultats.

Le questionnaire est remis au supérieur en lui soulignant l'engagement du chercheur à assurer la confidentialité des résultats et à lui faire parvenir un résumé des résultats de la recherche. L'interviewer suggère de remplir le questionnaire dans les meilleurs délais. Celui-ci a ensuite été recueilli à un moment précis variant d'un participant à l'autre. Dans six cas où il fut impossible de faire autrement, une enveloppe pré-adressée a été remise de façon à ce que le questionnaire soit retourné par la poste.

Une analyse préliminaire a permis de constater que les cadres académiques et les cadres du secteur privé sont statistiquement différents quant à l'âge et à la scolarité. Étant donné les indices portant à croire à une influence possible des variables âge et scolarité sur les styles de gestion du personnel (Larson, 1978; Tannenbaum et al., 1974; Greer, 1974; Pinder et Pinto, 1974), il a fallu choisir une méthode statistique qui permet de contrôler ces variables.

Résultats et interprétation

Les résultats indiquent qu'il y a effectivement une différence dans les styles de gestion du personnel des deux groupes. Les directeurs de département préconisent davantage les relations interpersonnelles (considération élevée) et la souplesse dans l'exercice de l'autorité (encadrement peu élevé) que ne le font les cadres du secteur privé.

La dimension considération est celle qui distingue particulièrement les directeurs de département. Trois différences témoignent d'une importance plus grande accordée par les cadres académiques aux relations amicales avec les subordonnés (RASU), à une ouverture à la discussion et au travail en équipe (ODTE) et aux relations interpersonnelles en général. Par contre, les cadres académiques ont un résultat semblable à celui des cadres du secteur privé lorsqu'il est question de bienveillance pour les problèmes personnels des subordonnés (BPSU) et de relations de support au travail (RSTR).

À la dimension encadrement, il y a moins de différence entre les cadres académiques et les cadres du secteur privé. Ils ont d'ailleurs des résultats identiques pour les échelles relatives à l'utilisation souple du statut (USST) et à la connaissance minimale du travail des subordonnés (CMTS). Cependant, les directeurs de département préconisent davantage de flexibilité dans la surveillance et le contrôle (SCFL) et aussi une plus grande souplesse en général dans l'exercice de l'autorité.

Les cadres académiques favorisent donc des pratiques démocratiques de prise de décision et un certain nivellement des statuts entre eux et les enseignants. En effet, ils acceptent que les «subordonnés» ne soient pas d'accord avec eux (elles), reconnaissent leurs limites et croient nécessaire de justifier leurs actes.

L'interprétation de ces résultats ne peut tenir qu'à la situation même du poste de directeur, à cette position de «primus inter pares». Il semble qu'il n'y ait vraiment pas de motifs à se percevoir comme un supérieur lorsqu'on est directeur de département. En effet, le fait que les pairs aient participé à la nomination de leur «supérieur», que le poste soit temporaire et qu'il ne consiste pas généralement en un tremplin vers des postes plus élevés, créent une distinction fondamentale quant à la façon de percevoir son rôle et de recourir à un style de gestion particulier. De plus, des mécanismes statutaires existent concernant la consultation et la prise de décision. Les assemblées et comités de professeurs, ceux-là mêmes qui ont recommandé sa nomination, favorisent une pratique de la gestion démocratique.

Un deuxième aspect du profil du directeur de département est le maintien de relations amicales avec ses subordonnés dans le ton des pratiques démocratiques mentionnées plus haut. Il croit à des relations franches et ouvertes tout en ne voulant pas se mêler de la vie personnelle de ses pairs. Il semble chercher à maintenir les contacts sociaux qui existaient du temps où il était enseignant. Cependant, il ne veut pas que le poste de directeur l'oblige à devenir le confident de service.

Le troisième volet de ce profil a rapport aux comportements tournés vers la tâche. Le directeur montre une souplesse particulière dans les mesures de contrôle et de surveillance. Les règles sont connues de tous et elles ne viennent souvent pas du bureau du directeur. En effet, elles existent souvent de façon traditionnelle ou elles relèvent d'une instance supérieure et font l'objet d'une diffusion large. De plus, plusieurs directeurs délèguent à du personnel administratif ces tâches de contrôle et de surveillance. Enfin, les principes d'autonomie et de liberté universitaire semblent reléguer les notions de contrôle à un second plan.

Dans l'ensemble, l'âge plus que la scolarité semble avoir un effet plus important sur les relations interpersonnelles que sur l'exercice souple de l'autorité. Ainsi, toute tentative de généralisation devrait tenir compte du fait que l'ensemble des recherches auxquelles les présents résultats sont comparés ont été menées auprès d'institutions américaines d'enseignement supérieur présentant peut-être des différences structurelles ou faites sans contrôler l'effet des variables âge et scolarité.

D'autre part, certaines variables, comme la taille du département ou la discipline, auraient intérêt à être étudiées afin d'enrichir la discussion des styles de gestion du personnel en milieu universitaire.

Références citées dans le résumé du mémoire

BENNETT, J.B. (1982). Ambiguity and abrupt transitions in the department chairperson's role. *Educational record,* 63, 4, 53-56.

BORDELEAU, Y. (1977). *Style de gestion du personnel: manuel technique.* Montréal: Irco Inc.

BRANN, J. (1972). The Chairman: an impossible job about to become tougher *in* J. Brann, T.A. Emmett (Éd.): *The academic department or division chairman: a complex role* (pp. 5-28). Detroit: Balamp.

BROWN, D.J. (1977). Departmental and university leadership *in* D.E. McHenry, (Éd.): *Academic departments* (pp. 185-209). Sans Francisco: Jossey-Bass.

CORSON, J.J. (1960). *Governance of colleges and universities.* New-York: McGraw-Hill.

DRESSEL, P.L. (1976). *Handbook of academic evaluation.* San Francisco: Jossey-Bass.

DRESSEL, P.L., JOHNSON, F.C., MARCUS, P.M. (1969). Department operations: the confidence game. *Educational record,* 50, 3, 274-278.

DRUCKER, P.F. (1968). *The age of discontinuity.* New-York: Harper Row.

FLEISHMAN, E.A. (1957). The leadership opinion questionnaire, *in* R.M. Stogdill, A.E. Coons (Ed.): *Leader behavior: its description and measurement* (pp. 120-133). Colombus: Ohio State University.

GREENFIELD, T.B. (1968). Research on the behaviour of educational leaders: critique of a tradition. *Alberta journal of educational research,* 14, 1, 55-76.

GREER, W.W. (1974). Leadership styles and leader characteristics in bureaucratic organizations. *Dissertation abstracts international,* 34, 8-A, 4491.

GROSS, E., GRAMBSCH, P.V. (1974). *Changes in university organization, 1964-1971.* New-York: McGraw-Hill.

HAAS, E., COLLEN, L. (1963). Administration practices in university departments. *Administrative science quarterly,* 8, 1, 44-60.

HALPIN, A.W. (1955). The leader behavior and leadership ideology of educational administrators and aircraft commanders. *Harvard educational review,* 25, 18-32.

HALPIN, A.W. (1966). *Theory and research in administration.* New-York: Macmillan.

HEIMLER, C.H. (1967). The college departmental chairman. *Educational record,* 48, 2, 158-163.

HEMPHILL, J.K. (1957). Leader behavior associated with the administrative reputations of college department, *in* R.M. Stogdill, A.E. Coons (Ed.): *Leader behavior: its description and measurement* (pp. 74-85). Colombus: Ohio State University.

HILL, W.W., FRENCH, W.L. (1967). Perceptions of the power of department chairman by professors. *Administrative science quaterly,* 2, 4, 548-574.

HOYT, D., SPANGLER, R.K. (1978). *Administrative effectiveness of the academic department head: II correlates of effectiveness.* Kansas State University: Office of educational research.

LARSON, J.S. (1978). Leadership style and temperament. *Dissertation abstracts international,* 39, 2-A, 1098.

McCARTHY, M.J. (1972). Correlates of effectiveness among academic department heads. Thèse de doctorat non publiée. Kansas State University.

McLAUGHLIN, G.W., MONTGOMERY, J.R., SULLINS, W.R. (1977). Roles and characteristics of department chairmen in state universities as related to level of decision-making. *Research in higher education,* 6, 4, 327-341.

MILLETT, J.D. (1975). Higher education management versus business management. *Educational record,* 56, 4, 221-225.

PINDER, C.C., PINTO, R.R. (1974). Demographic correlates of managerial style. *Personnel psychology,* 27, 257-270.

ROACH, J.H.L. (1976). The academic department chairperson: functions and responsabilities. *Educational record*, 57, 1, 13-23.

SIEVER, R.G., LOOMIS, R.J., NEIDT, C.O. (1972). Role perceptions of department chairman in two landgrant universities. *Journal of educational research*, 65, 9, 405-410.

TANNENBAUM, A.S., KAVCIC, B., ROSNER, M., VIANELLO, M., WIESER, G. (1974). *Hierarchy in organizations*. San Francisco: Jossey-Bass.

3. QUESTIONNAIRE DE SONDAGE

Les cinquante dernières années ont été témoins de l'émergence croissante de l'utilisation de questionnaire comme instrument privilégié associé au sondage. En effet, les exemples les plus visibles qui viennent à l'esprit de tous, sont ceux des multiples sondages politiques et des sondages réalisés auprès du personnel des organisations (Dunham et Smith, 1979; Reeves et Harper, 1981). Le questionnaire de sondage se définit comme un instrument de mise en forme de l'information fondé sur une cueillette de réponses à un ensemble de questions posées généralement à un échantillon représentatif d'une population (Backstrom et Hursh, 1963; Blais, 1984). L'élaboration d'un questionnaire implique la recherche opérationnelle du problème ou des concepts sous-jacents à la problématique d'intérêt. Essentiellement, les résultats obtenus à un questionnaire de sondage permettront des généralisations à l'ensemble de la population ou à l'ensemble des employés d'où est tiré l'échantillon de répondants.

Ce genre de questionnaire a la capacité de toucher à un spectre très large d'objets: opinions, attitudes, croyances, motivations, connaissances ou comportements. Il a pour objectif principal de dresser le portrait d'une réalité à un moment précis dans le temps. Les auteurs distinguent généralement trois types de sondage qui correspondent à des modalités d'utilisation du questionnaire quelque peu différentes. Le sondage ponctuel est le plus simple en ce sens qu'il permet la description, à un moment donné, de certaines caractéristiques d'un milieu ou d'une population. Si nous tenons compte de la dimension temporelle, il est possible d'affirmer que ce genre de sondage est relativement statique. Le sondage à tendance est celui qui se caractérise par une utilisation répétée dans le temps du même questionnaire. Dans ce contexte, nous pouvons, par ces coupes transversales dans la population, voir si les objets visés par la recherche évoluent selon les divers moments de l'enquête. Enfin, le sondage panel est celui qui permet périodiquement d'administrer le même questionnaire aux mêmes répondants. C'est le type de sondage idéal, de par son caractère longitudinal, pour analyser la dynamique particulière du changement. Peu importe le genre de sondage retenu, il faut encourager son utilisation à la fois comme un instrument préventif et curatif (Toundjian, 1985). Les gestionnaires pourraient tirer de grands avantages à prévoir les problèmes et non pas seulement à les corriger.

Il est excessivement important, avant toute démarche active de construction d'un questionnaire, de bien identifier le ou les objectifs précis du sondage en termes des buts possibles, soit explorer, décrire ou expliquer une problématique (Bordeleau et al., 1982). Comme on l'a vu précédemment, il est évident que, si le chercheur-intervenant désire atteindre un ou plusieurs de ces objectifs, il devra concevoir son questionnaire de façon à cueillir l'information pertinente et nécessaire. Une enquête peut se vouloir exploratoire, descriptive ou explicative et l'instrument est alors construit essentiellement en fonction de cet objectif d'où la nécessité de bien clarifier celui-ci au tout début du processus d'élaboration du questionnaire. C'est une condition essentielle au succès.

3.1 Caractéristiques du questionnaire

Tremblay (1968) définit un questionnaire de sondage selon sept caractéristiques principales. Sa perception est également appuyée par le Secrétariat des activités statistiques fédérales (1981).

Premièrement, par définition, un questionnaire est un instrument de mesure empirique de différents phénomènes. Deuxièmement, afin de permettre des compilations, la standardisation est nécessaire. En effet, le questionnaire est présenté à tous les répondants dans la même forme: questions prédéterminées, identiques pour tous et présentées dans le même ordre. Troisièmement, le questionnaire est un instrument prétesté. Avant d'administrer le questionnaire, il est absolument indispensable de le mettre à l'essai pour voir s'il mesure bien ce qu'il est sensé mesurer. Quatrièmement, le questionnaire permet d'aller chercher différents types d'information généralement identifiés sous trois catégories: 1) les faits, les attitudes, les préférences, les attentes, les opinions, etc.; 2) les caractéristiques associées aux répondants (sexe, âge, nationalité, etc.); 3) les informations reliées à l'administration du questionnaire (date, endroit, groupe de répondants, etc.). Cinquièmement, les données recueillies par le questionnaire peuvent être objectives ou subjectives. Celui-ci permet de considérer la mesure dans une double perspective, soit individuelle et collective. Chaque questionnaire représente un répondant et la compilation d'un ensemble de questionnaires correspond à une collectivité. Généralement, dans un sondage, la perspective collectiviste prime sur la perspective individuelle au niveau du traitement et de l'analyse des résultats. Sixièmement, dans un sondage, le questionnaire est habituellement administré à un échantillon d'une population sinon il faudrait alors parler de recensement. L'échantillonnage est, dans ce contexte, une étape cruciale de la recherche car c'est toute la dimension généralisation des résultats qui est en cause à ce niveau. Enfin, le questionnaire est construit essentiellement en fonction d'un modèle d'analyse des résultats qui permet de répondre à la problématique initiale. Le devis d'analyse et les hypothèses sous-jacentes sont spécifiées à l'avance afin de guider les choix du spécialiste des organisations au moment de l'élaboration de l'instrument. Tout ceci conditionne le type d'information à recueillir et l'adoption de modalités d'analyse qui sont les plus appropriées. Ce dernier aspect est particulièrement bien abordé dans l'ouvrage de Sonquist et Dunkelberg (1977).

3.2 Étapes de l'élaboration d'un questionnaire

Les principales étapes du processus de construction d'un questionnaire ont été bien décrites par Selltiz et al. (1977). Nous les énumérerons ici brièvement.

Problématique et nature de la cueillette des informations

Cette étape est cruciale puisqu'elle vise à préciser le problème organisationnel ou l'hypothèse en définissant, de façon opérationnelle, les concepts sous-jacents. Si la problématique n'est pas clairement définie, il y a risque grave que les questions ensuite formulées soient plus ou moins aptes à répondre aux interrogations fondamentales. Souvent, quand le chercheur-intervenant s'aperçoit de cette lacune, il est déjà trop tard car l'administration du questionnaire de sondage est généralement terminée. Trop d'utilisateurs inexpérimentés négligent cette étape très importante ce qui affecte, de façon radicale, la qualité des résultats d'une étude. Le spécialiste doit connaître avec approfondissement les concepts à la base de la situation problématique et avoir une idée précise de la manière dont ceux-ci seront appréhendés par le biais du questionnaire.

Choix du type de questionnaire

Le problème étant bien défini, il faut ensuite se demander si celui-ci peut être étudié par le questionnaire, s'il n'existe pas déjà un questionnaire adéquat ou s'il faut élaborer un questionnaire spécifique. La forme que prend le questionnaire dépend d'un certain nombre de facteurs: sujet abordé, caractéristiques des répondants (par exemple, niveau d'instruction) et sorte d'analyse des résultats désirée (Selltiz et al., 1977). S'agira-t-il d'un questionnaire auto-administré ou administré en présence du chercheur-intervenant? Ce choix aura par la suite des conséquences évidentes sur la formulation des questions. Blais (1984) mentionne que le «format optimal est celui qui permet de contacter l'ensemble de l'échantillon-cible, d'obtenir sa collaboration et de faciliter sa compréhension, tout en minimisant les risques de contamination». Le format à retenir est donc celui qui fournit l'information la plus valide au meilleur coût possible. Dans ce contexte, le chercheur-intervenant tient compte des cinq aspects suivants: le taux de réponse probable, les budgets disponibles, la précision de l'information souhaitée, la complexité des renseignements à recueillir et la rapidité avec laquelle doit s'effectuer le sondage (Secrétariat des activités statistiques fédérales, 1981).

Le questionnaire auto-administré est celui auquel le sujet répond lui-même. L'opération peut être réalisée par le moyen d'une distribution par la poste ou de main à main. Certaines estimations en arrivent à la conclusion que le coût du sondage par la poste est trois fois moins élevé que celui du sondage téléphonique et six fois moins que celui effectué sous forme d'entrevue individuelle (Blais, 1984).

Le questionnaire envoyé par la poste est bien adapté dans le cas de populations homogènes, spécifiques et relativement scolarisées. Par contre, son désavantage principal est relié au caractère impersonnel ce qui diminue, de façon appréciable, le taux de réponse. Certaines actions peuvent solutionner partiellement ce problème: lettre d'appui d'un organisme reconnu, lettre(s) de rappel, compensation monétaire, etc.

Le questionnaire administré individuellement par le spécialiste est plus utile s'il s'agit d'aborder des sujets complexes ou si le sondage exige de nombreuses questions. L'interaction expert-sujet permet de créer un climat plus stimulant ou motivant pour les répondants. Évidemment, le désavantage majeur est celui qui fut mentionné précédemment, soit le coût. Celui-ci peut parfois atteindre 100,00 $ (environ 500 à 600 FF) pour chaque entretien ou questionnaire complété (Blais, 1984).

Une autre forme d'administration individuelle est celle du questionnaire complété lors d'un entretien téléphonique. Il peut s'agir là d'une alternative intéressante et valable si l'échange peut être de courte durée. L'information transmise doit cependant être assez simple et faire peu appel à la mémoire. Il est bien évident que le nombre de sujets traités, de questions et de possibilités de réponse sera alors relativement restreint (Centre de sondage, 1983).

Nous avons mentionné que le choix du format du questionnaire est en partie fonction de l'échantillon de répondants retenus. Tel que mentionné, la dimension échantillonnage dans un sondage est d'une importance capitale. Il serait ici trop long d'entrer dans les détails des procédures d'échantillonnage mais le futur chercheur-intervenant doit s'en préoccuper fortement. Comme ce sujet spécifique dépasse le cadre de cet ouvrage, le lecteur intéressé pourra consulter une des nombreuses publications traitant de l'échantillonnage (Beaud, 1984; Centre de sondage, 1983; Selltiz et al., 1977).

Formulation des questions

Il est recommandé, à ce stade, de dresser la liste des thèmes à aborder en fonction de la problématique à l'étude, d'en déterminer la meilleure séquence psychologique et logique et de rédiger ensuite une première ébauche des diverses questions.

En général, deux types de questions se retrouvent dans les questionnaires: les questions ouvertes et les questions fermées.

La question ouverte est celle où le répondant fournit l'information demandée comme il le désire, selon ses propres mots et sa propre logique. Ces questions laissent beaucoup de liberté au sujet de s'exprimer en disant tout ce qu'il veut dire et ce, sans cadre pré-établi au niveau des réponses admissibles. Voici un exemple d'une question ouverte:

Que pensez-vous de l'attitude de votre employeur face à ses employés?

Le répondant doit faire beaucoup d'efforts pour répondre à une question ouverte car il structure, de façon très précise, son opinion et sa réponse. Parfois, les réponses des sujets demeurent vagues et difficiles à interpréter pour le spécialiste des organisations. L'analyse du matériel recueilli prend beaucoup plus de temps et, conséquemment, le coût de l'analyse de l'information est accru. La question ouverte est surtout utile quand il s'agit d'explorer une problématique organisationnelle ou un problème relié aux ressources humaines assez peu connu.

La question fermée présente au sujet une liste pré-établie de réponses déterminées par le chercheur-intervenant. La modalité de réponse peut varier cependant selon la forme de la question:

— *dichotomique*

Êtes-vous membre du syndicat Y?

☐ Oui
☐ Non

— *à choix multiple*

Quel est votre groupe d'âge?

☐ 25 ans et moins
☐ 26 à 35 ans
☐ 36 à 45 ans
☐ 46 à 55 ans
☐ 56 à 65 ans
☐ 66 ans et plus

— *avec réponse à cocher*

Parmi les possibilités suivantes, indiquez toutes celles qui, *selon vous,* sont susceptibles d'améliorer la négociation des conditions de travail?

☐ Limiter la durée de la période de négociation
☐ Avoir un processus permanent de négociation
☐ Rendre les négociations publiques
☐ Autoriser seulement les grèves rotatives
☐ Après une négociation de durée limitée par le code de travail, aller à l'arbitrage obligatoire
☐ Autre (Spécifiez)

— *avec mise en rang*

Indiquez les trois sources d'information qui vous ont le mieux informé au travail (1 étant la meilleure source, 2 la seconde, etc.)?

☐ Journal de l'entreprise
☐ Collègues de travail
☐ Patron immédiat
☐ Information diffusée par le syndicat
☐ Information affichée aux babillards

— *avec échelle d'évaluation*

Jusqu'à quel point êtes-vous satisfait de votre salaire actuel?

| PAS DU TOUT | UN PEU | MOYENNEMENT | BEAUCOUP | TOTALEMENT |

La valeur des questions dichotomiques ou à choix multiple est directement reliée au fait que les réponses doivent être exhaustives et mutuellement exclusives. Quant aux questions avec réponses à cocher ou avec mise en rang, l'éventail présenté au sujet doit être le plus complet possible (et ainsi utiliser la catégorie «autre» le moins souvent possible, sinon le caractère fermé de la question serait alors remis en cause) et les choix proposés distincts les uns des autres. Enfin, si nous utilisons l'échelle d'évaluation, les diverses catégories doivent être bien identifiées, de façon à ce que l'interprétation qu'en font les travailleurs ou les cadres soit la même et que la «distance psychologique» d'une catégorie à l'autre soit équivalente.

Les principaux avantages des questions fermées, comparativement aux questions ouvertes, se retrouvent dans leur simplicité et leur facilité à répondre de même que dans la possibilité d'une analyse rapide et peu coûteuse (Émory, 1980). Ce genre de questions permet également une utilisation aisée sur de très grands échantillons. Étant donné la variabilité restreinte des réponses, celles-ci peuvent être codées lors de l'impression du questionnaire, ce qui en facilite grandement le traitement au moment du retour. Le désavantage le plus important est cependant dû au fait que le répondant se voit forcer de répondre dans les termes choisis par le chercheur-intervenant et non selon les siens. De plus, l'oubli de certains choix de réponse biaise évidemment les réponses des sujets.

Trois postulats doivent servir à la formulation des questions: la clarté qui assure la compréhension, la pertinence qui est associée à la capacité de répondre des sujets et la neutralité qui permet d'obtenir des réponses non contaminées ou biaisées (Blais, 1984). De façon à rendre plus opérationnels ces trois postulats, il est possible de fournir une grille plus précise qui permet au spécialiste des organisations d'évaluer la valeur de chaque question et ainsi la validité des informations éventuellement recueillies.

La question peut-elle être mal interprétée? Il s'agit ici de regarder si la phraséologie est difficile ou ambiguë. La question n'inclut-elle qu'une seule dimension et énonce-t-elle bien toutes les alternatives de réponses possibles par rapport au problème? Si une lacune survient ici, il est bien évident que les réponses des sujets seront biaisées. La question repose-t-elle sur des postulats non énoncés? Il peut arriver au chercheur-intervenant de poser des questions en postulant au départ une certaine réalité qui n'est peut-être pas exacte: il suppose, par exemple, qu'une personne se considère membre d'un groupe d'employés et il lui demande directement si elle y trouve une certaine satisfaction. La question est-elle formulée de façon tendancieuse? L'utilisation de certaines expressions, chargées d'émotions positives ou négatives, affecte directement la neutralité de la question. La formulation de la question est-elle choquante? Quand l'expert aborde certains sujets plus sensibles susceptibles d'accroître le taux de non-réponse, il faut utiliser une formulation qui évite de braquer les répondants. Il est, par exemple, plus facile d'indiquer son salaire annuel dans les catégories d'une question à choix multiple que de répondre à une question qui demande directement d'inscrire le salaire annuel exact. La question aurait-elle avantage à être formulée d'une façon personnelle ou impersonnelle? Plus une question est personnelle, plus le risque de non-réponse augmente. Il faut se demander ici si une information plus générale peut répondre aux besoins du chercheur-intervenant. Enfin, y aurait-il avantage à ce que la question soit posée sous une forme directe ou indirecte? Faut-il demander directement l'information au sujet ou va-t-on la déduire des réponses à certaines autres questions. Nous pourrions demander directement au sujet s'il est satisfait au travail ou déduire le niveau de cette satisfaction suite aux appréciations qu'il fait des diverses facettes de son travail.

Voilà une série de questions que le spécialiste a avantage à se poser continuellement s'il veut en arriver à élaborer un questionnaire qui soit en mesure d'aller chercher de l'information fiable.

Conception du questionnaire

Une fois les questions formulées, il faut maintenant les agencer dans un ordre fonctionnel qui respecte la logique des répondants et évite les biais occasionnés par un ordre suggestif des questions. Les questions sont présentées en respectant les critères économies et efficacité, ce qui évite au sujet de répondre aux questions qui ne s'appliquent pas à ses caractéristiques ou à sa situation personnelle. Dans cette perspective, l'utilisation de question-filtre est souvent recommandée :

Quel est votre statut civil actuel?

☐ Marié(e) ou vivant avec un(e) partenaire
(Si OUI, passez directement à la question 24)
☐ Célibataire
☐ Veuf, veuve

Toute la dimension esthétique ou présentation physique du questionnaire prend beaucoup d'importance. Le questionnaire de sondage doit se «vendre par lui-même» sinon il risque de se retrouver rapidement dans la corbeille à papier. Le contenu doit être intéressant pour le répondant, logique et présenté dans un emballage attrayant. Le temps, la minutie et l'esprit créatif sont les clés du succès dans la conception d'un questionnaire. Un questionnaire bien construit contribue à améliorer la qualité et la quantité des réponses à l'ensemble des questions.

Les questions sont agencées de façon à maintenir l'intérêt du répondant, à éliminer ses doutes au sujet de la légitimité du sondage et à faciliter les réponses. La disposition des questions doit éviter, à tout prix, l'introduction de biais.

Dans l'introduction, le chercheur-intervenant demande généralement la collaboration du répondant, lui garantit l'anonymat, lui indique les procédures de retour. Tous les détails relatifs au sondage lui-même (titre, organisme responsable de l'enquête, etc.) sont clairement indiqués.

Les premières questions stimulent l'intérêt de façon à ce que les répondants soient motivés à compléter le questionnaire. Ces derniers doivent saisir les liens entre les questions et les objectifs du sondage. Les changements de thèmes sont annoncés de sorte que les transitions entre les questions s'effectuent harmonieusement. Les questions délicates ou personnelles sont généralement intégrées aux autres questions qui portent sur le même thème afin qu'elles ne paraissent pas hors de propos. En principe, elles ne devraient pas apparaître au début du questionnaire.

La combinaison des questions ouvertes et fermées s'avère efficace à l'égard des thèmes complexes. Une approche fréquemment utilisée consiste à commencer par une question ouverte suivie de questions fermées de plus en plus spécifiques. Dans certaines situations, la technique de l'entonnoir inversé peut s'avérer intéressante. Il s'agit alors de commencer par des questions spécifiques et de poursuivre ensuite par des questions plus générales. L'avantage de cette technique est de faire réfléchir le répondant sur les divers aspects du thème à l'étude avant d'énoncer son opinion générale. Cette façon d'agir est particulièrement utile pour les thèmes qui sont moins familiers au répondant (Beaudoin, 1983).

Prétest du questionnaire

Le prétest consiste essentiellement à vérifier si le questionnaire fonctionne bien ou si certaines modifications s'imposent en termes de contenu, de forme ou de présentation esthétique (Tremblay, 1968). Donc, il s'agit d'analyser plus spécifiquement le degré de compréhension des répondants, l'ordre des questions, la capacité des répondants à fournir les informations nécessaires à l'enquête, l'absence de questions importantes ou le retrait de questions moins utiles et enfin le degré de coopération et de motivation des participants. Ce prétest s'effectue généralement auprès de sujets ressemblant le plus possible à l'échantillon choisi. Si des changements majeurs devaient être apportés au questionnaire, il faudrait évidemment recommencer le prétest avec la nouvelle version de l'instrument modifié. Cette étape est cruciale lors du sondage et nous ne devrions, pour aucune raison, passer outre. Aller directement à l'expérimentation sur le terrain sans prétest accroît le risque évident de constater trop tard les faiblesses ou lacunes du questionnaire et de ne pas pouvoir alors y apporter les correctifs indispensables.

Élaboration de la version finale

Suite au prétest, le chercheur-intervenant apporte les modifications souhaitables et vérifie, une dernière fois, si le questionnaire se défend bien sur les plans contenu, forme et présentation. Il est de plus indispensable ici de prévoir en détail les modalités d'administration du questionnaire auprès de l'échantillon sélectionné de façon à ce que celles-ci soient uniformes. C'est un prérequis essentiel à toute analyse comparative des résultats entre les divers employés ou groupe d'employés.

Codification et vérification des réponses

La codification des réponses peut être faite a priori si les questions sont fermées et si nous connaissons déjà les diverses catégories possibles de réponse. Ainsi, par un code numérique ou alphanumérique, il est facile de transporter l'information dans un format qui le rend traitable par ordinateur. Chaque réponse est associée à un code. De plus, la colonne de la matrice de données où une information précise sera emmaganisée est également identifiée:

1. Sexe   F (   ) 1
               M (   ) 2   Col. 5

Le sexe masculin sera inscrit par le chiffre 1 dans la colonne 5 de la matrice alors que le sexe féminin le sera par le chiffre 2 dans cette même colonne.

Dans le cas des réponses ouvertes, il faudra a posteriori développer une liste de codes pour identifier les diverses réponses des sujets et prévoir leurs positions dans la matrice de données. Chaque ligne correspond alors à un répondant ou unité d'analyse et chaque colonne à une variable ou information demandée.

La vérification a pour objectif d'examiner, manuellement ou par ordinateur, si tous les codes inscrits sont acceptables, c'est-à-dire voir s'ils correspondent exactement à ceux qui ont été créés. Sinon, il faut corriger les erreurs qui peuvent être dues à des failles au moment de l'entrée des résultats ou de la conception de la codification.

Analyse et interprétation des résultats

Le rassemblement des informations sous forme de matrice de données permet ensuite le traitement informatique des résultats. L'analyse a pour objectif de résumer les données recueillies de façon à répondre aux questions soulevées par la problématique organisationnelle abordée.

Au niveau statistique, deux grandes catégories sont généralement utilisées: les statistiques descriptives et déductives. Les statistiques descriptives permettent de décrire un ensemble de données par l'utilisation de mesures de tendance centrale (moyenne, médiane, mode) de même que par les indices de dispersion des réponses autour de cette mesure (écart-type, écart interquartile, minimum-maximum). Les statistiques déductives sont utilisées pour évaluer, avec une marge d'erreur déterminée (par exemple, $p < .05$), si certaines différences significatives existent entre des groupes (test t, chi carré). D'autres statistiques rendent possible l'étude de relation linéaire entre certaines variables (corrélation). De nombreux tests statistiques existent mais leur présentation dépasse évidemment le cadre de ce volume.

3.3 Avantages et limites du questionnaire

Les avantages du questionnaire, comme méthode d'analyse et d'intervention («survey-feedback»), sont nombreux et importants, ce qui explique sa très grande popularité (Bérard, 1984).

Le questionnaire est un instrument flexible ou polyvalent. Il peut aborder des problématiques organisationnelles très variées et relativement complexes.

Son coût d'utilisation est assez modeste compte tenu des informations que nous pouvons recueillir auprès d'une population. Par exemple, l'utilisation d'un questionnaire structuré est beaucoup plus économique que celle de l'entrevue ou de l'observation. Dans un délai assez court, il est possible, dans un sondage, d'aller chercher une grande quantité d'informations.

Son application à un grand échantillon de sujets en même temps est un avantage indéniable. Ainsi, plus la taille de l'échantillon est grande, plus les résultats seront valides et plus certaines seront les généralisations qui en découleront. Lors d'un sondage, il est également facile de couvrir par la poste un territoire très vaste ou plusieurs filiales d'une organisation réparties sur le territoire.

L'anonymat entourant habituellement les répondants fournit à ces derniers une certaine sécurité et ils sont alors plus libres d'exprimer leurs opinions, leurs sentiments ou leurs attitudes.

L'unformité de l'administration du questionnaire, et surtout de l'instrument lui-même, rend facile la comparaison et l'analyse des résultats. De plus, cette standardisation permet de prévoir à l'avance, et ce, dans le détail, les analyses statistiques qui seront exécutées en fonction des interrogations précises du chercheur-intervenant relativement à la problématique ou aux hypothèses formulées.

Il faut également noter certaines limites du questionnaire.

Le questionnaire étant un instrument très structuré (surtout si les questions sont fermées), celui-ci est généralement appliqué à des problématiques sur lesquelles les participants ont une assez bonne connaissance. Ce n'est pas un outil approprié à une analyse dont l'objectif est l'exploration.

De plus, il est assez difficile pour un sujet d'exprimer clairement ce qu'il pense ou ressent étant donné le caractère prédéterminé des réponses possibles. Un des facteurs pouvant avoir un impact sur la qualité des informations est la désirabilité sociale qui peut, sous l'effet de pression sociale plus ou moins explicite, porter le sujet à biaiser ou à restreindre l'expression de son opinion ou de ses sentiments.

L'information recueillie par questionnaire est souvent plus superficielle que celle obtenue par entrevue. Dans ce dernier cas, il est possible d'approfondir la position du sujet en lui demandant d'expliciter davantage.

La structuration d'un questionnaire implique aussi un autre désavantage ou danger, soit le biais imposé dans la formulation des questions par la perspective personnelle du spécialiste face à l'objet d'enquête. Un tel biais ne peut qu'apporter des résultats tronqués par rapport à l'attitude ou à l'opinion réelle des répondants.

Enfin, il faut mentionner que l'administration d'un questionnaire, même structuré, se limite à des participants qui ne sont évidemment pas illettrés ou de niveau intellectuel inférieur à la moyenne. Plus un questionnaire fait appel à des questions ouvertes, plus celui-ci exige, de la part des répondants, une facilité d'expression et une bonne capacité de structuration logique des éléments de réponse.

3.4 Illustration — La sélection des cadres dans les grandes entreprises du Montréal métropolitain (Christian Ruelland, M.Ps.)[1]

Position du problème

La situation des cadres au Québec n'est guère reluisante. Au Canada, le taux de chômage dans la catégorie «direction et administration» de Statistique Canada a triplé entre 1975-1983 et se retrouve à un niveau sans précédent. De plus, les organismes publics et parapublics, importants employeurs de cadres au cours des années 1960 et 1970, sont maintenant soumis à des restrictions budgétaires qui leur empêchent d'accroître leurs effectifs. Pourtant, une lueur d'espoir apparaît. Selon certains conseillers, nous assistons présentement à un réveil du marché de l'embauche chez les cadres; plusieurs postes laissés vacants depuis deux ou trois ans sont maintenant à combler. Cependant, sur le marché du travail, la demande demeurant beaucoup plus élevée que l'offre, seule une solide croissance économique générale au Canada et au Québec pourrait suffire à absorber tous les candidats potentiellement aptes et disponibles à oeuvrer comme cadre. Suite à cette récente crise économique, les spécialistes en ressources humaines doivent porter davantage attention au choix du personnel. En effet, ils ont l'avantage de bénéficier actuellement d'un bassin de main-d'oeuvre disponible et varié à partir duquel ils peuvent recruter. Par contre, une erreur de décision, telle que l'embauche d'un candidat incompétent, peut affecter considérablement la rentabilité et même la survie de l'entreprise. Afin que l'organisation-hôte s'épanouisse et atteigne ses objectifs, il importe que le responsable de la sélection puisse être en mesure d'évaluer adéquatement le potentiel de ses futurs cadres. Dans ce contexte, il convient de se demander par quelle(s) méthode(s) d'évaluation s'effectue cette appréciation dans nos entreprises québécoises? Est-ce que ces moyens d'évaluation varient selon les caractéristiques individuelles recherchées, selon le niveau des cadres, selon le caractère privé ou public, selon les secteurs d'activités? Les responsables de la sélection sont-ils satisfaits de ces méthodes d'évaluation? Permettent-elles d'atteindre les résultats escomptés? Où se situent les besoins de nos entreprises face à la sélection des cadres? etc.

---

1. Mémoire de maîtrise présenté en 1985 au Département de psychologie de l'Université de Montréal, sous la direction du professeur Robert Haccoun.

Voilà plusieurs questions intéressantes qui comportent présentement peu de réponses. Il existe actuellement sur le marché beaucoup de documentation sur le processus de sélection. Cependant, très peu d'écrits sont d'auteurs québécois. La parution de leurs articles s'est surtout multipliée au cours de la dernière décennie (Bordeleau, 1982; Briand, 1976; Clairoux, 1978; Haccoun, 1979; Rondeau, 1980; etc.). Par contre, peu d'études pragmatiques ont été réalisées par ces derniers, afin de déterminer avec exactitude, quelles sont les pratiques de sélection des cadres utilisées au Québec. Les quelques recherches sur le sujet ne comprennent que très peu d'informations et/ou leurs résultats sont basés sur un trop petit échantillon pour en tirer des généralités.

Cette recherche poursuit donc comme objectif de pallier à cette carence, en éclairant certains aspects de la sélection des cadres en contexte québécois.

Méthodologie

L'échantillon visé par cette recherche se compose d'une part des organisations participantes et d'autre part, des individus fournissant les informations sur la sélection des cadres.

Échantillon des organisations

La population des organisations éligibles à cette étude se définit par deux critères de base: la taille et la localisation géographique.

Les entreprises admissibles à cette enquête doivent avoir plus de 1 000 employés et ce, indépendamment du secteur d'activités (production ou service) et de leur caractère privé ou public.

Le choix des grandes entreprises se justifie par les raisons suivantes: 1) la fonction ressources humaines, et plus précisément les techniques de sélection de cadres, sont pratiquement inexistantes (ou décentralisées) dans les petites entreprises et très peu développées au niveau des moyennes organisations; 2) comme le nombre de cadres dans une entreprise est directement proportionnel à la taille de celle-ci, il en résulte que plus l'entreprise est grande, plus il y a de chances de trouver des procédures de sélection détaillées; 3) les grandes organisations possèdent davantage les ressources humaines et financières nécessaires au développement des procédures de sélection des cadres; 4) finalement, cette catégorie d'organisations peut servir de modèle aux P.M.E.

Quant à la localisation géographique, les organisations participantes doivent avoir leur siège social (ou du moins une de leurs filiales) situé dans la région du Montréal métropolitain. De plus, il est essentiel que la sélection de cadres ait lieu à Montréal.

Bien entendu, l'idéal serait d'effectuer l'enquête au sein des différentes entreprises couvrant toutes les régions du Québec. Toutefois, par économie de temps et d'argent, cette étude concerne une population plus limitée, c'est-à-dire celle du Montréal métropolitain. Cette région possède malgré tout, le plus grand bassin de population (2,805,478) et la majorité des moyennes et des grandes entreprises (Scott's, 1982-1983). De plus, il faut souligner que la concentration des grosses industries dans ce territoire facilite grandement l'accessibilité aux sources d'information.

Échantillon des individus

Le choix des individus concernés par cette recherche repose également sur deux critères de base: le niveau de responsabilité et l'expression linguistique.

Les répondants à cette enquête sont du département des ressources humaines, plus précisément attitrés au secteur du personnel. Ils sont directeurs, coordonnateurs, chefs, conseillers, agents de personnel ou autres. En fait, peu importe leur titre, l'essentiel est de répondre aux critères de base, c'est-à-dire être responsable ou impliqué directement dans la sélection des cadres. Un seul répondant par entreprise est retenu.

Étant donné que le vocabulaire employé dans la sélection des cadres est relativement technique et afin d'éviter toute équivoque dans le traitement ultérieur des données, l'échantillon concerné n'inclut que des individus d'expression française.

En ce qui a trait à la sélection des informateurs, il s'agissait au point de départ, d'identifier à l'aide de l'annuaire téléphonique, le numéro de téléphone de chacune des entreprises admissibles. En demandant le secteur des ressources humaines, il suffisait de tenter de communiquer avec l'employé le plus directement responsable de la sélection des cadres. Il devenait alors possible de s'enquérir de son expression linguistique et de sélectionner les répondants en fonction des critères de base. Le cas échéant, il s'agissait de présenter le but de l'étude et d'inciter l'interlocuteur à participer à l'enquête en question. Dans l'éventualité d'une réponse affirmative, un questionnaire lui était envoyé ou, selon le désir de l'informateur, une rencontre pouvait être fixée afin de présenter personnellement l'instrument d'enquête. Dans le cas où le questionnaire n'était pas retourné, un rappel avait alors lieu.

À cause du faible nombre d'organisations éligibles (90 entreprises) et du risque élevé de refus compte tenu de la technique utilisée, un échantillon probabiliste ne s'avérait guère nécessaire. En effet, pour les fins de cette étude exploratoire, il s'agissait plutôt de communiquer avec un informateur potentiel dans chacune de ces 90 organisations et de solliciter sa collaboration. L'échantillon final dépendait donc directement du taux d'acceptation ou du retour des questionnaires.

Finalement, 46 responsables de la sélection de 46 entreprises différentes ont répondu au questionnaire. Ces organisations se répartissent en neuf secteurs d'activités: 1) les institutions financières (six); 2) les services publics (six); 3) les hôpitaux (dix); 4) les universités (trois); 5) les commerces (deux); 6) les transports (un); 7) les pâtes et papiers (trois); 8) les produits de consommation (cinq); 9) les secteurs primaires et autres produits (six).

Questionnaire utilisé

Cette partie explique les raisons du choix de la technique de récolte d'informations, de la façon dont le questionnaire a été conçu et les principaux éléments de son contenu.

Choix de l'instrument

La technique par laquelle s'effectue la cueillette des données consiste en un questionnaire standardisé. Le choix de cet outil de collecte d'informations se justifie par trois motifs principaux.

Premièrement, étant donné que cette recherche traite un sujet bien connu (mais dont nous possédons peu d'informations quant à son application au Québec) et qu'il s'agit d'un domaine concernant des faits plutôt que des attitudes ou des opinions trop complexes, nous concluons avec Grawitz (1979) et Selltiz et al. (1977) que le questionnaire écrit peut suffire.

Deuxièmement, considérant que la population concernée par cette étude est composée de 90 entreprises, il est important, pour assurer une certaine représentativité, que les résultats d'enquête soient basés sur un nombre d'organisations suffisamment grand (au moins 50 % de la population). Compte tenu du temps et des ressources financières disponibles pour effectuer cette recherche, cet objectif n'est réalisable que par le questionnaire écrit. En effet, celui-ci peut s'appliquer simultanément à un grand nombre d'individus.

Troisièmement, le questionnaire offre certains avantages importants telles: une administration qui requiert moins d'habileté que l'entrevue, une formulation standardisée offrant une certaine uniformité d'une situation à l'autre, moins de pression sur le sujet étant donné l'utilisation d'un questionnaire.

Conception de l'instrument

La conception de ce questionnaire est la résultante de trois opérations bien distinctes: ébauche basée sur la documentation et les besoins actuels, vérification de la validité auprès d'une firme de psychologues industriels, et enfin vérification de la validité auprès d'entreprises.

La première étape consistait à recueillir le plus d'informations possibles sur la sélection des cadres en vue d'arriver à une connaissance réaliste de la situation actuelle et de préparer une première ébauche du questionnaire. Cet objectif a été réalisé par deux approches complémentaires: la première comportait une approche documentaire et la seconde, un sondage sur le terrain à l'aide d'entrevues.

La deuxième étape a permis de soumettre l'ébauche du questionnaire à deux membres d'une firme de psychologues industriels. Suite à cette consultation, de nombreuses retouches ont été apportées à la première ébauche de l'instrument. En effet, certaines questions ont été complètement changées ou mises de côté, quelques-unes se sont précisées alors que d'autres furent ajoutées.

La dernière étape de la confection du questionnaire visait à mettre à l'épreuve cet instrument auprès d'un échantillon d'entreprises québécoises. Plus précisément, trois informateurs oeuvrant dans la sélection des cadres du secteur privé et trois autres du domaine public ont collaboré à cette étape. En fait, leur participation à la pré-expérimentation a donné l'occasion de connaître et d'éliminer les questions qui les gênaient, celles dont l'utilité leur paraissait douteuse et, par le fait même, ajouter d'autres questions qui leur semblaient pertinentes. Bref, la pré-expérimentation unifie les points de vue, évitant ainsi les divergences d'interprétation.

Contenu de l'instrument

Afin de cerner l'ensemble des éléments désirés, 40 questions dont la majorité sont à choix multiples, ont été conçues. Les réponses du sujet sont donc limitées à des choix énoncés à l'avance. Les réponses à choix multiples, selon Selltiz et al. (1977), sont mieux indiquées lorsqu'il s'agit d'acquérir des informations sur des données objectives connues des répondants et de faire ressortir les opinions au sujet de questions auxquelles les individus ont des idées claires. Or, dans le même sens, il appert, selon Labovitz et Hagedorn (1971), que plus un domaine particulier est connu, plus les thèmes peuvent être structurés et susciter des réponses significatives. Conséquemment, puisque cette étude traite un sujet relativement bien connu, ce type de question s'avère très pertinent. Les quelques questions à réponses ouvertes de ce questionnaire ont été retenues parce qu'il s'agissait d'un problème complexe, ambigu et plus ou moins connu. En de telles situations, il est plus approprié de laisser aux répondants toute liberté de s'exprimer, de varier leurs informations ou de donner plusieurs réponses. Mentionnons finalement que le questionnaire écrit exige environ 45 minutes aux informateurs pour y répondre. La durée de la collecte d'information s'est étendue sur une période de sept mois.

Traitement des données

Les questions à choix multiples étant précodées, une simple addition permet de totaliser les diverses positions prises par les répondants de l'enquête. En revanche, lorsqu'il s'agit des questions ouvertes, une véritable analyse de contenu s'impose. Dans le cas présent, ce processus s'est effectué en adoptant la méthode de codification de Grawitz (1979). Plus précisément, cet auteur soutient que les questions ouvertes se codifient en procédant selon quatre étapes: 1) l'analyse de contenu, 2) l'établissement de catégories, 3) la détermination du nombre de catégories, et 4) le classement des réponses.

Le traitement des données comprend également des analyses statistiques. Il est donc principalement question de comparer les pratiques de sélection des cadres utilisées par les entreprises du secteur public et celles employées par le secteur privé. De même, puisque cette recherche concerne une catégorie d'employés bien précise (les cadres) et qu'elle a pour but de détecter, s'il y a lieu, la présence de données hétérogènes, cette enquête présente les résultats à chacune des questions, en fonction des trois niveaux hiérarchiques (inférieur, intermédiaire et supérieur). Le but consiste à détecter les différences de sélection selon les niveaux impliqués.

Présentation des résultats

Cette étude a porté sur 46 entreprises du Montréal métropolitain, de 1 000 employés ou plus. Les organisations participantes sont issues à 58.7 % du secteur public et à 41.3 % du secteur privé, respectant ainsi la structure de la population des organisations éligibles. Presque tous les répondants (95.7 %) font de la sélection au niveau des cadres inférieurs et intermédiaires et près de la moitié de ceux-ci (54.3 %) sont également impliqués dans l'évaluation des cadres supérieurs.

Au cours de la dernière année, très peu de cadres ont été recrutés. Il en coûte approximativement 3 000,00 $ et moins pour sélectionner un cadre inférieur (73.8 %) ou intermédiaire (64.7 %) et plus de 3 000,00 $ (68.4 %) pour un cadre supérieur. La majorité des organisations investissent, sur une période annuelle, moins de 50 000,00 $, pour la sélection de leurs cadres.

Il faut aux organisations moins de dix semaines pour combler un poste de cadre inférieur (84.1 %) ou intermédiaire (63.6 %) et plus de six semaines pour un emploi de cadre supérieur (60.7 %). Le temps consacré à la sélection des cadres est, pour la majorité des répondants (67.4 %), de «peu à moyennement» suffisant.

Les entreprises sollicitent plus fréquemment la collaboration de spécialistes externes pour l'évaluation de leurs cadres intermédiaires et supérieurs qu'elles ne le font pour un niveau hiérarchique inférieur. Les organisations, ayant déjà demandé l'aide d'experts-conseils, se considèrent majoritairement «peu à moyennement» satisfaites de leurs services.

La très grande majorité des entreprises indiquent que l'expérience et la formation académique sont les principaux critères dont elles tiennent compte lors de l'analyse des candidatures. Les tests psychométriques sont des outils de sélection valorisés par peu d'entreprises. Toutefois, les organismes publics consomment davantage de tests que ceux du secteur privé en ce qui concerne les cadres intermédiaires et supérieurs. Les tests maisons sont également peu utilisés comme moyen d'évaluation des cadres. Par ailleurs, pour la très grande majorité des entreprises qui les emploient, ces outils ont été conçus par des ressources internes. Les tests (maison ou standardisés) procurent à leurs utilisateurs peu de satisfaction. Par ailleurs, la majorité des utilisateurs de tests standardisés n'ont pas validé leurs outils à l'intérieur de leur propre entreprise. Le trait le plus fréquemment mesuré par ces tests est le leadership.

L'entrevue demeure la technique d'évaluation de cadres la plus utilisée par les entreprises. La très grande majorité des organisations utilisent surtout un type d'entrevue semi-structurée (58.7 %). Celle-ci est pratiquée aussi fréquemment par un responsable des ressources humaines que par un représentant du service requérant. Cependant, l'entrevue conjointe est une pratique peu courante. Plus de 80 % des répondants se considèrent «fortement à très satisfait» de l'entrevue, comme technique de collecte de données et cela, indépendamment du degré de structuration de l'entrevue et du niveau hiérarchique des cadres.

Les entreprises emploient autant les exercices situationnels pour la sélection de leurs cadres inférieurs que pour les cadres de positions hiérarchiques plus élevées (plus de 52 %). Plus des deux tiers des utilisateurs se considèrent très satisfaits de cette technique d'évaluation. Par ailleurs, plus de 70 % des organisations évaluent fréquemment leurs cadres à l'aide de comité de sélection. La majorité de celles-ci se disent satisfaites des résultats obtenus. Les répondants mentionnent que le formulaire de demande d'emploi ou le curriculum vitae demeure un instrument pratiquement toujours utilisé en sélection de cadres. La vérification des antécédents d'emploi sont des pratiques très courantes dans presque toutes les organisations peu importe le niveau des cadres. En effet, 91.1 % mentionnent le faire après avoir rencontré le candidat. Seulement le tiers se servent d'une grille ou d'un formulaire standard.

Plus de 89 % des entreprises rédigent un rapport d'évaluation sur les cadres rencontrés en sélection. Parmi celles-ci, deux types de rapports se dégagent principalement: le premier correspond à une appréciation globale du candidat, le second est un rapport basé sur des variables spécifiques.

Le pouvoir décisionnel appartient majoritairement au représentant du service requérant et cela, indépendamment du niveau des cadres. La plupart des organisations (77.8 %) indiquent exercer un suivi après l'embauche d'un candidat.

La très grande majorité des répondants s'accordent à dire qu'ils possèdent des instruments de sélection efficaces bien que 80 % des entreprises n'ont pas soumis leurs techniques de sélection de cadres à une étude de validation.

De façon générale, les faits démontrent que les pratiques actuelles en sélection de cadres souffrent de sérieuses lacunes sur le plan scientifique. Le fait que relativement peu d'entreprises vérifient empiriquement la valeur prédictive des procédures de sélection qu'elles utilisent, soulève peut-être des inquiétudes quant à la validité des systèmes actuels de sélection de cadres au Québec. En effet, il y aurait sûrement possibilité d'augmenter la qualité décisionnelle du processus de sélection en utilisant des moyens d'évaluation plus appropriés et valides, sans pour autant qu'ils soient plus onéreux.

En résumé, ce n'est qu'à travers un équilibre judicieux des coûts, de la validité et du taux de sélection que les entreprises, compte tenu des contraintes qui leur sont propres, pourront accroître l'efficacité de leur système de sélection des cadres.

Références citées dans le résumé du mémoire

BORDELEAU, Y. (1982) Le centre d'évaluation: comment améliorer son fonctionnement et sa rentabilité. *Revue Internationale de Gestion,* novembre, 38-45.

BRIAND, A. (1976) Le centre d'identification et de développement du potentiel administratif I. *Commerce,* juin, 14-16.

BRIAND, A. (1976) Le centre d'identification et de développement du potentiel administratif II. *Commerce,* août, 4-6.

BRIAND, A. (1976) Le centre d'identification et de développement du potentiel administratif III. *Commerce,* septembre, 11-15.

CLAIROUX, J. (1978) Le recrutement d'un cadre supérieur: une question de profits ou de pertes. *Commerce,* décembre, 78-82.

GRAWITZ, M. (1979) *Méthode des sciences sociales,* Paris: Dalloz.

HACCOUN, R. (1979) La sélection du personnel: une alternative au modèle traditionnel. *Revue Internationale de Gestion,* avril, 64-70.

LABOVITZ, S., HAGEDORN, R. (1971) *Introduction to social research.* New-York: McGraw-Hill.

RONDEAU, A. (1980) L'évaluation du potentiel administratif: un outil à la planification de carrière. *Revue Internationale de Gestion,* septembre, 23-33.

SCOTT'S (1982-83) *Répertoire industriel du Québec (section fabrication)*. Publié par Scott's Industrial Directories, Div. of Richard DeBoo Ltd.

SELLTIZ, C., WRIGHTSMAN, L.S., COOK, W.S. (1977) *Les méthodes de recherche en sciences sociales*. Montréal: Édition HRW.

4. SIMULATION

La simulation en laboratoire est certainement une des plus anciennes méthodes de recherche et de formation qui existe. Elle revêt la forme de jeux ou de modèles symboliques. Sur le plan de la physique, Guetzkow (1962) mentionne que même Léonard de Vinci construisait des simulations. Au 19e siècle, cette méthode a pris un essor considérable dans le domaine des sciences pures et récemment, le monde des affaires (Meier et al., 1969) y a eu recours pour la création de nombreux jeux d'entreprise.

La simulation, en tant que méthode de recherche et d'intervention en sciences sociales, s'est développée surtout après la Seconde Guerre mondiale, suite à l'élaboration de plusieurs outils mathématiques. Comme il n'est pas toujours possible d'expérimenter directement sur le terrain et ce, pour de multiples raisons que nous exposerons plus loin, la simulation en laboratoire devient une méthode fort intéressante car elle permet l'analyse de situations problématiques tout en respectant le fonctionnement d'un système conçu par le chercheur-intervenant (Daigle, 1983). En tant que méthode de recherche et d'intervention dans les organisations, la simulation a atteint une certaine maturité au début des années '50.

4.1 Définition de la simulation

La notion de simulation fait référence à deux aspects principaux: un modèle de la réalité et un processus de changement. La plupart des auteurs définissent d'abord la simulation comme un modèle opérationnel d'un système réel. En psychologie organisationnelle, c'est une imitation d'un phénomène regroupant un ensemble de variables interreliées entre elles et fonctionnant de façon essentiellement identique au système réel ou au système hypothétique. Dans la simulation, l'expérimentation s'effectue sur le modèle et non sur le système réel lui-même. L'autre aspect de la définition est celle qui met en relief le fait que la simulation est un processus qui représente la dynamique du système réel. En effet, la simulation implique une succession de changements d'état du système à l'intérieur d'une durée déterminée par le spécialiste. Ceci nécessite donc trois sous-modèles correspondant à trois sous-systèmes de la réalité. Il y a d'abord le modèle de départ (correspond à la réalité initiale), le modèle du changement (correspond au processus dynamique du système) et enfin le modèle terminal (correspond au système réel résultant). La simulation ne vise pas seulement à reproduire des systèmes mais également la dynamique caractéristique de ceux-ci (Guetzkow et al., 1972). La simulation, par son processus, manipule, simplifie, transforme et substitue les propriétés appartenant à la réalité dans le modèle opérationnel.

Le modèle permet au chercheur-intervenant d'accélérer ou de ralentir le processus étudié et facilite une reproduction fidèle des changements dans le temps. Enfin, signalons que le modèle n'est qu'une représentation d'un système réel et qu'il n'a aucunement la prétention d'expliquer totalement le système. Il ne fait que le reproduire alors que la théorie tentera de l'expliquer (Bisson, 1984).

La simulation possède donc trois caractéristiques majeures. Étant donné qu'elle se déroule en laboratoire (par opposition au milieu naturel d'émergence du phénomène), elle permet le contrôle du spécialiste dans la manipulation de la cause (variable indépendante). Deuxièmement, la simulation est une situation construite et planifiée pour permettre l'émergence d'un phénomène spécifique. Enfin, la simulation nécessite que le phénomène ou le problème organisationnel analysé soit relativement précis, pointu et connu du chercheur-intervenant sinon il ne pourrait le reproduire dans un modèle (Bordeleau et al., 1982).

Il existe trois types de simulation: simulation entièrement réalisée par individus, simulation par ordinateur et simulation par interaction individu-ordinateur. La première forme de simulation consiste à mettre en situation deux ou plusieurs individus. Chaque personne a un rôle à jouer conformément à l'objectif visé. Armitage (voir Hollinshead et Yorke, 1981) affirme que les jeux de rôles sont utiles pour plusieurs raisons. Principalement, la simulation entre individus permet d'analyser les attitudes et réponses de ces derniers envers divers stimuli ou de recueillir des informations d'une façon plus concrète et réaliste que par le questionnaire. Les problèmes majeurs à contrôler dans une simulation entre individus concernent l'organisation des activités de chaque individu ou groupe d'individus et la nature imprévisible de l'environnement qui évolue tout au long de la simulation. Le second type de simulation est celle qui se réalise complètement sur ordinateur. L'expert structure à l'intérieur de l'ordinateur toute la dynamique du modèle opérationnel représentatif du système réel. Ceci implique donc une utilisation massive de modèles logiques et mathématiques décrivant les comportements sociaux impliqués dans la simulation. Les modèles conçus peuvent être très complexes mais ceux-ci doivent répondre précisément à certaines interrogations pratiques. La simulation par ordinateur est particulièrement bien appropriée pour formuler des hypothèses, vérifier des théories sophistiquées et développer des modèles complexes et complets. Le chercheur-intervenant procède alors par étape et, grâce à l'ordinateur, approfondit et développe son modèle (Helmstadter, 1970). Enfin, le dernier genre de simulation est une combinaison des deux précédents: la simulation par interaction individu-ordinateur. Les personnes prennent donc généralement des décisions ou posent des gestes à l'intérieur d'une interaction continue avec un modèle simulé dans l'ordinateur. Ces types de jeux sont utilisés fréquemment en sciences administratives et en sciences politiques. Les acteurs fournissent au modèle informatisé leur réaction ou décision et, par interaction, ce dernier simule la réaction de l'environnement. Cette boucle peut se répéter et la simulation complète comprend généralement plusieurs cycles successifs. La simulation individu-ordinateur permet de simuler à la fois les caractéristiques de l'environnement, les activités logistiques, et la rétroaction par des rapports opérationnels. De plus, l'ordinateur peut également emmaganiser les données ou résultats et même faire l'analyse de celles-ci sous forme de tableaux, figures ou graphiques. L'individu est essentiellement le fournisseur de données de base qui, par ses «inputs», définit les paramètres auxquels réagit l'ordinateur.

La simulation est particulièrement utile quand il s'agit de vérifier un processus en établissant les relations entre diverses variables. En tentant de reproduire un processus dans une simulation, il est possible de voir quelles sont les variables importantes et éliminer les variables contaminantes. Cet effort de compréhension du processus ne peut qu'avoir pour effet de développer et raffiner certaines compréhensions et théories. En les modélisant, de vagues théories ou intuitions s'écroulent pour faire place à des conceptualisations plus justes de certains phénomènes reliés au monde du travail.

4.2 Étapes de la simulation

Bien qu'il y ait trois types de simulation, nous tenterons d'en faire ressortir les principales étapes communes. Quatre étapes seront ainsi présentées dans cette section.

Formulation du problème

Dans un premier temps, il est nécessaire de bien comprendre le problème et le poser en termes opérationnels. C'est donc dire qu'une problématique organisationnelle doit être énoncée en faisant ressortir précisément les variables essentielles. Là se retrouve toute la complexité de la simulation car il n'est pas facile de capturer l'essence même du phénomène à simuler et d'en faire ressortir les variables critiques (Bisson, 1984).

Le chercheur-intervenant établit le dossier de la simulation en énonçant l'objectif et ses caractéristiques spécifiques. La dynamique de la simulation ou du modèle rend compte de la façon dont les divers éléments interagissent dans le système. Le spécialiste des organisations a donc la tâche difficile de déterminer ce qui est important à inclure dans la simulation et ce qui doit être éliminé pour ne pas créer de confusion dans la démarche de recherche ou d'intervention.

Établissement des bases du modèle

Lors de cette étape, le chercheur-intervenant approfondit la problématique à l'étude ou se familiarise avec celle-ci. Il se doit de la comprendre à fond pour pouvoir identifier et rassembler toutes les données pertinentes au modèle. Pour ce faire, il peut consulter certains dossiers, faire des entrevues avec des personnes-ressources ou aller chercher certaines informations essentielles par questionnaire. C'est de fait la phase de documentation nécessaire à la conception du modèle.

Conception et formulation du modèle

L'expert est maintenant prêt à passer à la conception et à la formulation du modèle en classifiant d'abord le matériel ou l'information recueillie antérieurement. Cette simple classification aide beaucoup à clarifier et à structurer le modèle éventuel.

Après avoir conçu la simulation initiale, il est alors utile de la soumettre immédiatement à la critique et de voir si celle-ci répond bien aux intérêts concernés ou s'il n'y a pas d'autres alternatives plus valables pour cerner et analyser la dynamique du modèle. Suite à cette première analyse critique, le chercheur-intervenant passe à la conception finale de la simulation.

Concevoir la simulation signifie établir pour chacun des divers sous-modèle, les données requises, la documentation nécessaire, le matériel de support, les feuilles de participation et d'enregistrement des résultats. Le spécialiste définit précisément l'environnement dans lequel s'effectue la simulation, et les questions précises à poser aux participants. Il opérationnalise tous les aspects de la simulation dans une double perspective, soit celle du participant et celle du chercheur-intervenant. Dans la première perspective, les consignes devront être claires afin que les participants exécutent les tâches demandées correctement et uniformément. Dans la seconde perspective, il détermine essentiellement les mécanismes de production et d'analyse des résultats.

Dans le cas d'une simulation par ordinateur ou individu-ordinateur, le spécialiste doit évidemment traduire le modèle conçu dans un langage informatique approprié (Pritsker et Pegden, 1979).

Vérification et validation du modèle

L'étape suivante consiste à vérifier et à valider la performance de la simulation. Dans un premier temps, la pré-expérimentation sert à mettre à l'épreuve la simulation créée qu'elle soit entre individus, par ordinateur ou caractérisée par une interaction individu-ordinateur. Il n'est cependant pas toujours facile de réaliser la pré-expérimentation étant donné la disponibilité exigée de la part des participants. Cependant, cette pré-expérimentation est absolument nécessaire car il serait très dangereux d'aller directement à la cueillette d'informations puisqu'il est pratiquement toujours nécessaire d'apporter des ajustements à la simulation pour valider indirectement les données recueillies par la suite. Le chercheur-intervenant utilise cette phase pour perfectionner la simulation et produire une version finale. La pré-expérimentation doit également servir à vérifier la stratégie expérimentale et les consignes.

Quant à la validation, elle consiste à déterminer si la simulation est bien une représentation exacte du système réel. Le critère utilisé est le degré de conformité du déroulement de la simulation par rapport aux données existantes. Il est recommandé d'utiliser, comme points de validation, l'entrée des données, les éléments du modèle et les sous-systèmes ou sous-modèles. La validation est facilitée par la correspondance entre les éléments de la simulation et ceux du système réel. Il suffit donc souvent de comparer avec une approche critique la structure de la simulation et celle du système (Bisson, 1984).

4.3 Avantages et limites de la simulation

Comme toutes les méthodes, la simulation se caractérise par certains avantages importants. Le premier avantage est celui d'être une méthode disponible quand le spécialiste ne peut pas expérimenter ou intervenir directement sur le terrain pour des raisons pratiques d'ordre expérimental, sécuritaire, ethique ou financier. En effet, certains phénomènes ou processus ne peuvent être reproduits qu'en situation de laboratoire, comme par exemple, une simulation reliée aux accidents de travail ou à la discrimination raciale au travail. De plus, il est bien évident que certaines analyses pourraient avoir des effets négatifs sur les sujets si celles-ci étaient réalisées en milieu naturel. Enfin, il peut être nécessaire de recourir à la simulation quand la recherche ou l'intervention peut avoir des conséquences financières importantes. Citons ici, comme exemple, l'effet de certaines coupures dans les bénéfices marginaux attribués aux employés. Dans cette optique, la simulation permet l'étude dynamique de modèles complexes et la vérification de certaines hypothèses sans risque comparativement à une étude sur le terrain. Cette méthode oblige donc le chercheur-intervenant à bien définir tous les éléments du système s'il désire le modéliser adéquatement. S'il s'agit d'étudier les relations inter-personnelles au travail, il peut, dans une simulation, analyser l'effet précis de divers systèmes alternatifs et en isoler l'impact.

Le second avantage de la simulation correspond au meilleur contrôle des variables dans une situation proche de la réalité. Le spécialiste tente le plus possible de se rapprocher des caractéristiques complexes de la problématique telle qu'elle se présente en milieu naturel. La simulation est utile lorsqu'une situation contient plusieurs variables qui ont une interaction complexe entre elles. Le fait de pouvoir manipuler les variables ou conditions expérimentales permet au chercheur-intervenant d'en mesurer les effets. C'est en ce sens un puissant outil pour déterminer les relations existant entre les variables du modèle. Lorsque les systèmes sont trop complexes pour permettre l'expérimentation «in vivo», la simulation est alors un outil fort intéressant disponible aux experts.

Le fait de procéder à une expérimentation par le biais d'une simulation permet également au chercheur-intervenant d'en accélérer le processus dynamique et ainsi économiser du temps. En effet, une modélisation rend possible la contraction du temps et la vérification de certaines hypothèses d'une façon relativement économique en termes de durée. Le spécialiste peut, dans la simulation, modifier la dimension temporelle comme bon lui semble: accélérer, ralentir ou même arrêter un processus (Daigle, 1983). Un autre aspect de cette économie de temps correspond à la capacité de l'ordinateur, dans des simulations par ordinateur ou par interaction individu-ordinateur, d'emmagasiner, de traiter et d'analyser très rapidement les informations, ce qui sauve beaucoup de temps à l'utilisateur de cette méthode.

Enfin, le dernier avantage est la possibilité de reproduction de l'expérimentation dans des conditions passablement similaires. De plus, s'il le désire, le chercheur-intervenant reprend l'expérimentation en ne modifiant qu'un aspect à la fois. Les autres conditions expérimentales demeurent alors strictement identiques. Dans ce contexte, l'observation répétée du système simulé ne peut que mener à une meilleure compréhension des phénomènes analysés et au raffinement d'une théorie.

La simulation a également certaines limites. En effet, Ballaz et al. (1974) soulignent qu'il est bien évident que les modèles ne peuvent prétendre remplacer complètement le système réel. Plus un système est complexe, plus il est difficile à reproduire puisqu'il faut préciser, dans les plus petits détails, les variables, étapes et séquences. De plus, Bordeleau et al. (1982) affirment que nulle cause créée ne peut être identique en tout point au phénomène naturel. Le spécialiste ne doit jamais oublier les limites de son modèle et prendre pour acquis que la simulation est exactement le reflet de ce qui se passe dans la réalité. Soulignons en terminant ce point particulier que plusieurs auteurs (Raser, Campbell et Chadwick, 1970: voir Guetzkow et al., (1972) contestent, c'est-à-dire le paradigme de recherche qui soutient la simplification du système pour mieux en étudier la dynamique.

Cette première limite a pour conséquence d'affecter la généralisation des résultats. Il y a toujours un écart entre la simulation et le système réel ce qui oblige le chercheur-intervenant à beaucoup de prudence dans l'interprétation et la généralisation des résultats. Le fait de pouvoir répéter plusieurs fois l'expérimentation peut être un apport important dans l'évaluation de la validité des conclusions. Cependant, il ne faut pas oublier que la simulation est, de fait, une simplification de la réalité et qu'elle se situe à un moment précis dans le temps et à un endroit spécifique dans l'espace, ce qui n'est pas sans affecter la généralisation des conclusions.

La troisième limite à signaler relève de la mesure. Il est en effet difficile de susciter, par la manipulation des variables, des variations suffisamment importantes pour que les effets puissent se manifester et être mesurés par le spécialiste. Festinger et Katz (1959) ajoutent que la puissance de chaque variable diminue au fur et à mesure que le nombre de celles-ci augmente.

Une dernière limite concerne le coût énorme de la simulation en termes de temps et de ressources nécessaires. En effet, l'élaboration d'une simulation prend beaucoup de temps car c'est une démarche longue et laborieuse. Le chercheur-intervenant doit donc avoir beaucoup de latitude temporelle pour utiliser cette méthode. De plus, il faut des ressources humaines fort spécialisées puisque la conception et la réalisation d'une manipulation exigent des connaissances très poussées relativement à la problématique de l'étude. Dans certains cas, des compétences en informatique sont également nécessaires.

4.4 Illustration — Les effets de la confiance et de l'évaluation de la performance sur le comportement du négociateur (Claudette Desjardins, M.Sc.)[1]

Position du problème

Plusieurs facteurs influencent le déroulement de la négociation et différents auteurs, à diverses époques, se sont penchés sur l'étude des aspects de ces facteurs. Ainsi, il est communément accepté que le négociateur, de par ses fonctions de représentant d'un groupe, joue un rôle déterminant dans le règlement du conflit. La connaissance de la façon dont se concrétisent les relations entre le représentant et son constituant ou son groupe (i.e. les caractéristiques du constituant, l'expérience du représentant avec son constituant) et, plus spécifiquement, le moment où elles prennent véritablement forme, s'avère fondamentale pour comprendre son comportement de négociateur. Cette recherche tente donc de démontrer le lien existant entre la confiance initiale du constituant en son représentant et l'effet de l'évaluation de la performance du représentant par le constituant sur le comportement du représentant.

Relation représentant/constituant

La notion de représentant est importante car elle définit l'action du négociateur. Le fait d'avoir à représenter un groupe place le représentant dans une position délicate: parce qu'il est mandaté par un groupe auquel il appartient, le négociateur se doit de respecter les normes et les attentes des personnes représentées et en même temps de régler le conflit avec la partie adverse en faisant des compromis. En conséquence, le négociateur est soumis à des forces contradictoires et son rôle est bâti sur des exigences conflictuelles. Cette exigence conflictuelle de rôle constitue toute l'originalité de la situation de négociation intergroupe (Adams, 1976; Katz et Kahn, 1966; Vidmar et McGrath, 1970; Walton et McKersie, 1965).

D'autre part, des études empiriques démontrent que les relations qui existent entre le représentant et son groupe affectent le comportement du négociateur (Bass, 1966; Benton, 1972; Breaugh et Klimoski, 1977; Haccoun et Klimoski, 1975; Klimoski et Ash, 1974; Vidmar, 1971; Wall, 1975). C'est pourquoi le négociateur expérimente un double conflit. D'une part, il doit

---

1. Mémoire de maîtrise présenté en 1982 au Département de psychologie de l'Université de Montréal, sous la direction du professeur Robert Haccoun.

faire preuve de compréhension et agir de la sorte pour satisfaire les besoins de son adversaire, ensuite il doit répondre aux attentes qui proviennent de sa propre organisation. Il va de soi que le représentant du groupe se préoccupera de l'image que ses mandants se font de lui à travers sa performance de négociateur. C'est par cette performance que le groupe le juge.

Confiance du constituant en son représentant

La relation apparaît évidente entre la confiance du constituant en son représentant et le déroulement de la négociation. Lorsque le groupe accorde sa pleine confiance et un appui ferme à ceux qui le représentent, ceux-ci reçoivent alors un mandat large et souple qui leur laisse beaucoup de latitude à la table des négociations (Hébert et Vincent, 1980). Les membres du groupe jugent que leur représentant connaît suffisamment ses mandants pour percevoir leurs aspirations et agir en conséquence devant la partie adverse. À l'inverse, le négociateur privé de la confiance des membres du groupe ne bénéficie que d'un mandat réduit: il est obligé de retourner fréquemment devant ses troupes pour recevoir des directives précises et limitées, et par la même occasion, être évalué sur son action passée. Donc, plus le négociateur a la confiance du groupe, plus il se sent autonome et plus les négociations peuvent progresser rondement: il aura tendance à rechercher des solutions optimales et à coopérer avec l'opposant pour arriver à une solution (Adams, 1976). D'un autre côté, plus le négociateur doit retourner chercher un accord, moins il a d'autonomie et les risques sont élevés que les négociations se prolongent.

En conséquence, les hypothèses suivantes sont proposées:

H1 - Le négociateur investi de la confiance élevée du constituant a) déviera plus des positions initiales; b) s'exposera moins à une impasse; c) arrivera plus rapidement à une solution finale que le négociateur investi de la confiance faible du groupe.

H2 - Le négociateur investi de la confiance élevée du constituant percevra l'opposant plus souple que le négociateur investi de la confiance faible du groupe.

Évaluation de la performance du représentant par le constituant

Les observations faites par un grand nombre d'auteurs indiquent que les négociateurs qui ont à faire face à une évaluation de leur performance par leur constituant éprouvent beaucoup de difficulté dans les négociations. Par exemple, Vitz et Kite (1970) notent que la présence d'un conseiller augmente le degré de résistance dans les pourparlers avec un opposant. Les observations sur le terrain par Walton et McKersie (1965) et Stevens (1963) rapportent l'importance de la fonction évaluation dans une négociation.

En conséquence, il est permis de s'attendre aux résultats suivants:

H3 - Le représentant qui reçoit une évaluation négative de sa performance durant la négociation a) déviera moins des positions initiales du groupe; b) s'exposera plus à une impasse; c) arrivera moins rapidement à une solution finale.

H4 - Le négociateur qui reçoit une évaluation positive de sa performance de la part du constituant montrera un niveau d'estime de soi situationnelle plus élevé que le négociateur qui reçoit une évaluation négative ou que celui qui n'est pas évalué.

H5 - Le représentant investi de la confiance élevée du groupe, contrairement à celui qui bénéficie de la confiance faible du groupe a) déviera moins des positions initiales du groupe; b) s'exposera plus à une impasse; c) arrivera moins rapidement à une solution finale lorsqu'il reçoit une évaluation négative que lorsqu'il reçoit une évaluation positive ou qu'il n'est pas évalué.

Méthodologie

Description de l'échantillon

Pour les fins de cette recherche, 144 personnes de la région de Montréal sont recrutées pour constituer l'échantillon final. Parmi ces sujets dont l'âge moyen atteint 19.85 ans, 59 % (N = 85) sont des sujets féminins et 41 % (N = 59) sont des sujets masculins. De ce nombre, 122 sujets poursuivent des études collégiales, 12 sujets sont inscrits à l'université et 10 sujets ont terminé des études de niveau universitaire.

Méthode de cueillette des données

La tâche utilisée dans cette étude implique la résolution d'un problème de prise de décision. Le problème d'expédition lunaire de la NASA, retenu pour cette expérience, consiste à établir la priorité relative de 15 objets pour la survivance et le déplacement d'un groupe à la suite de l'écrasement d'un vaisseau spatial sur la lune. Dans ce problème, l'utilité de certains items est très évidente alors qu'elle demeure plus ambiguë pour d'autres objets. Pour connaître l'importance de ces objets, le sujet doit faire des hypothèses variables en regard de la situation.

Déroulement de l'expérience

Six sujets de sexe homogène sont reçus à chaque session expérimentale. Aussitôt arrivés au laboratoire, ils sont séparés en deux équipes de trois personnes et conduits à des salles différentes où ils reçoivent leurs instructions. La division des équipes s'effectue au hasard; s'il arrive que des personnes se connaissent, elles sont assignées à des groupes différents, de manière à ce qu'elles ne puissent interagir au cours des phases ultérieures de l'étude. À ce moment, les deux équipes ne peuvent se voir ni s'entendre l'une l'autre.

Tout le matériel expérimental et les questionnaires sont répartis dans des enveloppes et les instructions transmises aux deux équipes sont enregistrées sur un magnétophone à cassette afin d'assurer la standardisation des consignes.

Les sujets sont d'abord informés des buts et des objectifs poursuivis par l'étude et des phases qui en constituent le déroulement. La démarche suivie pour l'expérimentation s'effectuera en trois étapes successives: 1) la prise de décision individuelle; 2) la prise de décision en groupe, et 3) la négociation de la décision de groupe avec une autre équipe. Les sujets sont avisés qu'au cours de cette dernière étape, un membre de leur équipe sera choisi au hasard pour négocier la décision du groupe avec le représentant d'un autre groupe.

Lors de la première étape de l'expérimentation, les tâches demandées aux sujets se divisent en deux parties. Dans un premier temps, la consigne leur demande de remplir un questionnaire portant sur des données biographiques et sur leur connaissance en rapport avec l'étude en cours et le problème d'expédition lunaire de la NASA. Dans un deuxième temps, les instructions invitent les sujets à trouver une solution individuelle au problème d'expédition lunaire de la NASA.

Pour la deuxième étape de l'étude, la consigne consiste à demander aux trois membres de l'équipe de recherche une solution de groupe au même problème d'expédition lunaire. Cette fois, cependant, les instructions précisent aux sujets: 1) d'utiliser leur solution individuelle comme point de départ; 2) d'essayer d'intégrer les idées de tous les membres de l'équipe; et 3) d'expliquer le rationnel justifiant leurs choix. Tous les groupes ont 15 minutes pour arriver à une solution commune.

La discussion de groupe terminée, l'expérimentateur entre dans le local et entame la procédure pour choisir le représentant du groupe. Les six sujets présents dans le laboratoire sont conduits à des salles individuelles ou laissés seuls, ils répondent à un questionnaire portant sur l'évaluation de leur performance lors de la discussion de groupe et sur d'autres réactions reliées à leur expérience de groupe. Une période de dix minutes est accordée aux sujets pour répondre à ces questions.

Lorsque le questionnaire est complété, l'expérimentateur apprend à chaque sujet qu'il a été choisi (et qu'il est le seul à avoir été choisi) pour représenter son équipe dans la prochaine étape de l'étude, en lui disant:

> «C'est vous qui avez été choisi pour représenter votre équipe. Au cours de la prochaine étape, vous aurez à travailler avec le représentant d'un autre groupe, choisi de la même façon que vous. Vous le rencontrerez dans quelques instants.»

L'expérimentateur invite alors le représentant à lire les instructions qui lui donnent un aperçu du déroulement de la session de négociation. Ainsi, le représentant est avisé que les membres de son équipe communiqueront avec lui durant la négociation, qu'il sera évalué et écouté par eux et qu'il devra les rencontrer, à la fin de la période de négociation, pour discuter avec eux de son évaluation et des résultats de la négociation.

Une fois que l'expérimentateur s'est assuré que le sujet a terminé la lecture des documents (10 minutes), il applique le premier traitement expérimental. Il remet au représentant une enveloppe qui provient de son groupe.

Selon la condition expérimentale, l'enveloppe contient une évaluation dans laquelle les membres de l'équipe expriment leur confiance élevée ou faible en leur représentant. La moitié des sujets de l'échantillon reçoit une évaluation de confiance se situant aux extrémités supérieures de l'échelle (1 = totalement; 2 = beaucoup), alors que l'évaluation de l'autre moitié des sujets se classe dans la position inférieure de l'échelle (4 = un peu). Après avoir reçu l'évaluation de confiance élevée ou faible de la part de leur groupe, tous les sujets remplissent un questionnaire comportant quatre items destinés à mesurer l'efficacité de la manipulation expérimentale.

Lorsque le questionnaire est rempli, chaque représentant est conduit à une salle où il rencontre le représentant de l'autre groupe. Après les présentations d'usage, l'expérimentateur signale aux deux représentants que les instructions à suivre pour le déroulement de cette étape sont enregistrées. Il les prévient également qu'une évaluation de leur performance par leur groupe respectif leur sera remise après la deuxième période de négociation. Un microphone suspendu au plafond de la pièce a été installé dans le but d'augmenter la croyance des représentants en l'existence des autres membres de l'équipe et la possibilité d'être entendus par eux.

Puis, l'expérimentateur met en marche le magnétophone et quitte la salle. Les consignes données alors aux sujets sont les suivantes: pour toute la durée de cette étape, les représentants...

    a) se servent du matériel contenu dans l'enveloppe;
    b) ont six périodes de cinq minutes pour arriver à une solution finale;

c) prennent une pause de 30 secondes après chaque période;
d) inscrivent le nombre d'items sur lesquels ils ont conclu un accord à la fin de chaque période;
e) doivent respecter les indications d'arrêter ou de continuer la discussion.

Une fois la négociation engagée, après le deuxième intervalle de cinq minutes, l'expérimentateur applique la seconde manipulation expérimentale. Le tiers des sujets de l'échantillon reçoit une communication écrite du groupe de référence (provenant, en réalité, de l'expérimentateur) dans laquelle les membres transmettent au représentant une évaluation positive de sa performance et l'assurent de leur appui total pour la suite des négociations. Un autre tiers de l'échantillon se voit attribuer une évaluation négative de sa performance et un appui assez faible de la part du constituant. Le dernier tiers des sujets qui constitue le groupe contrôle ne reçoit pas d'évaluation.

Avant que la négociation ne se poursuive, chaque représentant remplit un questionnaire portant sur l'auto-évaluation de sa performance durant le premier et le deuxième intervalle de négociation. Ce questionnaire recueille également les perceptions du représentant sur la performance de son opposant et sur l'évaluation qu'il vient de recevoir.

Aussitôt qu'une dyade arrive à une solution finale ou que le temps est écoulé, l'expérimentateur entre dans la pièce et invite les représentants à rencontrer les membres de leur équipe pour discuter des résultats de la négociation.

Schème expérimental

La présente étude utilise un schème factoriel 2 (confiance élevée vs confiance faible) par 3 (évaluation positive vs évaluation négative vs absence d'évaluation) impliquant six groupes indépendants avec cellules inégales. Un schème factoriel 2 (confiance élevée vs faible) par 3 (évaluation positive vs négative vs absence d'évaluation) par 3 (confiance perçue avant vs pendant vs après la négociation) avec mesures répétées sur le dernier facteur est également utilisé pour vérifier l'efficacité des manipulations. Enfin, une dernière mesure de contrôle requiert l'utilisation d'un schème factoriel 2 (confiance élevée vs faible) par 3 (évaluation positive, négative, absence d'évaluation) par 2 (satisfaction du groupe pendant vs après la négociation) avec mesures répétées sur le dernier facteur.

Analyse des résultats

Dans l'ensemble, les résultats de cette recherche comportent peu d'indications quant à la difficulté de négocier pour les représentants. Aucune différence significative entre les groupes de confiance élevée et de confiance faible n'est observée pour l'indice de déviation et la fréquence des impasses. Toutefois, les négociateurs qui ont la confiance élevée du groupe prennent moins de temps pour arriver à une solution finale que ceux qui bénéficient de la confiance faible du groupe. Ces données suggèrent que le mandat de confiance accordé au représentant fait plus appel à la compétence à la tâche des sujets qu'à la volonté des sujets à fournir les efforts voulus pour défendre la solution de groupe. Si tel est le cas, les sujets assument que s'ils ont la confiance du groupe, c'est parce qu'ils ont les habiletés requises pour effectuer la tâche. Le fait que les sujets utilisés dans cette étude ne soient pas des professionnels de la négociation, pour qui la tâche de négocier n'est pas habituelle, peut inciter les sujets à penser que le groupe ne s'attendait pas à ce qu'ils se comportent de manière exceptionnelle et qu'ils seraient satisfaits même avec des gains plus faibles. Les habiletés que requiert la tâche de négociateur de la part des sujets inexpérimentés peuvent être en majeure partie responsables de comportements identifiques observés dans les six cellules expérimentales. Ce constat renvoit à la problématique de l'attribution du mandat de confiance. Ainsi, il importerait d'établir de façon précise les modalités suivant lesquelles le mandat de confiance est attribué au représentant pour permettre de différencier au maximum la nature du mandat et mieux faire ressortir le comportement du négociateur.

D'autre part, le facteur de l'évaluation n'affecte pas la difficulté de négocier des représentants. En ce qui concerne l'indice de déviation, la fréquence des impasses et le temps utilisé pour arriver à une solution finale, aucune différence significative n'est remarquée entre les représentants qui se voient attribuer une évaluation positive ou négative et ceux qui ne sont pas évalués. Même si les négociateurs qui reçoivent une évaluation positive de leur performance perçoivent l'opposant plus souple et montrent un niveau plus élevé d'estime de soi situationnelle que ceux des deux autres conditions, la qualité des solutions produites n'en est pas moins satisfaisante pour tous les négociateurs. Dans leur revue de littérature, Ilgen, Fisher et Taylor (1979: voir Ilgen et Knowlton, 1980) affirment qu'en général les subordonnés perçoivent le feedback négatif plus positif qu'il leur est rapporté. Compte tenu de cette constatation et du fait que les sujets ne se reconnaissent pas tous la compétence à la tâche, il est possible que l'évaluation négative soit perçue plus positive par ces sujets en raison de la performance qu'ils pensent être en mesure de fournir.

Ici encore, les données invitent à conclure à l'importance des attributions dans la nature de l'évaluation présentée aux représentants. L'évaluation de la performance reliée aux habiletés plutôt qu'aux efforts des représentants diminue considérablement l'impact de l'évaluation chez des sujets qui ne se reconnaissent pas initialement les compétences implicites à la situation de négociation. Il faudrait dans une recherche ultérieure distinguer entre ces deux types d'attribution de la performance pour permettre de dégager l'effet de l'évaluation sur le comportement du représentant.

Références citées dans le résumé du mémoire

ADAMS, Stacy, J. (1976). The structure of behavior in organizational boundary roles, *in* M.D. Dunnette (Ed.): *Handbook of industrial and organizational psychology* (pp. 1175-1199). Chicago: Rand McNally Publishing Co.

BASS, B.M. (1966). Effects on the subsequent performance of negotiators of studying issues or planning strategies alone or in groups. *Psychological Monographs*, 80 (No 614 entier).

BENTON, A.A. (1972). Accountability and negotiations between group representatives. Paper presented to the American Psychological Association Convention, Hawaii.

BREAUGH, J.A., KLIMOSKI, R.J. (1977). The choice of a group spokesman in bargaining: member or outsider? *Organizational Behavior and Human Performance,* 19, 325-336.

HACCOUN, R.R., KLIMOSKI, R.J. (1975). Negotiation status and accountability source: a study of negotiation behavior. *Organizational Behavior and Human Performance*, 14, 342-359.

HEBERT, G., VINCENT, J. (1980). *L'environnement et le jeu des personnalités dans la négociation collective.* Monographie de l'École de relations industrielles de l'Université de Montréal, n° 7.

ILGEN, D.R., KNOWLTON, W.A. Jr. (1980). Performance attributional effects on feedback from superiors. *Organizational Behavior and Human Performance*, 25, 441-456.

KATZ, D., KAHN, R.L. (1966). *The social psychology of organizations.* New-York: John Wiley and Sons, Inc.

KLIMOSKI, R.J., ASH, R.A. (1974). Accountability and negotiation behavior. *Organizational Behavior and Human Performance,* 11, 409-425.

STEVENS, C.M. (1963). *Strategy and collective bargaining negotiation.* New-York: McGraw-Hill.

VIDMAR, N. (1971). Effects of representational roles and mediators on negotiation effectiveness. *Journal of Personality and Social Psychology*, 17, 48-58.

VIDMAR, N., McGRATH, J.E. (1970). Forces affecting success in negotiation groups. *Behavioral Science,* 15, 154-163.

VITZ, P.C., KITE, W.R. (1970). Factor affecting conflict and negotiation within an alliance. *Journal of Experimental Social Psychology*, 6, 233-247.

WALL, J.A. (1975). Effects of constituent trust and representative bargaining orientation on intergroup bargaining. *Journal of Personnality and Social Psychology*, 31, No 6, 1004-1012.

WALL, J.A. (1975). The effects of constituent trust and representative bargaining orientation in intergroup bargaining. *Organizational Behavior and Human Performance,* 14, No 2, 244-256.

WALTON, R.E., McKERSIE, R.B. (1965) *A behavioral theory of labor negotiations.* New-York: McGraw-Hill.

Chapitre 6

Les méthodes
non traditionnelles

Dans les chapitres précédents, nous avons présenté sept méthodes relativement connues de la part des chercheurs-intervenants qui oeuvrent en milieu organisationnel au niveau des problèmes reliés à la gestion des ressources humaines et aux comportements organisationnels. Ces méthodes, dites traditionnelles, sont donc fréquemment utilisées dans les milieux sociaux et administratifs.

Dans ce chapitre, nous présenterons trois méthodes non traditionnelles. Celles-ci sont relativement innovatrices pour le milieu organisationnel bien que certaines d'entre elles soient déjà bien connues dans le domaine de la prospective. Le fait de présenter ces méthodes dans le présent volume a pour objectif de faire éclater les cadres traditionnels en suggérant aux spécialistes certaines méthodes moins fréquemment utilisées par eux.

La présentation sommaire de ces trois méthodes aidera peut-être à revitaliser la panoplie des outils disponibles aux chercheurs-intervenants. Ces trois méthodes sont donc la méthodologie des systèmes souples, la méthode Delphi et le scénario.

1. MÉTHODOLOGIE DES SYSTÈMES SOUPLES

La méthodologie des systèmes souples a été mise au point par Peter B. Checkland (1981) dans le but de cerner et d'agir sur des problématiques mal définies qui sont très souvent perçues différemment par les personnes impliquées dans ces situations. Cette méthodologie de recherche et d'action prend appui sur l'émergence de l'approche systémique.

L'approche scientifique traditionnelle soutient une conception mécanique de l'homme et de la nature. L'approche systémique s'oppose à cette conception qui tente de réduire tout objet d'étude en des unités élémentaires et qui, en agissant ainsi, rend la réalité désincarnée. De plus, la pensée classique se caractérise par une conception de la causalité plutôt linéaire et unidirectionnelle. Ce mode de pensée qui se veut rigoureux et scientifique ne permet pas de saisir toute la complexité des phénomènes organisationnels et sociaux qui interagissent quotidiennement sous nos yeux. La pensée systémique réagit à cet état de fait en considérant l'univers comme un ensemble de systèmes et de sous-systèmes complexes qui interagissent continuellement entre eux. Alors que l'approche analytique cherche à réduire un système à ses éléments fondamentaux et conçoit l'ensemble comme une simple addition des caractères des unités, l'approche systémique permet d'aborder un système dans sa totalité, sa complexité et sa dynamique (Massie, 1984). Avec l'approche systémique, les phénomènes sociaux ne sont plus réduits à de simples unités mais bien considérés comme des sous-systèmes inclus dans un système plus large (Aubin, 1985). Un changement dans un des sous-systèmes affecte automatiquement les autres sous-systèmes environnants et le système global. Ainsi, un département de ressources humaines dans une entreprise n'est pas considéré comme une entité indépendante mais comme un sous-système faisant partie d'un système plus global représenté par l'entreprise. Considéré sous cet angle, tout changement apporté au département des ressources humaines peut avoir un impact sur les autres départements du système global représenté ici par l'organisation dans sa totalité.

1.1 Aperçu historique de l'approche systémique

En 1973, Bertalanffy fut un des premiers à s'opposer à cette vision mécanique de l'univers et de la science en élaborant la théorie générale des systèmes. Cette théorie met en relief le concept de système qui devient le pivot de l'approche scientifique contemporaine. Bertalanffy préconise que les spécialistes délaissent l'analyse des problèmes en découpant la réalité en unités plus ou moins artificielles mais qu'ils se préoccupent davantage, dans l'étude des phénomènes, d'analyser le tout comme un système global caractérisé par l'interdépendance des sous-systèmes et la complexité de la dynamique.

Jusqu'à tout récemment, les chercheurs-intervenants voyaient le monde comme un agrégat de phénomènes qui pouvaient constituer autant d'objets d'étude. Chacun de ces phénomènes est de fait la résultante d'une série d'unités distinctes. Avec la pensée traditionnelle, les principes scientifiques de base sont le réductionnisme (viser la plus simple explication avec le plus petit nombre d'hypothèses, de concepts et d'étapes de raisonnement), la répétabilité (valider les résultats d'une étude en les reproduisant en laboratoire ou sur le terrain), la réfutabilité (considérer vrai ce qui n'a pas été réfuté) et la causalité linéaire (n'altérer qu'une variable à la fois, dans un cadre théorique spécifique, pour en saisir les effets précis) (Claux et Gélinas, 1982).

La pensée systémique réagit à cette tendance de morcellement du réel et s'intéresse à la complexité des systèmes en tant que telle. Avec le développement de la technologie et la complexification incessante des interactions humaines et sociales, le schéma scientifique d'unités observables et isolables ne relève plus le défi de proposer des solutions réalistes aux problèmes complexes (Ragault, 1983). La pensée systémique dirige essentiellement le focus sur les interactions dans l'univers. Moins axée sur la recherche de la causalité linéaire, la pensée systémique tient compte de la présence simultanée de plusieurs variables à la fois et valide ses résultats en confrontant ceux-ci avec le modèle prévu. L'interaction entre l'univers effectif et l'univers de la pensée systémique est continue. Dans cette optique, la méthodologie des systémiques souples entre dans le courant moderne de la recherche-action. Cette méthodologie est donc issue de cette évolution de la pensée scientifique et elle est particulièrement bien adaptée à l'étude des phénomènes organisationnels ou systèmes «souples».

1.2 Définition de la méthodologie des systèmes souples

La méthodologie des systèmes souples est essentiellement une méthode de cueillette de données qui permet à l'expert d'aborder la complexité des interactions sociales telles qu'elles se vivent dans la réalité. Cette méthodologie est fondée sur les concepts systémiques. De plus, elle facilite la représentation des situations problématiques telles que perçues par les acteurs ou les personnes impliquées. Les échanges constants entre le spécialiste et les acteurs permettent d'apporter le changement nécessaire à la situation problématique. La méthodologie des systèmes souples vise à clarifier des situations complexes et différemment perçues par les divers acteurs présents dans la situation qui pose problème. Le chercheur-intervenant a pour but de recueillir les représentations du problème de toutes les personnes impliquées. À titre d'agent de changements, il suscite donc la participation active des acteurs avec l'objectif d'améliorer la situation. Ces voies d'amélioration émergent de l'implication même des personnes concernées par le problème. Au moyen de l'action et de la rétroaction, il y a réajustement continuel de l'analyse de la situation problématique avec le but explicite de l'améliorer.

La méthodologie des systèmes souples est une méthode de cueillette d'information qui permet d'aborder la complexité des interactions humaines et sociales de la globalité des phénomènes (Massie, 1984). Cette méthodologie facilite la représentation des divers systèmes d'activités inscrits dans une situation problème. Comme la méthodologie des systèmes souples s'exerce sur «le terrain» et compte tenu de ses caractéristiques principales, elle peut être qualifiée de recherche-action, ce qui implique une phase d'investigation qui correspond ici à la dimension recherche de cette méthodologie.

La méthodologie des systèmes souples repose sur quatre postulats principaux que nous allons maintenant décrire brièvement (Massie, 1984). Le premier postulat énonce que l'univers effectif est composé de systèmes d'activités humaines. Les divers phénomènes organisationnels sont représentés par un ensemble d'activités interreliées. Les variables en cause ont une objectivité relative puisqu'elles sont perçues différemment selon les acteurs impliqués. Le salaire versé aux employés pourra être perçu comme très équitable par un patron qui tient compte de la concurrence, et insatisfaisant pour les employés qui tiennent compte de l'inflation du coût de la vie. La variable est ici perçue non plus comme un élément objectif mais comme un élément sujet à une interprétation très subjective. Le second postulat met en relief le fait que cette méthodologie ne vise pas qu'à comprendre un phénomène mais également à remplacer un état de chose par un autre plus souhaitable ou amélioré, par le moyen de la délibération des acteurs. Le troisième postulat consiste à souligner que cette approche implique simultanément un processus d'apprentissage. Le caractère dynamique action-réaction met en évidence la dimension apprentissage pour les individus impliqués. En effet, les acteurs doivent eux-mêmes rechercher, avec l'aide de l'agent de changements, les solutions au problème. Il est alors possible de reformuler celui-ci et chercher à nouveau des améliorations à la situation problématique nouvelle. Enfin, le dernier postulat est relatif à la multirationnalité. En effet, la connaissance n'est pas absolue et unirationnelle mais plutôt multirationnelle puisqu'elle émerge de la perception des divers acteurs face à l'ensemble des systèmes d'activités humaines impliqués dans la situation problématique. Les différentes perceptions des gens forment essentiellement différentes rationalités (Bergeron et al., 1979).

1.3 Étapes de la méthodologie des systèmes souples

La méthodologie des systèmes souples se caractérise par sept étapes distinctes (figure 17, p. 230).

Les étapes 1 et 2 permettent de définir la situation problématique en tenant compte des perceptions (opinions, faits, énoncés descriptifs) formulées par les acteurs. La troisième étape identifie la situation problématique dans toute sa complexité et ce, à l'aide de termes systémiques. À la quatrième étape, les systèmes identifiés à l'étape précédente sont alors modélisés. À l'étape 5, les acteurs impliqués procèdent à une délibération durant laquelle le modèle conceptuel représentant les systèmes de la réalité et la réalité telle que perçue par les acteurs sont comparés. Enfin, aux étapes 6 et 7, les acteurs identifient, à partir des délibérations, les changements faisables et souhaitables pour modifier la situation problématique.

Comme il est possible de le constater (figure 17), ces sept étapes font appel à deux niveaux: l'univers effectif et la pensée systémique. L'univers effectif réfère au monde réel dans lequel se vit la situation problématique. C'est dans cet univers que seront entreprises les démarches d'analyse (étapes 1 et 2) et d'action (étapes 5, 6 et 7). Quant au second niveau, soit celui de la pensée systémique, il fait référence à la représentation conceptuelle de la situation problématique ou de la réalité vécue. Les étapes 3 et 4 font donc appel à la pensée organisée et structurée dans le but de réaliser la modélisation des systèmes.

Figure 17: **La méthodologie des systèmes souples.**

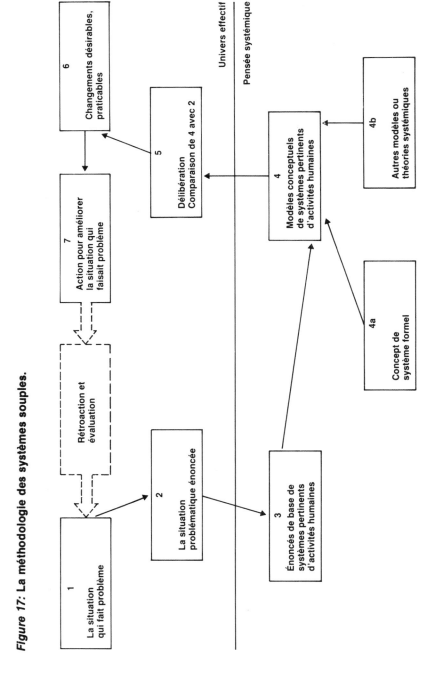

(Adapté de Claux et Gélinas, 1982)

Étape 1 : Situation qui fait problème

La première étape consiste, pour le chercheur-intervenant, à identifier la situation qui fait problème en cernant les rôles des différents acteurs impliqués. Ces rôles sont les suivants: le client (personne qui fait appel au spécialiste), l'agent de résolution (celui qui possède le pouvoir décisionnel de modifier les activités du système) et le (les) propriétaire(s) (personnes directement impliquées dans la situation problématique). L'exemple suivant tiré de Claux et Gélinas (1982) illustre un peu ces divers aspects de l'étape 1 :

— Situation problème: Fermeture d'une école dans un petit village.

— Client: Directeur de l'école.

— Agent de résolution: Fonctionnaires du ministère de l'Éducation, commissaires scolaires, directeur de l'école.

— Propriétaires: Fonctionnaires, commissaires, directeur, enseignants, élèves, parents, maire, curé du village.

À cette étape, il s'agit d'élaborer une vision et une compréhension de la situation problématique en recueillant les opinions des divers acteurs impliqués. Il y a alors émergence ou expression de divers systèmes d'activités humaines pertinentes au problème. Le spécialiste va, dès ce moment, chercher un éclairage essentiel du vécu problématique tel que perçu par les acteurs. C'est essentiellement l'étape de l'énonciation de la problématique. Pour illustrer cette démarche, disons que le maire trouve impensable de fermer cette école qui constitue le seul lieu culturel du village; le fonctionnaire ne voit pas d'autre solution étant donné les déficits budgétaires; le directeur est sensible au fait que cette fermeture tuerait la vie du village, etc.

Étape 2 : Situation problématique énoncée

Lors de cette seconde étape, la situation problématique est exprimée en faisant ressortir trois dimensions particulières: la structure, le processus et le climat. La structure réfère aux éléments relativement statiques, c'est-à-dire qui changent peu ou pas. Il s'agit des infrastructures à l'intérieur desquelles se manifestent les processus (par exemple: organigramme, budget, modalités de communication, etc.). Les processus représentent les éléments changeants de la situation problématique. C'est la dimension dynamique du système ou la description des activités fondamentales (par exemple: fournir tel ou tel service, évaluer la satisfaction de la clientèle, réévaluer périodiquement l'ordre des priorités, etc.). Enfin, le climat correspond à la relation entre la structure et les processus et il s'exprime par les aspects affectifs et socio-affectifs, les valeurs, etc. (Claux et Gélinas, 1982).

En exprimant la réalité de façon structurée, le chercheur-intervenant espère faire ressortir ultérieurement les choix possibles et pertinents d'amélioration de la situation problématique.

Étape 3 : Énoncés de base de systèmes pertinents d'activités humaines

En abordant cette troisième étape de la méthodologie des systèmes souples, l'utilisateur de la méthode passe de l'univers effectif au niveau de la pensée systémique. Après avoir fait l'analyse de la situation problématique, il est maintenant temps d'énoncer le ou les systèmes conceptuels qui rendent explicite notre conception des diverses dimensions de la situation problématique. L'expert identifie la base à partir de laquelle il pourra faire émerger certaines hypothèses d'amélioration. Celles-ci seront éventuellement traduites en changements réalisables et souhaitables. L'énoncé de base contient tous les éléments essentiels pour générer un modèle conceptuel du système d'activités humaines (Claux et Gélinas, 1982).

Ces énoncés de base constituent l'expression rationnelle du contenu ou des perceptions présentées par les divers acteurs lors de l'analyse sur le terrain (étapes 1 et 2). Les énoncés ne sont pas que la simple description des perceptions mais des visions plus abstraites, quoique représentatives de tous les points de vue de la situation problématique. À cette étape, le spécialiste prend un certain recul face à la réalité exprimée pour réaménager les informations recueillies. En retenant l'essentiel de chaque vision, il formule alors les énoncés de base en traduisant les opinions des acteurs en termes plus systémiques.

Dans une intervention auprès d'une école, Claux et Gélinas (1982) mettent en relief quatre énoncés de base relatifs aux diverses visions exprimées par les personnes impliquées dans la situation problématique: un système administratif, un système économique, un système socio-culturel et un système pédagogique. À titre d'exemple, nous mentionnerons l'énoncé de base relatif au système administratif:

> «Un système d'allocation des ressources gérées par les cadres permettant aux commissaires de décider du réaménagement des services en fonction des paramètres budgétaires et du maintien des coûts afin de ne pas surtaxer les contribuables.»

Checkland (1981) a formulé un moyen mnémotechnique pour aider le responsable à s'assurer que les énoncés de base sont complets, c'est-à-dire qu'ils comprennent les divers éléments qui doivent y être présents. La mnémomique suggérée est AUTWEP (CATWOE en anglais). Chaque lettre représente un élément particulier:

A : acteurs du système

U : usagers du système

T : processus de transformation

W : vision du monde («weltanschauung») qui se trouve derrière l'énoncé et le rend significatif

E : contraintes de l'environnement

P : propriétaires du système

Les acteurs (A) correspondent aux personnes qui agiront dans le processus de transformation. Les usagers (U) sont les bénéficiaires des extrants. Le processus de transformation (T) réfère au traitement donné aux divers intrants du système. La vision du monde (W) est celle des divers acteurs qui donnent un sens à la situation problématique. L'environnement (E) concerne toutes les conditions qui caractérisent ou affectent le système. Enfin, les propriétaires (P) détiennent le pouvoir d'arrêter le processus de transformation et celui de décider d'introduire ou non un changement. Cette grille proposée par Checkland (1981) aide le chercheur-intervenant à formuler des énoncés de base complets qui donnent ensuite naissance à des modèles pertinents.

Étape 4: Modèles conceptuels de systèmes pertinents d'activités humaines

Les modèles permettent de représenter de façon intelligible des systèmes naturels complexes. Modéliser, c'est construire, conceptualiser, concevoir une image qui représente une réalité (Aubin, 1985). Checkland (1981) fait remarquer que cette meilleure intelligibilité se traduit nécessairement par une représentation plus pauvre de la réalité puisque celle-ci est assujettie à un processus de schématisation.

Les énoncés de base constituent la charpente à partir de laquelle le spécialiste élabore la modélisation du système. Un modèle constitue une représentation organisée des «activités humaines nécessaires à l'accomplissement du processus de transformation contenu dans l'énoncé de base». Le modèle est concrètement formé d'un ensemble de verbes correspondant aux diverses activités à réaliser. L'expert doit, après avoir établi la liste de ces activités, mettre ces verbes d'action dans un ordre logique.

Ainsi, le modèle définit la mission du système, les diverses activités modélisées selon une séquence logique, les modalités de communication dans le système et les mécanismes de contrôle permettant de réajuster les activités en vue de l'atteinte du but fixé. De plus, le modèle tient compte du fait que tout système a une frontière, des ressources propres, une stabilité relative à long terme et qu'il est en interaction continuelle avec les autres systèmes connexes dans un supra-système plus large. C'est là l'essence même de la compréhension de la réalité selon l'approche systémique.

Dans le but d'illustrer l'étape de modélisation, nous décrirons ici l'école en tant que système pédagogique.

Objectif: Transmettre des connaissances aux élèves.

Activité 1
Établir les contenus à transmettre selon les divers niveaux scolaires.

Activité 2
Recruter et former les professeurs.

Activité 3
Établir un horaire qui respecte le rythme d'apprentissage des élèves.

Activité 4
Évaluer les apprentissages réalisés.

Etc.

Étape 5 : Délibération des acteurs ou comparaison de la situation exprimée et des modèles conceptuels d'activités humaines

Avec cette nouvelle étape, le chercheur-intervenant retourne au niveau de l'univers effectif. Après avoir énoncé la situation problématique avec la participation de toutes les personnes impliquées, vient le moment de confronter les modèles élaborés à la situation problématique. Cette étape se fait évidemment avec la participation active des acteurs qui peuvent alors réagir au travail de modélisation effectué. Les acteurs reprennent maintenant en charge les modèles et poursuivent vers les étapes ultérieures de cette méthodologie. Tous ont droit de parole. Si les modèles ne sont pas fondés sur le vécu des participants (étape 2), il est fort probable que ces derniers ne se retrouveront pas dans les modèles présentés et ne verront pas de voies d'amélioration vers des «possibles». Ces modèles doivent être délibérément acceptés par les acteurs et leur permettent d'évoluer vers une nouvelle réalité.

Les acteurs réagissent à l'écart qui existent entre la situation problématique et les modèles présentés par le chercheur-intervenant. Si ceux-ci sont trop loin de la réalité (ou s'ils ne font que décrire exactement, sans recul, les perceptions des acteurs), la délibération risque de ne pas être très productive et d'obliger le spécialiste à retourner au niveau de la pensée systémique (étapes 3 et 4) pour préparer une nouvelle délibération. Les écarts entre la situation problématique (étape 2) et les modèles présentés (étape 4) suscitent généralement la discussion entre les participants et les orientent vers l'étape suivante de la méthodologie des systèmes souples.

Le rôle de l'expert est ici très délicat et crucial car il permet et facilite l'expression de tous les points de vue des acteurs dans le respect de chacun, même si les positions peuvent parfois se situer aux extrêmes (Ragault, 1983). Bien que ce processus puisse paraître long et ardu car il faut alors comparer chaque énoncé de base ainsi que les sous-systèmes impliqués avec la réalité, ce recadrage est essentiel parce qu'il favorise l'émergence des changements possibles.

Étape 6 : Changements désirables et praticables

À l'étape 6, les acteurs sont amenés à identifier et débattre les changements faisables et souhaitables. À la suite de la confrontation des modèles et de la situation problématique, les personnes impliquées se penchent sur le caractère réaliste de l'implantation de certains changements. Un changement est praticable s'il tient compte des ressources disponibles et souhaitable s'il est désiré par les divers acteurs impliqués. Comme l'indiquent Claux et Gélinas (1982), un changement est plus ou moins accepté dans la mesure où il touche aux structures, processus, procédures ou attitudes plus ou moins bien ancrés dans la réalité. Des changements trop radicaux sont fréquemment rejetés et le spécialiste doit alors revenir à l'étape 5, soit celle de la délibération. Les changements retenus sont habituellement des conséquences directes des modèles systémiques élaborés.

Étape 7: Action pour améliorer la situation qui fait problème

Les changements ayant été identifiés, il est maintenant temps d'aborder la phase d'implantation. Le fait de réaliser un changement modifie toute la dynamique de la situation problématique et peut suggérer au chercheur-intervenant de reformuler à nouveau la situation qui fait problème et de reprendre le processus d'investigation et d'action que constitue la méthodologie des systèmes souples.

Cette dernière étape du processus fait ressortir la dimension itération de la méthodologie. Soulignons que le retour à des étapes antérieures peut se réaliser à n'importe quelle étape de la méthodologie des systèmes souples et non seulement après l'étape de l'implantation des changements (étape 7). En effet, comme nous l'avons signalé, l'expert peut s'apercevoir, par exemple lors de la délibération, que les modèles présentés ne suscitent pas de discussion permettant de dégager certains changements. Dans ce contexte, il convient plus de parler de formulation et de reformulation continuelle du problème plutôt que de résolution finale de la situation qui fait problème.

1.4 Avantages et limites de la méthodologie des systèmes souples

Au bilan des avantages, Schrerenberger (1982) signale que la méthodologie des systèmes souples est fondée sur des concepts relativement clairs et précis, ce qui en facilite une utilisation efficace à partir des premières interventions. Cette méthodologie permet au spécialiste d'aborder le problème avec un recul qui garantit une certaine objectivité en regard de la situation. De plus, la méthodologie des systèmes souples est très flexible et elle permet de toucher à une foule de problèmes organisationnels ou sociaux.

Cette approche tient compte de la vision spécifique de toutes les personnes impliquées et, en ce sens, le chercheur-intervenant ne privilégie pas une façon particulière de voir la situation problématique. En effet, tous les acteurs sont consultés préalablement à l'élaboration des modèles. La validation de cette méthodologie est essentiellement une validation sociale empirique, issue de la satisfaction des acteurs face aux résultats obtenus. L'implication active de ces derniers développe un sentiment d'appartenance au groupe et un sentiment d'appropriation du problème concerné. Les problématiques analysées sont ainsi réhumanisées. La méthodologie des systèmes souples rend essentielle la participation de tous les sujets impliqués dans la situation. Avec un appui aussi marqué dans la réalité, il n'est pas surprenant de constater que les transformations préconisées répondent bien aux besoins des gens. C'est une méthodologie dont l'adéquation des actions dans la réalité est particulièrement évidente. Cette dynamique de la méthodologie des systèmes souples fait ressortir un autre avantage majeur, soit l'acceptabilité des solutions ou améliorations proposées. Comme celles-ci proviennent des acteurs, il est plus facile pour ces derniers de les accepter. Les membres souscriront aux modifications proposées d'autant plus aisément qu'ils les ont eux-mêmes imaginées, ce qui en facilite de beaucoup l'implantation (Ragault, 1983).

Le rôle du chercheur-intervenant n'est pas perçu comme un faiseur de miracle mais plutôt comme un animateur ou une personne-ressource qui accompagne les acteurs dans leur démarche d'amélioration de leur situation problématique. Le focus demeure orienté sur les capacités du groupe et de ses membres et non sur l'expertise «ex cathedra» du spécialiste. Une telle caractéristique rend moins rébarbative la présence de ce dernier et en facilite l'acceptation. Il agit essentiellement comme un agent de changements qui mise, avec optimisme, sur les ressources mêmes du milieu ou de l'organisation.

Au niveau des limites, il faut en signaler évidemment quelques-unes. D'abord, la méthodologie des systèmes souples est relativement lourde quand nous pensons à la cueillette des données. En effet, la situation problématique implique fréquemment plusieurs groupes d'acteurs, ce qui alourdit sensiblement les étapes de l'énoncé de la problématique (étape 2) et de la délibération (étape 5). Ce n'est donc pas une méthodologie qui peut répondre d'une façon très rapide aux situations d'urgence. Le cheminement vers l'amélioration de la situation problématique peut être long et ardu compte tenu du nombre de groupes concernés. Une des conséquences de cette lourdeur correspond au coût financier nécessaire pour impliquer tous les acteurs. Dans un contexte de restriction budgétaire, les clients peuvent trouver cette approche relativement coûteuse malgré tous ses avantages.

De plus, comme les réalités organisationnelles sont relativement complexes, il n'est pas facile d'effectuer une modélisation simple puisque celle-ci doit tenir compte de plusieurs paramètres tel que décrit dans les étapes caractéristiques de cette méthodologie. Il va sans dire qu'une analyse effectuée selon cette approche ne peut être généralisée étant donné que les modèles sont élaborés à partir du bagage culturel et expérienciel des individus. Les résultats sont donc très spécifiques à la situation problématique. De plus, la méthodologie des systèmes souples ne serait efficace que pour décrire une situation et non pour l'expliquer (Molloy et Best, 1982). Les changements suggérés suite aux délibérations ne sont généralement pas des changements radicaux puisque ceux-ci seraient probablement rejetés par les personnes concernées (Jackson, 1983).

Finalement, deux limites se rattachent aux diverses personnes impliquées. Premièrement, les périodes relatives à l'énoncé de la situation et à la délibération risquent de créer une polarisation des individus autour de certaines visions ou perspectives de changement. Parfois même, les changements émergents pourront être ceux qui ont été suggérés par les individus plus affirmatifs ou en position hiérarchique privilégiée. C'est donc dire que les améliorations pourraient s'effectuer aux dépens des acteurs ne possédant pas une position hiérarchique qui puisse assurer un certain leadership (Jackson, 1983). Ici, le rôle du chercheur-intervenant est extrêmement important car il doit favoriser l'expression de tous dans le respect des personnes impliquées. Si ce dernier manque de tact, les changements identifiés pourront éventuellement être rejetés. Deuxièmement, la modélisation nécessite, de la part du spécialiste, une compétence très diversifiée pour lui permettre d'élaborer des modèles adéquats. S'il maîtrise mal certains aspects mentionnés lors de la seconde étape, il doit généralement avoir recours à certaines personnes-ressources pour élaborer un modèle particulier.

1.5 Illustration — Impact de l'informatique sur le travail des conseillers d'orientation du Saguenay-Lac-St-Jean (Denis Bédard, M.Sc.)[1]

Position du problème

La présente recherche-action concernant l'impact de l'informatique sur le travail des conseillers d'orientation se situe dans un contexte global de compréhension des diverses facettes des nouvelles technologies sur le travail.

Le secteur de l'éducation ne fait pas exception quant à l'implantation des technologies nouvelles si l'on pense, entre autres, à l'enseignement des techniques de conception et de fabrication assistées par ordinateur, à la bureautique, à l'enseignement des sciences informatiques ou encore aux applications pédagogiques de l'ordinateur.

La centrale de l'enseignement du Québec (CEQ) (association syndicale regroupant la majorité des enseignants du Québec) se préoccupait depuis quelques années de ce phénomène afin d'en suivre l'évolution. D'autres groupes du secteur de l'éducation utilisent de plus en plus les nouvelles technologies, et plus particulièrement l'informatique. La CEQ était donc intéressée à analyser ce phénomène auprès de certaines catégories de travailleurs qu'elle représente.

Parmi ceux-ci se trouvent les conseillers d'orientation qui utilisent certains systèmes informatisés d'orientation. D'ailleurs, ces derniers seront de plus en plus appelés à utiliser des fichiers informatisés d'information. Au moment de l'étude, ils étaient les plus grands utilisateurs de matériel informatique après les professionnels de la gestion aux niveaux secondaire et primaire.

L'hypothèse de départ soutenait que l'arrivée de l'informatique et plus particulièrement de la micro-informatique avait une influence sur les tâches et sur les conditions de travail des professionnels. Certaines interrogations sont soulevées quant au choix des systèmes mis en place, la participation des professionnels au processus de décision et d'implantation, l'incidence sur leur formation, leur qualification ainsi que l'organisation de leurs tâches. De fait, les expériences d'implantation se font au hasard des individus et des circonstances et il n'existe pas de pratique stable d'évaluation des effets sur les conditions de travail de ces conseillers d'orientation.

---

1. Mémoire de maîtrise présenté en 1986 au Département d'économie et de sciences administratives de l'Université du Québec à Chicoutimi, sous la direction du professeur André Briand.

L'étude, effectuée en collaboration avec la CEQ, par l'entremise de son secteur des communications. s'est déroulée sur une période de neuf mois. Compte tenu des hypothèses soulevées, du caractère relativement récent de l'implantation des technologies nouvelles chez cette catégorie d'emploi et du fait que les nouvelles technologies ne peuvent à elles seules expliquer les conditions de travail, la recherche comportait deux objectifs. Il s'agit, d'une part, d'établir un constat des conditions de travail et de l'effet de l'informatique sur les différents aspects du travail des conseillers d'orientation. D'autre part, suite à l'identification de zones d'améliorations potentielles, la recherche doit permettre d'offrir aux professionnels des suggestions afin d'être en mesure de mieux aborder l'implantation et l'utilisation de l'informatique dans leur travail.

Méthodologie

Hypothèses de départ

Ce projet de recherche-action visait au départ l'ensemble des professionnels oeuvrant dans le secteur de l'éducation. Cependant, suite à une analyse préliminaire, à une revue succincte de littérature et à des discussions avec le mandataire (CEQ), il fut décidé de focaliser l'étude au niveau des conseillers d'orientation. En effet, il aurait fallu, compte tenu de la diversité et la complexité des tâches exercées par les professionnels regroupés en quatorze corps d'emploi différents, faire une étude pour chaque catégorie. D'autre part, nous avions posé l'hypothèse (qui fut par la suite confirmée par une autre recherche) que les conseillers d'orientation étaient, parmi les membres des syndicats de professionnels de commissions scolaires, les principaux utilisateurs de matériel informatique.

Cueillette des données

Les données relatives à l'élaboration de la problématique ont été recueillies en deux temps. La première démarche a consisté en une analyse de l'environnement de travail des conseillers d'orientation. Elle s'est faite à partir des descriptions de tâches, des différentes politiques, structures et règles officielles entourant leur travail.

Par la suite, nous avons procédé à des entrevues semi-structurées auprès d'un groupe de conseillers d'orientation. Un guide d'entrevue a été conçu à partir de deux instruments particuliers, soit le modèle de Hackman et Oldham (1980) ayant trait au potentiel de motivation d'une tâche et d'une enquête de la CEQ portant sur l'utilisation de la micro-informatique chez les enseignants (1985). Ces entrevues se sont déroulées individuellement sur les lieux de travail.

Échantillon

L'échantillon a été bâti de façon contrôlée. Nous avons procédé de la sorte afin de répondre aux critères pré-établis. Une première liste d'utilisateurs potentiels de micro-informatique fut établie à partir des listes des associations syndicales et d'une vérification auprès des conseillers d'orientation dans chaque commission scolaire. Les critères suivants ont servi à l'élaboration de l'échantillon: être membre d'un syndicat de professionnels affilié à la CEQ, lieu de travail au Saguenay-Lac-Saint-Jean, être un utilisateur potentiel de matériel informatique à divers stades d'implantation, type d'employeur, âge, sexe, expérience et disponibilité des personnes à participer à la recherche.

Choix de la technique de recherche

Le motif principal du choix de la méthodologie des systèmes souples est son orientation fondamentale vers l'action. Elle permettait donc d'atteindre les deux objectifs visés, soit l'identification de la problématique et l'intervention afin d'en modifier certains éléments.

Cette méthode apparaissait donc, au départ, répondre adéquatement à nos besoins compte tenu du caractère récent et flou de la problématique. Ce type de recherche, de par son caractère davantage qualitatif que quantitatif, permettait d'atteindre les deux principaux objectifs que nous avions et ce, dans des délais raisonnables. De plus, son utilisation, dans son contexte syndical, s'avérait particulièrement intéressante puisqu'elle favorisait simultanément l'implication des membres.

Présentation des résultats

Contenu problématique

La validation du contenu problématique s'est déroulée en deux étapes. Premièrement, les données recueillies lors des lectures et des entrevues furent analysées et compilées dans un rapport préliminaire. Celui-ci fut remis pour analyse aux conseillers interviewés. La validation du rapport s'est effectuée lors d'une rencontre de groupe auprès de ces mêmes personnes. Cette rencontre a aussi permis de sélectionner le point d'ancrage à partir duquel le modèle conceptuel élaboré permettrait de concevoir un système d'activités susceptibles d'aider les professionnels dans l'introduction d'une nouvelle technologie. L'ensemble du rapport ayant fait consensus, une copie fut remise au mandataire.

Deuxièmement, l'ensemble des conseillers d'orientation de la région ont été rencontrés. Cette rencontre a permis la validation du contenu auprès d'un plus grand nombre d'intervenants.

Enfin, mentionnons qu'une synthèse du rapport d'étape fut préparée et remise aux diverses instances syndicales. Deux lieux d'améliorations potentielles furent retenus. Le premier est relié à l'utilisation de la micro-informatique et le second au statut et aux conditions de travail des conseillers d'orientation. Les principales conclusions de l'étude sont les suivantes. L'implantation de la micro-informatique souffre d'un manque de planification et engendre, entre autres choses, des délais et des pertes de temps. De plus, le soutien technique et le support informatique font défaut. Le fonctionnement par essais et erreurs devient le lot de l'ensemble des intervenants. La technologie est nouvelle et peu de critères scientifiques ont été développés en ce qui concerne l'évaluation des logiciels. Il devient difficile de procéder à l'évaluation des logiciels avant leur adoption, de mesurer leur fiabilité, leurs possibilités réelles et leurs effets à moyen et long termes. La décision des conseillers d'orientation d'intégrer la micro-informatique à leur travail fait davantage suite à des pressions externes qu'à une conviction profonde chez chacun.

Cette situation affecte la perception qu'ont les conseillers d'orientation de l'impact de la micro-informatique sur leur travail. L'utilisation prépondérante et systématique du logiciel «CHOIX» apparaît comme un des problèmes majeurs. Ce phénomène engendre des effets négatifs sur la qualité de vie au travail des conseillers d'orientation. On y voit aussi la crainte de revenir à d'anciennes formes de travail où l'utilisation massive de matériel psychométrique les relèguerait à un rôle de second plan. Il est impossible de mesurer l'impact à long terme sur les clients de l'utilisation du logiciel «CHOIX». Par contre, étant donné l'investissement requis, les conseillers d'orientation craignent qu'une sous-utilisation n'entraîne la disparition du logiciel et des appareils. Ils se voient, d'une certaine façon, contraints d'avoir un minimum d'utilisation.

De plus, les nombreux besoins de la clientèle par rapport à la disponibilité des ressources offertes et du nombre de conseillers d'orientation en place les inquiètent d'autant plus que l'utilisation de la micro-informatique restreint davantage leur disponibilité. Ils trouvent étonnant de pouvoir obtenir assez facilement du matériel informatique alors que l'on procède simultanément à des coupures de postes.

En ce qui concerne leur statut, les différentes modifications vécues à ce niveau entraînent une confusion autour de leur rôle. La précarité de leurs conditions de travail lié à l'indifférence de leurs employeurs font en sorte de les isoler au plan professionnel et de créer un climat d'insécurité. Les besoins en perfectionnement existent mais personne n'assure vraiment l'organisation d'activités appropriées.

Enfin, malgré les problèmes rencontrés, les conseillers d'orientation se disent satisfaits, dans l'ensemble de pouvoir utiliser la micro-informatique dans leur travail même s'ils souhaitent disposer de plus de moyens. Cette nouveauté les stimule et ils désirent poursuivre leur expérience. Ils sont ouverts à l'utilisation de d'autres logiciels.

Cependant, ils souhaitent être en mesure de contrôler l'utilisation de la micro-informatique comme outil de travail, de demeurer les principaux décideurs quant au choix des logiciels et des conditions d'implantation. Ils désirent adapter l'informatique à leur travail et non être à sa remorque.

Modèle conceptuel

À partir de l'ancrage sélectionné, la définition suivante d'un système d'implantation des nouvelles technologies a été proposé:

> «Le système d'implantation des nouvelles technologies pour les professionnels des commissions scolaires du Québec est un guide visant à leur permettre de planifier l'implantation d'une nouvelle technologie, de rechercher les moyens propices à la maîtrise de ces outils et d'en évaluer la pertinence et les impacts.»

La validation du système d'implantation s'est effectuée en tenant compte des six critères proposés par P.B. Checkland (1981) et repris par Prévost (1983):

> *Propriétaires du système:* Professionnels
>
> *Environnement:* Commissions scolaires du Québec
>
> *Transformation:* Planifier, rechercher, évaluer
>
> *Acteurs:* Professionnels
>
> *Point de vue:* Comme ce sont les professionnels qui décident, dans la majorité des cas, de requérir à une nouvelle technologie dans leur travail, le système mise sur leurs propres capacités et initiatives pour s'assurer des moyens nécessaires en vue de la maîtrise des impacts négatifs que l'absence ou l'implantation d'une nouvelle technologie pourrait provoquer.

Le modèle conceptuel, tel que proposé à la figure 1, ne s'inspire pas d'un modèle a priori. Il est le résultat des entrevues et rencontres effectuées et d'une revue de littérature sur le sujet. Il comporte une série de 15 activités agencées dans un ordre chronologique.

La validation du modèle quant à sa cohérence systémique s'est faite à partir de la grille proposée par P.B. Checkland (1981):

> 1. *Objectifs du système:* maîtriser l'implantation des nouvelles technologies.

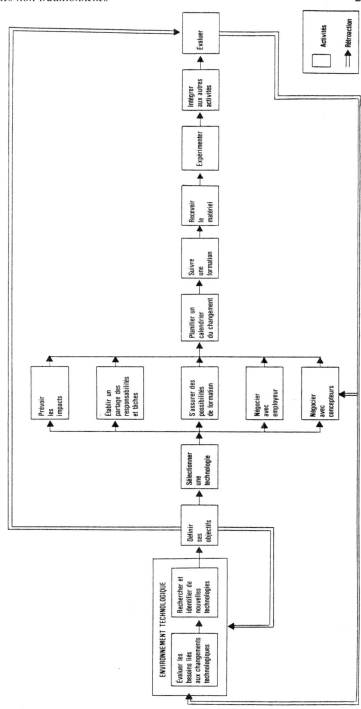

Figure 1. Guide d'implantation de nouvelles technologies.

2. *Mesures de performance:* la définition des objectifs de chacun des professionnels leur permet de se doter des critères nécessaires à l'évaluation de l'atteinte de l'objectif du système.

3. *Le système a des composantes elles-mêmes systèmes avec toutes les caractéristiques appropriées:* chaque activité du modèle contient les éléments qui en font des sous-systèmes.

4. *Les composantes du système ont un certain degré d'inter-relation permettant à un effet de se répercuter dans tout le système:* les activités du système sont interreliées et consécutives. Des flux d'informations circulent entre elles.

5. *Le système est un système ouvert:* l'implantation se fait dans des systèmes et sous-systèmes plus vastes que sont les écoles, les commissions scolaires et le Ministère de l'éducation du Québec.

6. *Le système a des ressources physiques et humaines:* les ressources physiques sont constituées des technologies existantes et futures alors que les ressources humaines sont les professionnels, les syndicats, les employeurs, les associations professionnelles et les universités.

7. *Le système a des preneurs de décision et un processus de prise de décision:* les preneurs de décision sont les professionnels tandis que le système constitue en lui-même un processus de décision.

8. *Le système a une certaine garantie de continuité:* il répond aux besoins des professionnels face à toute intégration d'un nouvel outil de travail et à l'amélioration de ses compétences professionnelles.

Nous avons comparé le modèle avec la réalité afin de s'assurer qu'il réponde aux objectifs visés et enfin, des recommandations furent adressées au mandataire afin d'en favoriser l'implantation.

Ce système sera intégré graduellement puisque la fédération qui regroupe les syndicats de professionnels doit mettre sur pied un comité provincial d'implantation des nouvelles technologies pour pouvoir ensuite appliquer les recommandations de l'étude. Enfin, compte tenu des modifications qui restent encore à venir dans le domaine de la technologie, il faudra poursuivre les études afin que leur utilisation demeure au service des utilisateurs et non l'inverse.

Force nous est de constater que l'utilisation de la méthodologie des systèmes souples aura permis l'atteinte des principaux objectifs à savoir de dégager les diverses éléments dans la problématique, d'isoler les aspects liés à l'environnement de travail par rapport à ceux liés à l'utilisation de la micro-informatique et de proposer des solutions applicables par les professionnels eux-mêmes.

Compte tenu que cette méthodologie s'adresse davantage à des organisations de petite ou moyenne taille, son utilisation dans un contexte de super-système a créé certaines particularités d'application qu'il nous apparaît important de mentionner. Dans cette problématique, nous avions affaire à plusieurs sous-systèmes intégrés dans des systèmes appartenant eux-mêmes à un super-système. Nous y identifions à la fois un avantage et un inconvénient. En effet, comme il s'agit d'une analyse davantage de type qualitatif, elle a permis de débroussailler une problématique selon un ensemble de points de vue différents. Par contre, certains faits liés davantage au vécu particulier de chaque sous-système ont dû être mis de côté pour favoriser l'intégration d'une vision d'ensemble. L'utilisation combinée d'une méthodologie plus quantitative lors de la cueillette des données (fabrication d'un questionnaire) aura permis d'éviter les écueils possibles qu'auraient pu engendrer un trop grand éparpillement ou à l'inverse, une simplification abusive.

Le second aspect est celui de l'intervention dans plusieurs sous-systèmes. Comme ceux-ci ne sont pas reliés entre eux, l'intervention doit être planifiée à long terme et doit inclure la participation d'un élément intégrateur.

Références citées dans le résumé du mémoire

CENTRALE DES ENSEIGNANTS DU QUÉBEC (1985). *Enquête sur la micro-informatique et les enseignantes et les enseignants des commissions scolaires.* Québec: Centrale des enseignants du Québec.

CHECKLAND, P.B. (1981). *Systems thinking, systems practice.* London: Wiley & Sons.

HACKMAN, J.R., OLDHAM, G.R. (1980). *Work redesign.* Reading: Addison-Wesley.

PREVOST, P. (1983). *Diagnostic-intervention: une approche systémique au diagnostic organisationnel et à la recherche-action.* Chicoutimi: LEER, Université du Québec à Chicoutimi.

2. DELPHI

La méthode Delphi a été développée, au début des années '60, par Norman Dalkey et Olaf Helmer (1963), respectivement de la Rand Corporation et de l'Institute for the Future. Cette méthodologie servait surtout à établir des prévisions technologiques à long terme en se basant sur une utilisation optimale de groupes d'experts. Elle est particulièrement utile quand le chercheur-intervenant est confronté à des problèmes ambigus, à une faible disponibilité de données empiriques, à une base théorique incomplète ou à un niveau de complexité élevé (Jones, 1978). Par contre aujourd'hui, de multiples organisations s'en servent pour établir leurs politiques et identifier leurs objectifs et priorités. Certains experts utilisent la méthode Delphi dans l'élaboration de modèle et dans l'identification des relations de causalité de phénomène organisationnels complexes (Linstone et Turoff, 1975).

Face à certaines situations problématiques présentes dans le monde du travail, la méthode Delphi s'efforce de mettre en relief et de tenir compte, dans les décisions, des conditions économiques, politiques et sociales actuelles et futures qui pourraient guider le spécialiste vers une meilleure compréhension de l'évolution de certaines problématiques. Cette méthode exige d'abord de l'utilisateur qu'il considère et se conscientise aux divers aspects du problème (Ieroncig, 1983). Ce n'est qu'en prenant en considération toutes les facettes du problème qu'il peut en arriver à de meilleures solutions. Pour ce faire, la façon privilégiée par la méthode Delphi est l'interrogation systématique des gens qui ont une excellente connaissance du milieu où se situe le problème. Ces derniers, individus experts ou employés directement impliqués dans la problématique, sont en mesure de faire ressortir les facteurs qui probablement n'ont pas été perçus par le chercheur-intervenant. Cette démarche d'interrogation se fait non pas individuellement mais à un niveau collectif qui permet tout de même l'expression libre de tous les points de vue.

Bien que la méthode Delphi ait été conçue à l'origine pour faire des prévisions en systématisant les échanges d'informations et d'opinions et en éliminant les biais nombreux observés dans les discussions de groupe, il est surprenant de constater que les spécialistes en psychologie industrielle ou en administration ne l'aient pas plus utilisée dans l'analyse de problématiques organisationnelles complexes. Ces derniers gagneraient certes beaucoup à se familiariser avec la méthode Delphi, à l'adapter et à l'utiliser quand les conditions d'une analyse conviennent à ses caractéristiques. L'utilisation d'une telle méthode qualitative est pertinente lorsque le problème ne se prête pas à des techniques analytiques précises mais peut bénéficier d'un jugement subjectif effectuée sur une base collective (Makridakis et Wheelwright, 1974).

2.1 Définition de la méthode Delphi

La méthode Delphi est une méthode systématique d'interrogation formelle par questionnaire servant à faire des prévisions (Ieroncig, 1983) par l'expression d'opinions rationnelles sur des questions où il n'existe pas de réponse absolue. Ainsi, le chercheur-intervenant tente de dégager l'opinion d'un groupe de personnes-ressources sur un sujet précis en facilitant la communication entre elles, ce qui s'effectue généralement par le biais de quatre questionnaires utilisés successivement.

Dans le but de mieux faire ressortir l'originalité de la méthode Delphi, il convient maintenant d'en expliquer les principales caractéristiques: l'anonymat, l'itération avec rétroaction contrôlée et le résumé statistique de l'ensemble des opinions émises par le groupe de personnes-ressources.

Mentionnons d'abord que chaque participant du groupe remplit individuellement le questionnaire et le retourne directement au responsable qui en fait alors la compilation. Chaque répondant est donc seul au moment de répondre et n'a pas à exprimer ses opinions directement aux autres membres du groupe. De plus, l'identité de chaque participant n'est pas connue des autres participants à la recherche. Seul l'utilisateur connaît l'identité de toutes les personnes-ressources. Toute la dynamique d'interaction entre ces dernières s'effectue par le biais du responsable qui compile les résultats et les retourne aux divers participants. Ainsi, il n'y a aucun face à face et il n'est pas possible d'associer un point de vue particulier à un participant spécifique étant donné le caractère anonyme de toute la démarche. Dans ce contexte, chaque idée est considérée selon son mérite et non en fonction des perceptions ou préjugés que l'on peut avoir à l'égard de l'émetteur (Martino, 1983). De plus, cet anonymat rend plus facile les changements éventuels d'opinion puisque le nom d'aucun des participants n'est associé directement avec telle ou telle opinion.

La seconde caractéristique est celle de l'itération avec rétroaction contrôlée. Il s'agit là du mécanisme principal d'interaction entre les membres-participants. Après que ceux-ci eurent répondu au questionnaire, le responsable conserve les informations pertinentes à la problématique étudiée, les intègre et les communique au groupe dans un nouveau questionnaire. Les participants sont alors informés de la position majoritaire du groupe, de la dispersion des réponses et des arguments sous-tendant chaque position ou, selon le désir de l'utilisateur, des arguments relatifs aux positions les plus marginales (Killeen, 1984). En procédant ainsi, les participants ne sont pas confrontés à des reformulations plus ou moins nombreuses des mêmes arguments. Tous les points de vue sont présentés aux divers membres du groupe en même temps, tout en évitant les répétitions. De plus, cette rétroaction contrôlée permet à tous de se concentrer sur l'objectif de l'étude ou la problématique retenue et il n'y a aucune perte de temps ou d'énergie à maintenir la cohésion du groupe comme entité sociale (Martino, 1983).

Le résumé statistique de l'ensemble des opinions dégagées du groupe constitue la troisième caractéristique de la méthode Delphi. Cette présentation quantitative des opinions des participants comprend généralement une mesure de tendance centrale du groupe ainsi que les écarts d'opinion. Le chercheur-intervenant encourage les membres du groupe à reconsidérer, à la lumière des résultats présentés, leur opinion personnelle favorisant ainsi la convergence des opinions. Il est bien entendu que ces derniers sont toujours libres, après avoir pris connaissance des positions et arguments, de conserver leur point de vue initial s'ils ne sont pas convaincus de la valeur des autres points de vue présentés. La méthode Delphi ne force pas en ce sens l'unanimité ou le consensus. Un éventail d'opinions peut éventuellement être retenu (Makridakis et Wheelwright, 1974). Pour faciliter le travail des participants, un résumé statistique des positions est toujours plus explicite qu'une simple série d'opinions formulées plus ou moins différemment. Ce résumé statistique permet également de mieux apprécier l'évolution des positions suite à l'administration des divers questionnaires utilisés.

2.2 Étapes de la méthode Delphi

L'application de la méthode Delphi peut être décrite en sept étapes principales qui feront maintenant l'objet de la prochaine section.

Définition du problème

Cette première étape est cruciale puisqu'il est nécessaire, pour le succès de l'analyse, que le problème abordé soit cerné de façon claire et précise par le spécialiste. Un problème bien compris devient plus facilement un problème susceptible d'être bien traité. Le chercheur-intervenant identifie le genre d'informations qu'il désire recueillir auprès du groupe de personnes-ressources consultées. C'est à partir de la clarification de l'objectif, qui s'apparente incidemment à une hypothèse principale de recherche, que l'utilisateur de la méthode définit les variables en cause et formule adéquatement les questions ouvertes qui seront éventuellement posées au groupe de participants (Allen, 1978).

Sélection des participants

La méthode Delphi repose essentiellement sur la qualité, la quantité et la disponibilité du groupe de personnes-ressources ou de participants sélectionnés. C'est là une étape très importante de l'application de cette méthodologie et le responsable a certes avantage à y consacrer tout le temps et tous les efforts nécessaires. Sinon, il y a risque grave d'aboutir à des succès mitigés.

Il faut signaler que le choix du groupe de participants s'effectue en fonction du problème analysé. Si une problématique est très spécifique et relativement bien cernée, un groupe homogène de personnes-ressources peut très bien s'acquitter du travail. Celles-ci sont généralement des experts techniques dans le domaine à l'étude. Par contre, plus la problématique est large, abstraite ou générale, plus le responsable est amené à sélectionner un groupe hétérogène de sorte que les participants puissent faire ressortir les diverses facettes du problème. Par exemple, une étude ou intervention sur les bénéfices marginaux des employés ou les plans de retraite pourrait regrouper un groupe interdisciplinaire d'experts, tels psychologues, sociologues, économistes, actuaires, récréalogues, administrateurs, etc. Ainsi, l'ensemble du domaine sur lequel porte le problème est couvert et le chercheur-intervenant peut tenir compte des visions complémentaires.

Tel que nous venons de le décrire, les personnes sélectionnées à l'origine étaient généralement des experts dans leur spécialisation. Depuis, selon le problème abordé, le groupe de participants peut être constitué de personnes vivant elles-mêmes la situation problématique (Linstone et Turoff, 1975). Ces individus sont alors choisis en fonction de leur vécu et non de leur expertise technique et l'objectif est alors plus orienté vers la perception de la situation problème que vers la connaissance objective ou technique du problème. Le critère fondamental de sélection est ici relié à la capacité qu'ont les participants à contribuer à la solution du problème. Il est recommandé que les participants aient une réputation d'objectivité et de rationalité.

Il est nécessaire à ce stade que le responsable s'assure bien de la compréhension des participants par rapport à ses attentes et de leur collaboration éventuelle. Dans cette optique, un certain nombre de points méritent d'être mentionnés. Martino (1983) souligne l'importance de s'assurer de la disponibilité et du désir de participation des membres du groupe. Il est de plus nécessaire, pour le chercheur-intervenant, de prévoir un certain taux de mortalité expérimentale d'un questionnaire à l'autre. Conséquemment, cet auteur suggère de prévoir un nombre suffisant de participants. Deuxièmement, comme tous ne sont pas familiers avec la méthode Delphi, il est utile d'expliquer la méthodologie aux éventuels participants: le but des questionnaires, le rôle des participants, la procédure d'itération et de rétroaction contrôlée, les modalités de transmission des résultats, etc. Enfin, si le responsable décide de rémunérer la participation des membres du groupe, celui-ci profite de cette occasion pour clarifier cet aspect.

Quant au nombre idéal de participants, les avis sont généralement assez consistants. En effet, selon la complexité du problème à l'étude, le nombre peut varier de dix à trente (Allen, 1978; Delbecq et al., 1975). Si le groupe d'experts est homogène, Fusfeld et Foster (1971) suggèrent qu'un nombre de dix à douze participants est suffisant. Si le problème est très complexe, le choix des participants est plus hétérogène et le nombre a tendance à augmenter. Une étude effectuée à l'Université de Virginie aux États-Unis a même utilisé un total de 421 participants, ce qui est évidemment plutôt exceptionnel (Tersine et Riggs, 1976). Par contre, Brockhoff (1975) recommande entre 10 et 12 participants puisque, à son avis, un nombre plus grand ne fait qu'augmenter les problèmes de coordination sans augmenter la précision des estimés.

Même si l'utilisateur trouve que le groupe de participants a tendance à oublier certains aspects importants de la problématique, il doit éviter tout de même d'y introduire son opinion personnelle. Il y a alors risque sérieux de biais dont l'impact peut être difficile à évaluer. S'agirait-il de l'opinion des personnes-ressources ou du point de vue du responsable? Dans un tel cas, le chercheur-intervenant doit plutôt s'interroger sur la qualité des participants sélectionnés. Il peut être même conduit, suite à une telle constatation, à laisser tomber les résultats accumulés et à recommencer tout le processus à partir de la sélection d'un nouveau groupe de personnes-ressources.

Élaboration du questionnaire 1

Si la problématique abordée est très bien cernée et spécifique, le groupe de participants sera probablement plus homogène. Dans un tel cas, le premier questionnaire peut contenir des questions plus fermées ou plus précises. Cependant, ce n'est pas généralement le cas et le premier questionnaire prend une allure assez différente. Il est plutôt ouvert et non structuré, ce qui permet de recueillir, auprès des participants, une grande variété de réponses. Des questions larges et ouvertes sont alors préférables puisqu'un questionnaire structuré risquerait d'orienter toute la démarche d'interrogation subséquente dans une direction plus restreinte et de passer ainsi à côté de certains éléments majeurs du problème. Un éventail plus large de réponses permet de mieux cerner les dimensions exactes de la problématique analysée. Il ne faut pas oublier que le choix des participants se justifie par le fait que ces derniers ont une bonne connaissance du sujet étudié et même une meilleure connaissance que celle du responsable. Il ne serait donc pas approprié, dans un tel contexte, de trop structurer le premier questionnaire.

Utiliser une approche large et ouverte implique tout de même que la formulation des questions soit claire sinon les participants pourraient attribuer un sens différent à celles-ci. Il est alors très difficile de faire progresser l'étude si les membres du groupe ne comprennent pas la problématique de façon identique, ce qui n'empêche pas la diversité des réponses en fonction des visions particulières dues à la spécialisation ou au vécu de chaque participant. Killeen (1984) mentionne que le questionnaire doit être préparé pour faciliter d'abord la tâche des participants et non celle de l'utilisateur de la méthode. Tout effort de simplification et de clarification ne peut qu'accroître la qualité des informations recueillies. Le responsable doit être judicieux dans le choix du nombre de questions. Il lui faut aller à l'essentiel du problème et ne pas noyer le participant dans une foule de questions qui lui feraient perdre de vue l'objectif principal visé. Plus les questions exigent réflexion et considération des arguments proposés, plus le nombre de questions doit être limité.

Dans le premier questionnaire, le chercheur-intervenant demande aux participants de faire valoir leur opinion relativement aux questions posées. Les réponses de l'ensemble des répondants sont ensuite regroupées par le responsable pour en faire ressortir les éléments communs et l'éventail des points de vue différents. Toutes les opinions sont retenues en respectant l'anonymat de chaque participant.

Élaboration du questionnaire 2

La liste des opinions suscitées par ce premier questionnaire permet ensuite de formuler les questions qui constitueront le second questionnaire. Le but de ce deuxième questionnaire est d'obtenir la réaction des participants aux réponses obtenues lors du premier questionnaire. Ces derniers réagissent en fonction de certaines modalités définies par le responsable. Par exemple, il peut s'agir de classer les réponses en fonction de leur importance relative, d'indiquer les probabilités d'occurrence de certains événements ou d'évaluer les énoncés à partir d'une échelle de réponse. L'exemple suivant illustre le cas d'une question évaluée sur une échelle en onze points :

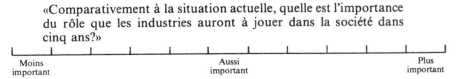

«Comparativement à la situation actuelle, quelle est l'importance du rôle que les industries auront à jouer dans la société dans cinq ans?»

	Aussi	Plus
Moins	important	important
important		

De plus, il est possible de demander aux participants de justifier leur réponse.

Élaboration du questionnaire 3

Le troisième questionnaire correspond essentiellement au résumé statistique des réponses du second questionnaire que le responsable retourne au groupe de participants pour fins de consultation. Les résultats prennent, par exemple, la forme d'une distribution de fréquence ou d'un histogramme accompagné de la valeur médiane et des valeurs correspondant au premier et troisième quartile. Ainsi, les participants ont, en rétroaction, la dispersion des opinions et l'opinion la plus représentative du groupe (figure 18).

Figure 18: **Exemple de la compilation des réponses effectuée lors de l'utilisation de la méthode Delphi.**

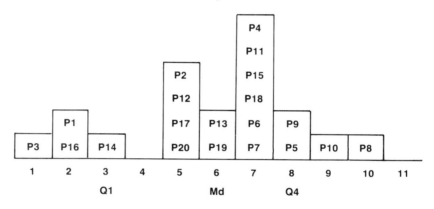

N. Total = 20 participants

Px = Identification de la position de chaque participant

Md = Médiane ou valeur représentative du groupe (6)

Q1 = Premier quartile, soit la valeur égale à l'opinion émise par le premier 25% du groupe (3)

Q2 = Troisième quartile, soit la valeur égale à l'opinion émise par le dernier 25% du groupe (8)

Le chercheur-intervenant demande à chaque participant de prendre connaissance des réponses fournies lors du second questionnaire et des justifications invoquées à l'appui des diverses opinions. Suite à cette information, le participant peut alors modifier sa réponse initiale ou la conserver. Il est généralement demandé à ceux qui émettent des opinions plus marginales, soit à l'intérieur du premier quartile (1, 2 ou 3) ou soit à l'intérieur du quatrième quartile (8, 9, 10 ou 11) de justifier leur réponse par une argumentation qui demeure tout de même anonyme. Notons enfin que le responsable ne force pas les répondants à fournir une réponse unanime. Si un participant possède une position initiale marginale ou si un participant opte lors du troisième questionnaire pour une telle position, celle-ci sera respectée et ses arguments rapportés au moment de la présentation du quatrième ou dernier questionnaire.

Élaboration du questionnaire 4

Le quatrième questionnaire est généralement le questionnaire final. Les réponses au questionnaire précédent constituent la base de cette nouvelle étape. Encore ici, le résumé statistique des opinions et les commentaires en faveur des opinions extrêmes sont retournés aux participants et ces derniers réévaluent une dernière fois leur position respective, soit pour la modifier ou la confirmer. Le chercheur-intervenant demande encore aux participants marginaux (premier et quatrième quartiles) d'expliquer les raisons de leur position. S'il le désire, chaque participant peut encore, lors de ce dernier questionnaire, changer d'opinion.

Analyse finale des résultats et rédaction du rapport

Ces quatre questionnaires suffisent généralement pour faire ressortir l'opinion finale du groupe de membres-participants. Il n'est pas nécessaire d'arriver à un consensus. L'approche permet ainsi l'expression des opinions non conformistes lorsqu'elles sont justifiées (Makridakis et Wheelwright, 1974). Les résultats du quatrième questionnaire sont acceptés comme la position finale du groupe. Il se peut qu'il n'y ait pas quatre administrations de questionnaire si les résultats n'ont pas évolués au cours des deux derniers questionnaires. La position du groupe s'est alors manifestée et stabilisée plus rapidement. Le résumé statistique des réponses de ce dernier questionnaire peut prendre diverses formes selon les modalités de formulation des questions (Allen, 1978):

Types d'échelle de réponse	Mesure de tendance centrale	Mesure de dispersion
Échelle nominale	Mode	Fréquence
Échelle ordinale	Médiane	Quartile
Échelle à intervalle	Moyenne	Écart-type

Enfin, le rapport comprend les diverses positions des membres du groupe, l'opinion représentative de l'ensemble et les arguments invoqués pour les réponses extrêmes. La rédaction de ce rapport doit être bien adaptée aux lecteurs éventuels si le chercheur-intervenant veut maximiser ses possibilités d'être bien reçu et compris.

2.3 Évolution récente de la méthode Delphi

À la lumière de la description effectuée précédemment, il est déjà possible de constater que la méthode Delphi est très flexible en ce sens qu'elle peut s'adapter à de nombreuses problématiques organisationnelles et que sa méthodologie elle-même peut être modifiée tout en conservant ses caractéristiques essentielles. Bien que la méthode soit peu standardisée, la rigueur de son utilisation repose sur le respect de ses postulats de base (Roussel, 1985).

Tout d'abord, le nombre d'itérations peut varier. Il peut en effet y avoir de deux à cinq questionnaires. Le besoin de retourner au groupe d'experts dépend directement du degré de cohésion atteint et de la stabilité des réponses déjà obtenues. Sackman (1975) a démontré que les questionnaires subséquents au questionnaire 3 n'apportent que peu de modifications sur le plan de l'accord inter-membres. Le processus peut donc être plus ou moins long (Jones, 1978).

Le second genre d'adaptation a trait à la caractéristique de l'anonymat. Martino (1983) souligne que l'anonymat peut être partiel. En effet, les participants pourraient être regroupés physiquement ensemble, discuter ouvertement mais répondre de façon confidentielle. Par la suite, les réponses sont analysées, résumées et retournées aux participants présents pour discussion éventuelle, sans que soient dévoilés leurs auteurs.

La méthode Delphi a également été utilisée avec ordinateur. Les participants n'ont pas à remplir des questionnaires. Ils n'ont qu'à brancher leur terminal et ils obtiennent alors d'un ordinateur central l'état actuel des réponses, des arguments et le relevé intégrant les dernières réponses données par chacun des participants. Ces derniers enregistrent directement leurs nouvelles réponses et l'ordinateur les cumule immédiatement. Le résumé statistique des réponses est alors constamment remis à jour. Dans ce mode de fonctionnement, le nombre de reprises ou d'itérations n'est pas contrôlé puisque chaque participant intervient à son propre rythme. Certains changent plus fréquemment d'opinion, d'autres moins. Les délais sont généralement plus courts car le problème de la distribution des questionnaires et de l'analyse des réponses est fort simplifié. Cependant, la valeur de cette approche dépend évidemment de l'accessibilité de terminaux pour les divers participants (Linstone et Turoff, 1975).

Enfin, Raven et Walters (1975) soulignent que, dans certains cas, les participants doivent évaluer leur propre compétence à répondre aux diverses questions. Leurs réponses sont par la suite pondérées par un indice correspondant à l'auto-évaluation de la compétence.

Ces quelques exemples expriment bien la grande flexibilité de la méthode Delphi. Le chercheur-intervenant peut être très créatif en utilisant cette méthodologie de façon à l'adapter à la problématique abordée.

2.4 Avantages et limites de la méthode Delphi

Les principaux avantages de la méthode Delphi se situent principalement à trois niveaux: élimination des effets néfastes et conservation des avantages du groupe, valeur du contenu de l'information recueillie, aspects pratiques et économiques.

Au niveau du groupe, la méthode Delphi recherche consciemment à conserver les aspects positifs de celui-ci tout en éliminant les dimensions négatives. D'abord, le fait que les participants n'aient pas à travailler physiquement ensemble élimine le risque qu'un individu, ayant une forte personnalité ou étant en position hiérarchique supérieure, puisse influencer les résultats ou empêcher plus ou moins les autres de s'exprimer. Les conflits de personnalité sont également réduits puisque les intervenants n'ont pas à être face à face pour la réalisation des tâches. Souvent, les discussions en groupe ont tendance à exercer une pression vers le conformisme, ce qui est éliminé par la méthode Delphi. Dans un tel contexte de pression, les plus timides contribuent moins, malgré leur compétence, à la solution du problème. Tous ces biais ou tensions possibles constituent généralement des facteurs de distraction qui réduisent l'efficacité du groupe en canalisant de multiples énergies pour assurer la survie de celui-ci. Comme tous ont la possibilité de s'exprimer, de conserver ou modifier leur point de vue, il en résulte un forum d'échange ouvert, riche et respectueux des individus. Le contexte d'anonymat fournit une sécurité personnelle qui permet à chacun d'exprimer son point de vue et même d'être dissident de la majorité s'il le désire. De plus, certains individus ont peur de perdre du prestige s'ils changent d'idée lors d'une discussion en groupe. Or, comme les opinions ne sont pas identifiées à aucun des individus, ceux-ci se sentent moins menacés dans leur image s'ils modifient leur position suite aux diverses rétroactions.

La seconde catégorie d'avantages concerne la qualité des informations recueillies. La méthode Delphi permet un échange de points de vue diversifiés en regard de la problématique. L'information disponible dans un tel groupe de participants est au moins égale à celle possédée par un participant et généralement la dépasse largement. Il est alors possible de prendre en considération plusieurs facettes du problème, de constater les perspectives différentes des personnes-ressources qui ont souvent des formations ou expériences diversifiées. Tout au long du processus, les participants sont constamment informés de la position majoritaire du groupe, ce qui permet à tous de se situer par rapport à cette position. Enfin, la qualité du processus de cueillette d'information réside dans son aspect rationnel. Les points de vue sont exprimés et justifiés par des arguments logiques. La convergence que nous pouvons observer suite aux itérations est de fait essentiellement une convergence rationnelle basée sur la considération des réponses et des arguments et non une convergence émotive qui pourrait résulter des divers biais de fonctionnement en groupe décrits plus haut.

Quant aux avantages pratiques et économiques, signalons qu'il n'est pas nécessaire de déplacer les participants. En effet, les divers questionnaires sont envoyés directement à tous les membres du groupe, ce qui permet des économies appréciables tout en permettant de choisir, si nécessaire, des participants assez éloignés.

Au bilan des limites, il faut souligner certains problèmes d'ordre plus métrologique. En effet, il est rare que nous puissions vérifier la qualité des questionnaires au niveau de la validité et de la fidélité. Le fait d'avoir des personnes-ressources ayant différentes spécialisations est sensé assurer que toutes les facettes de la problématique seront considérées. Cependant, le chercheur-intervenant n'étant pas un expert dans tous les domaines, il lui est difficile de s'assurer qu'effectivement toutes les dimensions du problème ont été cernées. La validité peut donc difficilement être évaluée. De plus, il n'est pas facile de mesurer la fidélité de la démarche car le même problème, abordé par deux groupes de participants, pourra aboutir à des solutions différentes si la composition de ces groupes n'est pas absolument identique, ce qui est toujours le cas.

Comme la méthode Delphi repose sur la sélection des participants, il est nécessaire de s'assurer du degré d'expertise réelle ou de familiarisation avec le problème pour chaque membre du groupe. Or, le responsable n'est pas généralement en mesure de juger objectivement de cette expertise ou familiarisation.

Quant à eux, Scheibe et al. (1975) signalent une tendance chez les participants à se déplacer vers le consensus perçu. Par conséquent, plus le nombre d'itérations augmentera, plus le consensus sera grand. Cependant, dans un tel contexte, il faut se questionner sur le caractère artificiel du consensus. Ces auteurs suggèrent comme réponse à ce problème de considérer la stabilité des réponses comme un indice de consensus plutôt que le degré de convergence des réponses.

Quant aux problèmes reliés à l'analyse des résultats, il y a risque de biais de la part de l'utilisateur de la méthode étant donné le caractère plus ou moins ambigu des réponses, la nécessité de reformuler les arguments et de résumer les positions. Ce risque est d'autant plus important que le groupe d'individus est constitué d'experts venant de différentes disciplines qui ont chacune une terminologie propre.

Enfin, il faut bien signaler une évidence qui a tout de même un impact notable quand on considère la méthode Delphi. Cette méthode ne peut prévoir l'imprévu. En effet, certains changements majeurs, absolument imprévisibles de la part des personnes-ressources, peuvent venir modifier totalement l'évolution d'une réalité problématique ou d'une organisation.

2.5 Illustration — La technique Delphi: un outil de recherche pour identifier les compétences importantes pour le futur (Yves Asselin, Ph.D.)[1]

Position du problème

L'impact des nouvelles technologies sur le travail de bureau semble majeur. Toutefois, même si de nombreuses hypothèses concernant les répercussions de ces technologies sur l'emploi ont été avancées, peu de données scientifiques ont été recueillies pour confirmer ou infirmer ces hypothèses. Bon nombre de questions demeurent sans réponses précises. Ainsi par exemple, de quelle façon le personnel de bureau s'adaptera-t-il aux nouveaux outils de travail? Quelles seront les compétences dont devra faire preuve le personnel de secrétariat pour travailler dans le bureau informatisé de demain? De quelle façon les compétences recherchées pourront-elles être accrues?

Le but de la recherche était d'identifier et de donner priorité aux compétence qui seront exigées du personnel de secrétariat pour oeuvrer dans le

---

1. Thèse de doctorat présentée en 1984 à la Faculté des études graduées de l'Université du Missouri, sous la direction du professeur Richard C. Erickson.

bureau informatisé de l'avenir au Québec. Plus précisément, cette recherche cherchait à répondre entre autres aux questions suivantes:

1. Quelles sont les compétences qu'un comité d'experts en bureautique pourra identifier comme étant nécessaires chez le personnel de secrétariat de l'avenir?
2. Parmi ces compétences, lesquelles seront considérées par le comité d'experts comme prioritaires ou non prioritaires?
3. Pour quelles compétences, le comité d'experts pourra-t-il atteindre un niveau de consensus élevé ou un niveau de consensus faible?

Méthodologie

La technique Delphi fut choisie pour recueillir les données nécessaires à cette étude car cette méthode de recherche fut utilisée avec succès dans des domaines aussi variés que la médecine, la gestion, l'éducation, la technologie et les services publics.

Même si dans le passé, l'utilisation de la technique Delphi a connu quelques variations, l'utilisation la plus répandue passe par les étapes suivantes: (1) la préparation d'un questionnaire; (2) la sélection des experts; (3) l'acceptation de la part des spécialistes de participer à l'enquête; (4) l'envoi du premier questionnaire qui devra être complété par les répondants; (5) l'analyse des réponses et la production de statistiques descriptives; (6) s'il y a consensus, les résultats sont analysés et les conclusions sont déduites; (7) s'il n'y a pas de consensus, l'analyse des réponses sert à la formulation d'un nouveau questionnaire qui sera retourné aux participants; (8) à la lumière des statistiques descriptives, chaque participant peut réviser sa position; et (9) la procédure retourne à l'étape cinq (5) et l'itération se poursuit tant que le consensus visé n'est pas atteint.

Même si les étapes décrites ci-haut sont bien suivies, certains facteurs peuvent influencer la qualité de l'étude. En effet, Hill et Fowles (1975) soulignent que la fidélité et la validité de la technique Delphi subissent l'influence d'un certain nombre de facteurs, notamment: (1) le choix des participants; (2) le degré de participation des répondants; (3) le nombre de participants; (4) la qualité de l'instrument utilisé; (5) le nombre de rondes dans le processus d'itération; et (6) le temps écoulé entre chaque ronde. Les pages qui suivent décrivent la façon selon laquelle chacun de ces points fut pris en considération dans la présente recherche.

Choix des répondants

«Les participants des premières études Delphi furent sélectionnés sur la base de leur expertise dans le domaine spécifique pour lequel des prévisions devaient être faites» (Weatherman et Swenson, 1974, p. 104). La notion d'expertise a toutefois évolué avec la diversification dans les applications de la technique Delphi. Pour Pill (1971), le terme «expert» peut s'entendre au sens de toute personne pouvant fournir un apport significatif au champ d'investigation. Il semble toutefois que la connaissance du sujet en cause soit un préalable absolu pour assurer le succès de l'enquête Delphi. Pour Brooks (1979), les répondants à une enquête Delphi doivent s'y connaître dans le domaine traité, représenter autant de points de vue que possible et accepter de partager leurs opinions personnelles. Pour leur part, Delbeq, Van de Ven et Gustafson (1975) suggèrent que les répondants soient nommés par de tierces personnes.

Pour respecter les points de vue précédents, les répondants à cette recherche ont été sélectionnés à partir de trois populations différentes: des éducateurs dans le domaine de la bureautique, des utilisateurs de technique de pointe dans le travail de bureau et des concepteurs dans le domaine du bureau informatisé. Les éducateurs regroupent non seulement les personnes qui enseignent les techniques de bureautique, mais aussi les ressources qui se sont engagées dans le développement pédagogique ou dans l'élaboration de nouveaux programmes en commerce et secrétariat. La Direction générale de l'éducation des adultes (formation professionnelle), la Direction générale du développement pédagogique (secteur commerce et secrétariat) et l'Association québécoise des professeurs en commerce et secrétariat ont suggéré les noms d'une vingtaine d'éducateurs susceptibles de participer à l'enquête.

Par ailleurs, des noms d'usagers ont été suggérés par l'Association internationale des secrétaires professionnelles (section de Québec), par l'Association internationale des secrétaires professionnelles (section Ville-Marie), par la Corporation des secrétaires de l'Outaouais, par l'Association des administrateurs et des gestionnaires de documents (section de Montréal) et par le Bureau des stages du ministère de l'Éducation du Québec. Les noms d'usagers pouvaient être choisis parmi le personnel de secrétariat ou parmi le personnel de gestion. Il importait que ces personnes utilisent des techniques de pointe dans leur travail quotidien ou supervisent des personnes oeuvrant dans un environnement informatisé. L'ensemble des organismes précités ont soumis les noms de 37 usagers.

Les concepteurs ont été définis comme étant des individus travaillant à la mise au point de matériel ou à la réalisation de logiciels susceptibles d'être utilisés dans un bureau informatisé de l'avenir. Les ressources qui fournissent un service de consultation aux entreprises désireuses d'informatiser leur bureau, faisaient aussi partie de cette catégorie. Une liste de compagnies faisant affaire au Québec a été dressée à partir du cahier des exposants au *Salon de la bureautique* tenu à Montréal en octobre 1983 et à partir aussi du *Répertoire des fournisseurs canadiens de matériel et de services bureautiques* du Ministère fédéral des communications. Une lettre a été envoyée à une cinquantaine d'entreprises leur demandant de suggérer le nom d'un spécialiste qui pourrait répondre aux questionnaires de l'enquête. Un total de 25 réponses ont été obtenues et 21 noms furent proposés.

La période nécessaire à l'obtention de la liste des candidats susceptibles de participer au projet de recherche s'échelonna sur une période d'un mois. Un total de 78 noms furent suggérés par les divers organismes avec lesquels un contact fut établi. Il fallait maintenant demander à ces personnes si elles acceptaient de participer à ce projet à titre de répondant.

Degré de participation des répondants

Le degré de participation des répondants représente un élément important dans la démarche de la technique Delphi. Il importe d'obtenir l'accord des répondants pour participer à ce type d'enquête. Il faut de plus s'assurer que ces derniers se sentent personnellement concernés par le problème et qu'ils soient intéressés à suivre chacune des étapes du processus. Une lettre précisant l'objectif de la recherche et expliquant, dans ses grandes lignes, la démarche de la technique Delphi, fut envoyée aux 78 personnes dont le nom avait été suggéré, leur demandant si elles acceptaient de participer au projet de recherche. Des 78 demandes, 61 personnes ont accepté de participer à titre de répondant à l'enquête Delphi.

Nombre de répondants

Le nombre de répondants engagés dans diverses enquêtes Delphi varie considérablement. On a cru pendant un certain temps que la précision des résultats augmentait proportionnellement au nombre de répondants. Brockhoff (1975) a tenté de vérifier cette hypothèse. Toutefois, aucune relation positive entre le nombre de participants et la qualité des résultats n'a pu être établie.

Une revue de la littérature révèle que «moins de 2 % des enquêtes Delphi ont été menées avec moins de cinq participants alors que 40 % des enquêtes ont fait appel à plus de 40 répondants» (Brockhaus et Mickelson, 1977, p. 109-110). Il ne semble pas exister un nombre optimum de participants à une enquête Delphi. D'après Brooks (1979), il appert que peu d'amélioration dans les résultats ne soit obtenue avec un nombre de participants supérieur à 25. En ce qui a trait à cette étude, il fut considéré qu'un total de 61 répondants représentant divers points de vue constituait un nombre amplement suffisant.

Qualité de l'instrument

Il semble raisonnable de croire que la validité des résultats dépend grandement de la qualité de l'instrument utilisé. Plusieurs facteurs peuvent influer sur la qualité de l'instrument et la longueur de celui-ci est un de ces facteurs. Barnette, Danielson et Algozzine (1978) affirment qu'une des raisons expliquant le faible taux de retour des questionnaires est la longueur de l'instrument. La clarté des énoncés est un autre facteur qui peut avoir un impact sur la qualité de l'instrument utilisé. Le fait qu'un répondant ne comprenne pas un énoncé lors de la première ronde l'amène à se rallier tout simplement à la majorité au cours des rondes subséquentes (Weatherman et Swenson, 1974).

Dans la présente étude, une revue de la documentation a permis l'identification d'une soixantaine de compétences qui seraient nécessaires pour travailler dans le bureau moderne. Ces compétences pouvaient se regrouper en six catégories: langage et communication, attitudes et caractéristiques personnelles, utilisation du matériel de bureau, administration, tenue de livres et classement, de même que concept et processus. Dans le but d'améliorer la qualité des énoncés, le projet de questionnaire fut soumis à cinq personnes spécialisées dans le domaine de la bureautique ou dans le domaine de l'élaboration des questionnaires. La version définitive tenait compte des commentaires de ces personnes.

L'échelle utilisée pour permettre aux répondants de quantifier leurs réponses représente un autre facteur qui peut influer sur la qualité de l'instrument. Après avoir considéré diverses méthodes de quantification, Scheibe et al. (1975) constatèrent que les répondants se sentaient plus à l'aise lorsqu'une échelle de type Likert était utilisée comme moyen de mesure. Dans la présente étude, une échelle de type Likert variant de 0 à 9 fut utilisée.

Nombre de rondes

La littérature traitant de la technique Delphi n'est pas unanime quant au nombre de rondes nécessaires pour atteindre un consensus. Cyphert et Gant (1971) remarquent que la grande majorité des modifications dans les réponses des participants se font au cours des trois premières rondes. Pour sa part, Brockhoff (1975) soutient que les meilleurs résultats sont obtenus à la fin de la troisième ronde et que la poursuite du processus de consultation pour une quatrième et une cinquième étape pourrait même atténuer la qualité des résultats.

L'atteinte d'un consensus n'est peut-être pas la seule façon de mettre fin à une enquête de type Delphi. Scheibe et al. (1975) suggèrent plutôt d'utiliser un «facteur de stabilité des réponses» pour terminer le processus de consultation.

Ce facteur de stabilité peut se définir en fonction de la variation des réponses fournies par l'ensemble des participants entre deux rondes successives. Ces auteurs soulignent toutefois qu'il existera toujours une certaine oscillation dans les réponses et que toute variation inférieure à 15 % signifiera l'atteinte de la stabilité. Dans cette étude, il fut décidé d'utiliser le facteur de stabilité pour mettre fin au processus d'enquête.

Temps entre chaque ronde

Le temps alloué entre l'envoi de chaque questionnaire est un autre facteur qui peut affecter la validité et la fidélité de la technique Delphi. Le facteur temps peut tout de même être contrôlé par une planification réaliste et par un suivi assidu. Dans cette étude, 61 exemplaires du premier questionnaire furent mis à la poste. Au cours de cette première étape, les répondants devaient indiquer, à l'aide d'une échelle graduée de 0 à 9, le degré d'importance qu'ils accordaient à chacune des compétences qui figuraient sur le questionnaire. On demandait aussi aux spécialistes d'ajouter toute compétence qui, selon eux, serait importante dans le bureau de l'avenir et qui ne figurait pas dans cette première version. Environ un mois après l'envoi, des appels téléphoniques ont été réalisés dans le but d'encourager le retour de ce premier questionnaire. Quinze jours plus tard, 56 questionnaires dûment remplis avaient été retournés. L'analyse statistique de la première ronde était alors possible.

Pour chacun des points que l'on retrouvait dans le premier questionnaire, les 25e et 75e percentiles ont été calculés. Ces deux statistiques permettaient de déterminer pour chacune des compétences, la région où 50 % des répondants avaient inscrit leurs réponses. L'écart entre ces deux valeurs permettait aussi d'évaluer le degré de consensus qui se dégageait.

Les données recueillies lors de cette première phase de l'enquête servaient de base à l'élaboration du second questionnaire. Chaque répondant retrouvait sur son deuxième questionnaire la région où au moins 50 % des experts consultés avaient arrêté leur choix, l'évaluation que ce même répondant avait faite lors de la première ronde et, enfin, la liste des compétences qui avaient été ajoutées par l'ensemble des répondants lors de la première phase. Ainsi, après avoir comparé ses choix avec ceux de l'ensemble des participants, chaque répondant avait le loisir de modifier ou de confirmer ses réponses. Par la suite, chaque répondant devait indiquer le degré d'importance qu'il accordait à chacune des compétences ajoutées à la liste.

Cinquante-six exemplaires du deuxième questionnaire étaient postés. Un mois plus tard, une lettre de rappel était adressée aux répondants qui n'avaient pas retourné leur questionnaire. Un total de 52 documents furent retournés. Le facteur de stabilité fut évalué à 21,6 %; il fallait passer à l'étape suivante.

Les données recueillies lors de la deuxième ronde servirent de base à l'élaboration du troisième questionnaire. Ce dernier questionnaire fut posté aux 52 répondants. Durant le mois suivant, une lettre de rappel fut adressée aux retardataires et des appels téléphoniques ont été effectués. Un mois après ce rappel, 48 questionnaires étaient retournés et le facteur de stabilité fut évalué à 14,3 %. Il fut alors décidé d'arrêter le processus de consultation.

Un total de 13 personnes ont abandonné le processus en cours de route. Le pourcentage d'abandon est donc de 21,3 %. La revue de la littérature démontre que ce taux est acceptable compte tenu du fait que le taux d'abandon dans les enquêtes Delphi varie généralement entre 10 et 40 %. Nous pouvions donc procéder à l'analyse des résultats.

Analyse des résultats

Deux critères furent utilisés pour analyser les données à la fin de la troisième ronde: le *degré de priorité* et le *niveau de consensus*. Une compétence était considérée comme prioritaire lorsque la médiane, à la fin de la 3e ronde était d'au moins 7.00. Le degré de consensus était considéré élevé lorsque, à la fin du processus de consultation, la déviation quartile de part et d'autre de la médiane était inférieure à 1.00 point.

Compte tenu du fait que le degré de priorité accordé aux compétences et le niveau de consensus atteint par les participants furent utilisés comme critères dans le traitement des données, il devenait possible de regrouper l'ensemble des compétences en quatre classes: priorité élevée/consensus élevé; priorité élevée/consensus faible; priorité moindre/consensus élevé et priorité moindre/consensus faible. Les lignes qui suivent décrivent chacune de ces classes.

Priorité élevée/consensus élevé

Le traitement des données à la fin du processus de consultation indique que 65 compétences peuvent se regrouper dans la classe «priorité élevée/consensus élevé». Un certain nombre de ces compétences touche la langue et les communications. Les réponses obtenues indiquent que l'agent de bureau du futur devrait: savoir écouter, avoir une très bonne connaissance de la langue française et, dans bien des cas, une bonne connaissance de la langue anglaise, être en mesure de sélectionner l'information pertinente à la rédaction de rapports, déterminer la forme et le style appropriés aux divers documents, utiliser les règles de dispositions particulières à ces documents et enfin, avoir une bonne connaissance de l'entreprise pour être en mesure de répondre correctement aux questions qui lui sont posées.

Les attitudes et les caractéristiques personnelles constituent le bloc le plus important, en termes de nombre, de la catégorie priorité élevée/consensus élevé avec 24 compétences dans cette classe. Les répondants considèrent que le personnel de bureau devrait faire preuve de discrétion; démontrer de l'intérêt pour son travail; accepter des responsabilités; faire preuve de souplesse, de polyvalence, de créativité, d'initiative et d'imagination; démontrer un degré élevé d'autonomie et faire preuve de leadership; posséder un bon jugement; accepter les critiques constructives; accepter de travailler sous pression; aider les collègues de travail et travailler en harmonie avec ceux-ci; accueillir les visiteurs en respectant les règles de courtoisie; soigner sa tenue vestimentaire; accepter les nouvelles technologies et les procédures qui s'y rattachent; accepter de se perfectionner continuellement et finalement, être capable de s'adapter au changement.

Les compétences reliées à l'utilisation du matériel de bureau représentent aussi un bloc important des habiletés considérées par les participants comme étant prioritaires. Les répondants indiquent que le personnel du bureau de demain devrait être en mesure d'utiliser le matériel relié au traitement de texte, au traitement des données et au classement électromagnétique; être capable de sélectionner l'outil qui donnera le meilleur rendement possible; savoir utiliser les systèmes de transmission appropriés pour les communications orales ou écrites; être capable de respecter les règles de sécurité et détecter les diverses défectuosités.

Les réponses indiquent aussi que certaines compétences administratives seraient essentielles dans le bureau de demain. L'agent de bureau de l'avenir devrait être capable d'établir des priorités dans son travail, de mettre au point et d'améliorer des méthodes de travail et de démontrer des habiletés dans le processus de prise de décision et dans le processus de résolution de problèmes.

Seulement quatre compétences de la section tenue de livres et classement furent considérées par l'ensemble des répondants à l'enquête Delphi comme étant prioritaires. En effet, les réponses indiquent que le personnel de secrétariat devrait être en mesure de classer les documents selon le système en vigueur, d'acheminer des messages à l'aide du courrier électronique, de faire de l'archivage électronique et finalement d'établir et de maintenir un système de fichiers électroniques.

Finalement, le dernier groupe de compétences prioritaires pour lesquelles les répondants ont atteint un niveau de consensus élevé provient de la section concept et processus. Les participants soulignent que le personnel de bureau de demain devrait comprendre les concepts et la terminologie propres au traitement de texte, au traitement des données et au courrier électronique; comprendre le processus de traitement de l'information et visualiser le rôle de l'ordinateur dans le traitement de cette information; connaître les possibilités et les limites des micro-ordinateurs; voir le rôle des télécommunications dans le travail de bureau et comprendre la notion de bureau intégré.

Priorité élevée/consensus faible

Un total de cinq compétences furent considérées comme étant prioritaires mais pour lesquelles le niveau de consensus élevé n'a pas été atteint. La plupart des répondants considèrent que le personnel de secrétariat devrait être en mesure de s'exprimer oralement d'une façon claire et précise, de corriger divers documents, de faire preuve de ponctualité, de concevoir un système de classement et, de recevoir et d'acheminer les appels téléphoniques. Certains participants soutiennent toutefois que l'avènement des nouvelles technologies dans le bureau de l'avenir réduira l'importance de ces dernières compétences.

Priorité moindre/consensus élevé

L'ensemble des participants à l'enquête Delphi s'entendent pour considérer 17 compétences comme étant moins prioritaires pour le bureau du futur. Les réponses indiquent que le personnel du bureau de demain pourra attacher moins d'importance à des habiletés telles que: la composition ou la rédaction de rapports; la traduction du français à l'anglais; l'utilisation de logiciels de comptabilité, de chiffriers électroniques ou de logiciels graphiques; la vitesse de frappe et la dactylographie à partir de textes enregistrés sur bandes magnétiques; la supervision de personnel et la délégation de responsabilités; et les réservations pour fin de voyages.

Priorité moindre/consensus faible

Finalement, l'analyse des données indique que 21 compétences listées dans le dernier questionnaire peuvent se regrouper dans la catégorie priorité moindre/consensus faible. Ces compétences touchent: l'utilisation de la sténographie; la prise de notes rapide; la traduction de l'anglais au français; l'utilisation de calculatrices électroniques, de photocopieurs, de systèmes de microfiches et de lecteurs optiques. Enfin, il fut constaté que la totalité des compétences reliées au domaine de la comptabilité sont intégrées dans cette catégorie.

Références citées dans le résumé de la thèse

BARNETTE, J.J., DANIELSON, L.C. et ALGOZZINE, R.F. (1978). Delphi methodology: an empirical investigation. *Educational Research Quarterly*, 3, 1, 67-73.

BROCKHAUS, W.L., et MICKELSON, J.F. (1977). An analysis of prior Delphi applications and some observations on its future applicability. *Technological Forecasting and Social Change*, 10, 1, 103-110.

BROCKHOFF, K. (1975). The performance of forecasting groups in computer dialogue and face-to-face discussion, *in* Lindstone, H.A. et Turoff, M. (Eds). *The Delphi Method: Techniques and Applications*. Reading Mass.: Addison Wesley.

BROOKS, K.W. (1979). Delphi technique: expanding applications. *North Central Association Quarterly*, 53, 3, 377-385.

CYPHERT, F.R. et GANT, W.L. (1971). The Delphi technique: a case study. *Phi Delta Kappan*, January, 272-273.

DELBEQ, A., VAN DE VEN, A.H., GUSTAFSON, D.H. (1975). *Group techniques for planning: a guide to nominal group and Delphi process*. Glenview Illinois: Scott & Foresman.

HILL, K.Q., FOWLES, J. (1975). The methodological worth of the Delphi forecasting technique. *Technological Forecasting and Social Change*, 7, 2, 179-192.

PILL, J. (1971). The Delphi method: substance, contact, a critique and an annotated bibliography. *Socio-Economic Planning Science*, February, 5, 1, 57-71.

SCHEIBE, M., SKUTSCH, M. et SCHOFER, J. (1975). Experiments in Delphi methodology, *in* Lindstone, H.A. et Turoff, M. (Eds), *The Delphi Method: Techniques and Applications*. Reading Mass.: Addison-Wesley.

WEATHERMAN, R., SWENSON, K. (1974). Delphi technique *in* Hendey, S. et Yates, J. (Eds.), *Futurism in Education*. Berkeley, California: McCutchan Publ.

3. SCÉNARIO

La méthode de scénario s'inscrit dans une préoccupation qui a, de tous les temps, fasciné et attiré l'homme, soit celle de connaître et prévoir l'avenir. En prenant conscience du présent, l'homme essaie d'imaginer ce que pourrait être le futur. Au début des années '50, certains experts ont tenté d'élaborer une méthodologie structurée et scientifique qui permet de guider cette démarche. Les premières études ont été réalisées aux États-Unis par la Rand Corporation et elles touchaient les domaines politique et militaire (St-Jules, 1983). Cette méthode d'anticipation des avenirs possibles est celle du scénario.

Cette méthode d'analyse et d'intervention illustre et fait partie d'un courant scientifique contemporain fort important qui se nomme la prospective, elle-même encadrée par la théorie générale des systèmes. La prospective s'est développée pour répondre au besoin de planification à long terme dans les divers secteurs de l'activité humaine où des interactions complexes et multiples ne sont pas sans affecter l'évolution des futurs possibles. Elle vise à évaluer les probabilités d'occurrence de divers futurs tout en décrivant comment ceux-ci pourront survenir. Il ne s'agit donc pas seulement de dire ce qui arrivera mais aussi d'expliquer les diverses étapes qui conduiront à ces futurs (Julien et al., 1974). Il est alors possible, en connaissant les mécanismes évolutifs d'accès à ces futurs, de pouvoir établir des stratégies appropriées pouvant accroître ou non les probabilités d'avènement de ces nouvelles réalités (Tiano, 1974). Pour explorer le futur et construire une image du futur, le chercheur-intervenant doit se décentrer du présent en l'assumant comme point de départ. Lemieux (1985) mentionne que pour accéder au monde de l'inconnu, il est nécessaire que le spécialiste s'écarte d'une logique encadrée dans un mode traditionnel de pensée et des paradigmes scientifiques caractéristiques de la société actuelle. Le chercheur-intervenant utilisera une approche systémique et fera confiance à son imagination créatrice alors soumise à une méthodologie d'utilisation.

Le fait de se pencher sur l'avenir permet d'anticiper les changements plutôt que de réagir à ceux-ci, ce qui constitue une différence très importante dans la maîtrise de l'environnement. Ce type de démarche apprivoise également l'incertitude de l'avenir, un sentiment de plus en plus fort dans un monde complexe en constant changement. Kahn (1974) mentionne que le fait de réfléchir sur l'avenir permet de «considérer comment on arrive à spéculer, extrapoler, prédire et prévoir l'avenir puis à éviter et contourner les obstacles prévus».

La méthode du scénario permet de mettre en relief des alternatives possibles pouvant difficilement être mises en évidence autrement et d'agir ensuite sur les événements (Jantsch, 1967; Wilson, 1978). Dans une perspective à long terme, le scénario aide à la prise de décision et au choix des actions à entreprendre. À peu près toutes les organisations élaborent leur planification stratégique à partir de cette vision des futurs possibles (Linneman et Klein, 1979). Dans le contexte actuel où les changements technologiques, économiques et sociaux sont fort nombreux, la méthode du scénario peut nous guider judicieusement vers l'avenir en ajustant nos actions à un environnement qui devient alors moins menaçant (Allen, 1978).

3.1 Définition de la méthode du scénario

Julien et al. (1974) définissent cette méthode comme une démarche synthétique qui, d'une part, simule étape par étape et d'une manière plausible et cohérente une suite d'événements conduisant un système vers une situation future et qui, d'autre part, présente une image d'ensemble de celle-ci. Si ces auteurs mettent l'accent sur la dimension de la démarche ou du processus, Bluet et Zemor (1977) font ressortir le résultat de cette démarche en définissant le scénario comme un ensemble formé par la description d'une situation future et du cheminement des événements permettant de passer de la situation d'origine à la situation future. Le scénario est ainsi fréquemment associé, dans l'esprit des gens, à un processus systématique d'analyse du présent visant à imaginer l'avenir ou à la description même de ces futurs possibles.

Julien et al. (1974) de même que Godet (1977) ont énuméré les prémisses sous-jacentes à la prospective et conséquemment à la méthode du scénario :

— étant donné son caractère dynamique, les structures fondamentales changent et de nouvelles structures naissent continuellement;

— certains profils de changements sont reconnaissables du moins en partie;

— il est possible d'agir assez souvent sur le rythme et la direction des changements;

— l'homme a une certaine liberté pour définir et choisir son avenir;

— il est possible de modifier l'avenir en fonction de systèmes de valeurs;

— les événements non mesurables ont souvent un grand impact sur l'évolution du futur;

— certains problèmes ou événements découlent d'une raison logique alors que d'autres échappent à cette logique;

— le jugement personnel peut déterminer quels sont les facteurs les plus susceptibles d'agir sur le cours des événements.

Barrette (1984) résume bien les principales caractéristiques du scénario. Tout d'abord, le scénario a un début et une fin. Deuxièmement, le scénario tient compte des divers aspects (économique, politique, démographique, etc.) de la problématique abordée. Le scénario prend en considération les éléments déterminants, les combine entre eux et aide ainsi à prédire l'avenir du système. Troisièmement, le scénario s'intéresse surtout aux grandes lignes ou aux grandes tendances, non aux détails, en cherchant à mettre en relief les points importants de subdivision. Ainsi, le spécialiste peut voir l'orientation possible des futurs, dépendamment des divers embranchements. Quatrièmement, il est généralement recommandé de préparer un minimum de trois scénarios: un pessimiste, un moyen et un optimiste. Cinquièmement, il est nécessaire de remettre périodiquement à jour les divers scénarios en fonction de l'évolution de ses déterminants majeurs. Sixièmement, le scénario constitue une méthodologie rigoureuse d'interrogation du présent et du futur respectant des règles qui tiennent en laisse l'imagination: conformité aux caractéristiques de chaque type de scénario, respect des objectifs de l'étude, vraisemblance, rationnalité des informations et cohérence. Enfin, soulignons que les scénarios doivent être élaborés par plusieurs individus choisis habituellement pour leur expertise. En plus de leurs connaissances techniques, Dror (1973) mentionne que, au-delà des capacités intellectuelles, les attitudes d'ouverture d'esprit, de tolérance à l'ambiguïté, de sensibilité aux problèmes et d'habileté à travailler en équipe sont des aspects de la personnalité essentiels à ceux qui désirent élaborer des scénarios.

Il est également utile de souligner ici que cette méthode de recherche et d'intervention fait appel à d'autres méthodes, tels le questionnaire, l'entrevue ou la méthode Delphi, au moment d'interroger les experts. Ce n'est donc pas une méthodologie complète en soi puisqu'elle repose sur d'autres outils d'analyse qui viennent se greffer au processus même du scénario.

Mentionnons, au moment de terminer cette section consacrée à la définition du scénario, qu'il en existe deux types principaux: le scénario exploratoire et le scénario d'anticipation (Julien et al., 1974). Le scénario exploratoire décrit, à partir d'une situation présente et des tendances identifiées actuellement, une suite d'événements conduisant logiquement à un futur possible. Ce genre de scénario fournit un cadre de référence important pour la planification en démontrant ce qui arrivera si on laisse l'évolution du système dépendre essentiellement de ses tendances naturelles (sans intervention pour modifier celles-ci). Le scénario d'anticipation, contrairement au scénario exploratoire, prend comme point de départ l'image des futurs possibles et souhaitables. Celui-ci permet d'imaginer un futur et de mettre en place les éléments (acteurs, événements, etc.) pour l'atteindre. Si le scénario exploratoire part du présent pour aller vers le futur, le scénario d'anticipation procède surtout par le cheminement inverse (Barrette, 1984).

3.2 Étapes de la méthode du scénario

L'élaboration d'un scénario implique généralement cinq grandes phases: établissement de la constitution de base, évaluation du contexte externe, progression du présent vers le futur, évaluation des scénarios et image terminale ou future. Nous les décrirons maintenant brièvement.

Établissement de la constitution de base

En général, les personnes qui élaborent des scénarios doivent dans un premier temps définir les éléments structurants, les facteurs de déséquilibre, les tendances d'évolution et les germes de mutation (Durand, 1972). Après avoir déterminé le système ou la problématique organisationnelle impliquée, le chercheur-intervenant précise quels sont les divers sous-systèmes concernés. Pour chacun de ces sous-systèmes, il doit en définir les quatre aspects cités précédemment.

Les éléments structurants sont des éléments stables ou invariants autour desquels le scénario est élaboré. Les facteurs de déséquilibre correspondent aux aspects de tension inclus dans les éléments structurants. Ceux-ci engendrent des forces qui peuvent faciliter le changement ou au contraire le freiner. Quant aux tendances d'évolution, ce sont les directions issues des forces créées par les divers facteurs de déséquilibre. Enfin, les germes de mutation représentent ce qui pourrait, au cours de l'évolution du scénario, venir agir sur son développement.

Le spécialiste des organisations peut, par exemple, étudier les conséquences d'un changement radical du type de production d'une entreprise. Il s'agit là d'un système formé de plusieurs sous-systèmes. La grille d'analyse pourrait être celle illustrée à la figure 19.

Figure 19: **Système des conséquences d'un changement radical du type de production d'une entreprise.**

Sous-systèmes

	1) Économique	2) Main-d'oeuvre	3) Politique	4) Social	5) Relations de travail
Éléments structuraux					
Facteurs de déséquilibre					
Tendances d'évolution					
Germes de mutation					

Le chercheur-intervenant dégage, ou fait dégager par des personnes-ressources, les seuls faits qui représentent des lignes de force pouvant influencer le futur. À cette étape, il s'agit de dégager les faits prospectifs du présent: les faits passés qui ont duré jusqu'à présent et qui, de toute évidence, continueront à exister; les faits nés récemment ayant un impact actuel minime mais susceptible de s'accroître dans l'avenir. Il importe de s'appuyer sur des données précises et variées, présentes et passées. Ces informations de base proviennent de diverses sources: dossiers, documentation, résultats d'enquêtes, entrevues, etc.

Évaluation du contexte externe

Le système à l'étude ou l'objet du scénario n'est pas isolé mais ouvert sur une foule de facteurs environnementaux. L'environnement est pris en considération à cause de son interaction avec le système. C'est en ce sens que l'approche générale des systèmes sert de base à la méthode du scénario. L'approche est essentiellement holistique. Il importe de distinguer les contingences qui influencent présentement ou influenceront éventuellement le système (St-Jules, 1983). Certains aspects de l'environnement peuvent s'avérer être des facteurs contraignants ou facilitateurs. Parmi ces divers facteurs, il peut s'agir, pour poursuivre l'exemple sur le changement du type de production, de l'élection d'un gouvernement dont les politiques de main-d'œuvre sont conservatrices, de la force d'un mouvement social mis en place pour défendre les emplois, de la fermeture récente d'une importante entreprise dans un domaine connexe, de la promulgation d'une nouvelle charte des droits de la personne au travail, etc. Le contexte externe est constitué par une description des contraintes ou des facilitateurs les plus significatifs qui proviennent de l'environnement du système étudié.

Progression du présent vers le futur

À cette troisième étape, l'objectif est d'établir la progression du scénario à partir du présent jusqu'à une date future déterminée. Après avoir recueilli les éléments de base, il faut les organiser de telle sorte qu'il soit possible de dégager les principaux mécanismes de fonctionnement de l'ensemble du système (Tiano, 1974). Pour en arriver à une explication globale, il est nécessaire d'ordonner ou de hiérarchiser les sous-systèmes entre eux et de définir les interactions dans le but d'en faire ressortir la dynamique et la cohérence. La chaine des causalités est alors établie. Comme la majorité des éléments sont qualitatifs, la perception de leur évolution et de leur transformation repose en grande partie sur la méthodologie adoptée et l'expertise des participants dans leur champ respectif de connaissances. Ces derniers peuvent, selon leur connaissance du système, établir les probabilités d'occurrence des divers événements. Ces éléments sont reliés entre eux en établissant les liens de causalité et leur probabilité. Le fait de pouvoir mettre en relief ces événements et leur chance d'exister implique qu'il y a plusieurs scénarios possibles, compte tenu des alternatives en cause. Plusieurs suites logiques sont traduites en plusieurs scénarios possibles.

Évaluation des scénarios

Après avoir rédigé les divers scénarios, le chercheur-intervenant envisage maintenant l'étape de la critique en épurant ou en enrichissant les scénarios. Les faiblesses de chaque scénario sont alors identifiées et les erreurs de progression corrigées.

Zentner (1978) souligne trois critères d'évaluation de la validité d'un scénario: sa crédibilité, son utilité et son intelligibilité. La crédibilité est plus grande si le scénario a été élaboré par des experts reconnus. Il est généralement plus facile alors de le faire accepter. Quant à son utilité, elle est démontrée lorsque le scénario permet de prendre de bonnes décisions. Un bon scénario offre différentes avenues par lesquelles le système peut être changé afin d'atteindre les buts désirés (Allen, 1978). Enfin, un scénario doit être clair et intelligible, c'est-à-dire facile à comprendre. Celui-ci prend en considération tous les éléments nécessaires et toutes les contingences. Pour qu'un scénario soit valide, les divers aspects pertinents du système et des sous-systèmes doivent être pris en considération sinon il y a risque d'être incomplet et de logique interne faible.

Enfin, mentionnons que la fidélité d'un scénario est évaluée par l'accord inter-juges concernant la pertinence des éléments, l'évaluation des probabilités d'occurrence, l'interaction des variables entre elles et la justesse des hypothèses.

À la suite de cette phase d'évaluation des scénarios, ceux-ci sont modifiés et écrits à nouveau. Une nouvelle critique peut être effectuée et ce cycle recommence jusqu'à ce que les images finales soient satisfaisantes aux yeux des experts (Barrette, 1984).

Images terminales ou futures

Dans la méthode du scénario, plusieurs images du futur se dégagent au fur et à mesure que le scénario s'élabore dans le temps. Cette dernière étape consiste à découper celui-ci en section de temps. Ce découpage temporel du scénario permet, pour chaque segment, d'analyser les divers aspects: synchronicité, interrelations, probabilité d'occurrence des éléments, identification des participants et des actions à entreprendre. Il est possible d'évaluer si, à l'intérieur d'un segment du scénario, des modifications sont nécessaires, si la progression doit être maintenue ou ajustée, etc.

Par cette analyse détaillée des divers scénarios, le spécialiste vise à répondre aux questions suivantes:

— comment ou quelles actions entreprendre pour augmenter l'occurrence de tel événement?

— quelles personnes peuvent agir sur tel ou tel événement?

— quel serait l'impact de telle modification sur le scénario ou une partie du scénario?

Le scénario est, en conclusion, utile à la planification, à la prise de décision et à la compréhension d'un problème. En ayant une image globale du futur, il est possible de cerner les conséquences à plus ou moins long terme de certaines actions, d'élaborer les stratégies nécessaires à l'atteinte d'un futur souhaitable. Il est bien certain que l'avenir est rempli d'incertitude et le scénario ne peut la faire disparaître. Cependant, il peut transformer un risque total en risque calculé.

3.3 Avantages et limites du scénario

Au niveau des avantages, il est intéressant de noter la grande flexibilité de cette méthode quant à l'éventail des problématiques qu'elle peut aborder. Tiano (1974) mentionne que les conflits ouverts, les insatisfactions et les lacunes technologiques sont autant d'indicateurs de problème. Les chercheurs-intervenants en milieu organisationnel peuvent utiliser le scénario comme outil de travail pour cerner, dans une perspective holistique, de nombreux problèmes, tels le chômage, les besoins futurs de main-d'oeuvre, les changements technologiques, etc.

De plus, le scénario a l'avantage d'attirer l'attention des spécialistes des organisations et de mettre en évidence les diverses possibilités à envisager dans l'étude de l'avenir. L'univers et les réponses aux problèmes ne sont pas simples. Il faut tenir compte d'interactions complexes qui se traduisent généralement en plusieurs futurs possibles. L'étude de ceux-ci n'est réalisable que si nous approfondissons d'abord les caractéristiques du présent puisque l'avenir a ses racines dans le présent. Cette démarche nous apprend beaucoup sur l'actuel puisque le chercheur-intervenant analyse méthodiquement le système existant pour ensuite imaginer le chemin qui va vers le futur. L'étude d'une problématique fait découvrir les antécédents et probablement les inter-actions causales.

St-Jules (1983) mentionne que l'utilisation de scénarios permet d'identifier les conséquences et les coûts de telle ou telle action. À cet égard, le scénario est axé sur la prévention puisque l'on anticipe les changements plutôt que de simplement réagir à ceux-ci.

Enfin, la méthode du scénario est supérieure au jugement ou impression. D'après Wilson (1978), le scénario aide à construire un plan de son environnement, à choisir les options et priorités et ce, à partir d'une approche méthodique.

Au bilan des limites de la méthode du scénario, il faut d'abord signaler une limite qui va de soi: la difficulté de saisir le futur. Toute approche prospectiviste, si rigoureuse soit-elle, est limitée par le facteur temps. Le futur n'est pas un présent vieilli (Barrette, 1984). Le temps constitue la quatrième dimension et il sera toujours difficile d'en saisir les effets sur les divers éléments d'un scénario. En plus de cette difficulté reliée au futur, il en est une autre, toute aussi importante, soit la quasi impossibilité de représenter dans un scénario tous les éléments du système et toutes les interactions entre ceux-ci.

Il est déjà très difficile d'établir des liens de causalité dans une analyse empirique portant sur une problématique actuelle. Que penser de l'objectif visant à tracer certaines relations de causalité entre les variables d'un scénario établi de toute pièce? Cette réalité ne peut, en aucun cas, permettre la confrontation de ces liens cause-effet puisque nous travaillons essentiellement à simuler des réalités. Il est donc nécessaire que les scénarios soient revus et corrigés périodiquement afin de conserver leur validité et leur cohérence logique interne.

Il est évident qu'afin d'aller chercher toute l'information nécessaire à l'élaboration de scénarios valides, le spécialiste des organisations doit consulter de multiples sources d'information: gestionnaires, analystes, archives diverses, etc. Ce processus est alors fort coûteux et exige d'y mettre temps et efforts.

Allen (1978) souligne que certains chercheurs-intervenants reprochent au scénario d'être de nature plus qualitative que quantitative. Selon cet auteur, rien n'empêche d'inclure dans un scénario des données quantitatives quand elles sont disponibles. Par contre, vouloir rejeter certains événements parce qu'il n'y a pas de données quantitatives serait une erreur. De plus, il mentionne que les données quantifiées peuvent fournir aux spécialistes un faux sentiment de sécurité et ceci encore plus dans un domaine comme la prospective.

Certaines limites sont principalement associées au chercheur-intervenant lui-même. Il est bien évident que la valeur des scénarios dépend grandement de l'expertise des participants, de leur imagination et familiarité avec la situation analysée. Les connaissances nécessaires à l'élaboration de scénarios pertinents doivent être étendues et diversifiées. Enfin, il faut également être conscient du fait que les scénarios sont teintés de subjectivité. Dans cette optique, le système de valeurs des participants, certaines idées préconçues, une pensée émotive, une vision trop étroite de la réalité, une idéologie marquée sont autant de facteurs pouvant influencer ceux qui créent un scénario. L'impact exact de cette limite, bien que certainement présent, demeure difficile à évaluer et cerner.

3.4 Illustration — La promotion de la santé en milieu organisationnel dans une société post-industrielle: une étude prospective (Kenneth G. Romer, Ph.D.)[1]

Position du problème

La présente étude a pour but d'explorer systématiquement, à l'aide de la méthode du scénario, ce que l'avenir pourrait comporter quant à la disponibilité des services de promotion de la santé en milieu organisationnel.

Actuellement, les solutions aux maladies les plus fréquentes dans notre société — les maladies cardiaques, le cancer, la cirrhose, etc. — semblent découler des comportements des individus mais également des environnements physique et sociaux. La responsabilité de l'amélioration de l'état de santé des individus revient donc à la société (Hancock, 1982).

Les pertes financières de l'industrie reliées aux maladies cardio-vasculaires, principale cause de mortalité actuellement, sont énormes. L'industrie défraie la majeure partie des coûts d'assurance-santé et supporte le fardeau économique de l'absentésime, du taux de roulement et de la mortalité prématurée (Fielding, 1979). En considérant ces coûts élevés, les gestionnaires réalisèrent que des services de promotion de la santé seraient désirables (Kreitner, 1976; Sehnert et Tillotson, 1978). Ces services représentent un ensemble d'interventions d'ordre politique, environnemental, économique ou technologique visant à faciliter l'acquisition de comportements et à modifier l'environnement afin d'améliorer la santé et la condition physique des individus. Le secteur privé et les milieux d'affaires se sont manifestés durant les années 1970 en augmentant substantiellement le nombre de nouveaux programmes de santé et de conditionnement physique en milieu organisationnel, ce qui créa de nouvelles opportunités de carrière pour le spécialiste de promotion de la santé (Phillips et Allen, 1979).

---

1. Thèse de doctorat présenté en 1984 à la Faculté des études graduées de la Texas Woman's University, sous la direction du Professeur Donald Merki. Le résumé français a été réalisé par Yves Chagnon, étudiant au doctorat en psychologie industrielle et organisationnelle à l'Université de Montréal.

Afin de prédire les opportunités futures de carrière en promotion de la santé, le spécialiste de ce domaine doit se mettre au fait des tendances sociales changeantes. Actuellement, les États-Unis entrent dans une nouvelle ère apportant une nouvelle structure sociale, la société post-industrielle. Celle-ci est composée de différentes dimensions (Bell, 1973) tels:

a) le secteur économique: la transformation d'une économie de production de biens en une économie de services;

b) le secteur de l'emploi: la domination des techniciens et des professionnels;

c) le principe axial: l'importance des connaissances théoriques dans la formulation des politiques d'une société et comme source d'innovation;

d) la création d'une nouvelle «technologie intellectuelle» (progression de la science, création de nouveaux domaines d'études).

Comment l'émergence d'une société post-industrielle influencera la disponibilité des services de promotion de la santé en milieu organisationnel d'ici la fin du 20e siècle? Ce sont en ces termes que l'auteur énonce le problème à l'étude.

La présente étude est basée sur les postulats suivants:

— la disponibilité des services de promotion de la santé dans l'environnement organisationnel est influencée par des tendances sociales externes;

— l'utilisation de l'analyse d'impact (*cross impact analysis*) peut permettre de concevoir différents scénarios concernant la promotion de la santé dans l'avenir.

L'analyse d'impact est une technique de prévision utilisée pour identifier des chaînes causales possibles et déterminer les effets globaux de ces chaînes sur la probabilité qu'un événement survienne à un moment particulier (Jantsch, 1979; Stover et Gordon, 1978).

Méthodologie

Les prévisions de promotion de la santé en milieu organisationnel seront développées en trois étapes: (a) recension de la documentation, (b) traitement statistique et (c) conception de scénarios.

Recension de la documentation

L'identification d'événements de promotion de la santé en milieu organisationnel s'effectue par une étude de l'histoire de la structure sociale post-industrielle. La structure sociale est constituée: (a) du système occupationnel, (b) du système technologique et (c) du système économique. L'étude est menée sur une base quinquennale et permet d'identifier les tendances qui se manifestent. Les données recueillies portent sur une période s'échelonnant de 1956 à 1980.

Traitement statistique

Le traitement statistique se réalise en quatre étapes successives (Stover et Gordon, 1978).

D'abord, les événements inclus dans l'analyse sont combinés après avoir effectué une recension de la documentation sur la structure sociale post-industrielle. Les recherches dans ce domaine indiquent que le nombre d'événements sur lesquels portent l'étude doit idéalement se situer entre 10 et 40. Afin de parvenir à ce nombre, les événements qui sont reliés de très près (par exemple, les maladies dont le taux de mortalité augmente) sont combinés en une question. De plus, les événements qui ne rencontrent pas les critères prédéterminés sont éliminés. Finalement, un prétest du questionnaire est effectué. Ce dernier contient 43 items portant chacun sur un événement particulier.

Après avoir déterminé les événements, on estime la probabilité initiale pour chaque événement, plus précisément la probabilité que l'événement survienne en l'an 2000. La probabilité initiale de chaque événement est spécifiée en assumant que les autres événements ne se sont pas présentés. La probabilité initiale de chaque événement est évaluée par un groupe de 17 experts. Ces experts proviennent de trois domaines. Premièrement, six experts de différentes disciplines faisant partie du comité d'évaluation de la thèse sont consultés. Deuxièmement, les estimés de cinq gestionnaires s'ajoutent à ceux des membres du comité d'évaluation. Enfin, on obtient les évaluations de six professionnels de la promotion de la santé dont l'expertise touche au milieu organisationnel. Le score moyen de ces 17 évaluations est utilisé comme la seule probabilité initiale pour chaque événement. Ainsi, à chaque événement inclus dans le questionnaire correspond une probabilité initiale.

Une fois les probabilités initiales des événements déterminées, les probabilités conditionnelles (ou d'impact) pour chaque paire d'événements sont calculées. Celles-ci sont estimées en répondant à la question: «Si l'événement *m* se présente, quelle est la nouvelle probabilité que l'événement *n* survienne?». La matrice d'impact *(occurrence impact matrix)* est alors complétée en posant cette même question pour chaque combinaison d'événements. Pour chacune de ces combinaisons, il y a des limites concernant les probabilités conditionnelles (Enzer, 1972). Certaines formules précises sont utilisées pour déterminer les limites des probabilités conditionnelles (voir les explications dans la thèse). De plus, une matrice d'impact de non-occurrence *(non occurence cross-impact matrix)* est calculée d'une manière similaire à la première matrice d'impact *(occurrence cross-impact matrix).*

Lorsque la matrice d'impact est complétée, on effectue un test *(sensitivity test)* sur les items concernant les événements où il y a incertitude. On change la probabilité initiale de l'item traitant d'un événement particulier et on calcule à nouveau les probabilités conditionnelles ou d'impact.

Conception des scénarios

La conception de trois scénarios représente la troisième et dernière étape de la recherche. Après avoir considéré les différentes combinaisons d'événements de la matrice d'impact, les trois scénarios de promotion de la santé sont conçus de manière intuitive: (a) un scénario-repère constitué d'événements les plus probables pour le spécialiste de promotion de la santé, (b) le scénario le plus optimiste pour ce dernier, (c) le scénario le plus pessimiste pour le spécialiste de promotion de la santé.

Présentation des résultats

À titre d'exemple, voici une synthèse de chacun des trois types de scénario résultant de cette recherche.

Scénario-repère

Sur le plan économique, la croissance du secteur des services s'accentuera vers l'an 2000. La santé de la main-d'oeuvre sera davantage considérée par les dirigeants, étant donné son rôle important dans l'amélioration de la productivité des organisations. Les programmes d'aide financière couvrant les soins médicaux incluront des services de promotion de la santé. Les services présentant les meilleurs rendements sur l'investissement seront dispensés aux employés. Ainsi, les services d'éducation en matière de santé ayant un impact à long terme seront relégués au second plan alors que les services médicaux plus traditionnels auront la priorité. Ces services médicaux seront cependant différents en l'an 2000. Les coûts sans cesse croissants et l'ampleur des mouvements de consommateurs favoriseront l'implantation de programmes de prévention en milieu organisationnel.

Dans les plus grandes organisations, un spécialiste sera responsable des services de promotion de la santé dispensés en milieu organisationnel. Dans les petites et moyennes entreprises, les services de promotion de la santé seront disponibles via le micro-ordinateur. Étant donné l'utilisation croissante de l'ordinateur à la maison et au bureau, la majorité des employés auront accès à un certain nombre de logiciels traitant de la santé. Ceux-ci porteront sur le contrôle de l'hypertension, le conditionnement physique, la prévention des accidents, le régime alimentaire, la gestion du stress et le tabagisme.

Scénario le plus optimiste

En l'an 2000, les organisations compteront davantage sur la haute technologie, ce qui se traduira par une diminution des heures de travail et une hausse du nombre de travailleurs détenant des emplois à temps partiel. Cette plus grande disponibilité des employés favorisera la pratique d'activités physiques facilitant l'amélioration de leur santé.

Les examens traditionnels effectués par un médecin visant à dépister des maladies ou dysfonctions de l'organisme ne représenteront qu'une partie des examens réalisés par toute une équipe médicale comprenant des spécialistes de promotion de la santé, infirmières, physiothérapeutes, diététiciens et psychologues. Ces évaluations porteront sur les comportements de l'individu qui rendent compte de son style de vie et sur le système social dans lequel il évolue. On mettra à la disponibilité de l'employé différents programmes de promotion de la santé en fonction des résultats obtenus.

Les plus grandes organisations auront un spécialiste de la promotion de la santé faisant partie d'un département de promotion de la santé. Les petites et moyennes entreprises rechercheront les services d'un conseiller externe dans ce domaine.

Scénario le plus pessimiste

En l'an 2000, les organisations américaines prôneront encore que le travail, et non le loisir, constitue l'activité servant de base à la vie humaine. L'accent sera mis sur la productivité, ce qui contribuera à hausser le niveau de stress au travail. Les corporations n'aideront pas les employés à atteindre et à maintenir un style de vie favorisant leur santé. Les politiques organisationnelles visant à établir un environnement de travail sain prendront du temps à venir; celles-ci ne seront adoptées que par une minorité d'entreprises.

Plusieurs programmes de promotion de la santé en milieu organisationnel seront accessibles aux employés sous forme de logiciels. Cependant, ceux-ci seront peu utilisés car la direction investira peu pour inciter les employés à s'en servir. Les services de promotion de la santé demeureront sous le contrôle des médecins. Cependant, ceux-ci privilégieront davantage la prévention de la maladie que la promotion de la santé. La reconnaissance officielle des spécialistes de promotion de la santé continuera d'être débattue mais sans résultat. En conséquence, on constatera une grande hétérogénéité concernant la formation des individus qui évoluent dans le secteur de la promotion de la santé. Dans ce contexte, les compagnies d'assurance manifesteront beaucoup de réticences quant au remboursement des services liés à la promotion de la santé.

Les résultats obtenus suite à la conception des trois scénarios permet de retenir les faits suivants:

— Il y a un mouvement majeur de la population des États-Unis du nord vers le sud-ouest.

— La croissance continue de l'industrie de la promotion de la santé dépendra du maintien de deux mouvements sociaux:

   (a) le passage de l'orientation à court terme à la planification à long terme;

   (b) dans le domaine de la santé, la transition de la dépendance aux institutions à l'autonomie des individus.

— La promotion de la santé en milieu organisationnel va s'effectuer dans les grandes organisations, puis ensuite dans les petites et moyennes entreprises, créant ainsi une augmentation de la demande pour le conseiller externe en promotion de la santé.

— L'utilisation accrue de l'ordinateur amènera une réorganisation de la main-d'oeuvre.

— Il y aura plusieurs alternatives possibles concernant la santé en milieu organisationnel.

— La génération du «babyboom» changera les organisations par son ampleur. Celle-ci transformera le milieu du travail durant les années 1980 et 1990.

Références citées dans le résumé de la thèse

BELL, D. (1973) *The coming of post-industrial society: a venture in social forecasting.* New-York: Basic Books Inc.

ENZER, S. (1972) Cross-impact techniques in technology assessment. *Futures,* 4, 1, 30-51.

FIELDING, J. (1979). Prevention medicine and the bottom line. *Journal of Occupational Medicine,* 21, 2, 79-88.

HANCOCK, T. (1982). Beyond health care: creating a healthy future. *The Futurist,* 16, 4, 4-13.

JANTSCH, E. (1979). *Technological planning and social futures.* New-York: John Wiley & Sons.

KREITNER, R. (1976). Employee physical fitness: protecting an investment in human resources. *Personnel Journal,* 55, 7, 340-344.

PHILIPS, J., ALLEN, G. (1979). Industrial health education: a model. *Health Values: Achieving High Level Wellness,* 3, 2, 95-98.

SEHNERT, K., TILLOTSON, J. (1978). *How business can promote good health for employees and their families.* Washington: National Chamber Foundation.

STOVER, J., GORDON, T. (1978). Cross-impact analysis *in* J. Fowles (Ed.) *Handbook of futures research.* Westport: The Greenwood Press.

Conclusion

En conclusion, nous tenterons de replacer la recherche et l'intervention dans leur contexte réel en réfutant certaines perceptions répandues auprès des gestionnaires. Beaucoup d'ambivalence se manifeste en regard de l'essence et de l'utilité de l'apport du spécialiste des organisations. Cette ambivalence se traduit dans un certain nombre d'énoncés où on ressent une dissociation intellectuelle qui place le chercheur-intervenant dans une niche à part, dans une niche isolée des «vraies» réalités organisationnelles. Ce genre d'attitude n'est pas de nature à bien faire ressortir l'impact et le rôle de l'analyse et de l'intervention dans la vie quotidienne de tout groupe ou de toute société.

Nous utiliserons trois opinions courantes qui nous permettront d'apporter certaines rectifications importantes en décrivant ce qu'est réellement l'utilité sociale de la recherche et de l'intervention.

«La recherche et l'intervention sont fondées sur une série de règles précises, claires, différentes et complètes.»

En général, les gens croient que les spécialistes des organisations agissent avec un caractère manifeste de précision puisque leur démarche se déroule selon une série de règles énoncées clairement. L'image populaire projetée est celle de la rigueur et certains vont jusqu'à croire que tout résultat obtenu constitue de fait une certitude. Il y a ici une certaine naïveté ou crédulité. Ce serait beaucoup trop beau ou trop simple s'il en était ainsi.

La méthodologie scientifique est d'abord et avant tout un état d'esprit. Malgré les règles formelles énoncées, la réalité organisationnelle est complexe et l'application de celles-ci ne se fait pas sans difficulté. Faire preuve de rigueur scientifique, ce n'est pas appliquer automatiquement une série de règles précises. Il s'agit fondamentalement d'avoir un esprit rigoureux, un esprit critique. Les règles de la méthodologie scientifique fournissent par contre un cadre de référence qui guide la réflexion et l'analyse critique du chercheur-intervenant. Malgré le caractère catégorique et le sens de sécurité associés au fait de formuler et d'appliquer les règles de la méthodologie scientifique, il ne faut pas perdre de vue que les réalités du monde du travail sont complexes et que le spécialiste des organisations n'est pas un observateur parfaitement objectif mais bien un être limité au niveau de ses capacités perceptuelles. La recherche et l'intervention ne sont donc pas l'application automatique de règles rigoureuses, simples et claires mais plutôt un état d'esprit continuellement présent chez le chercheur-intervenant.

Deuxièmement, il arrive fréquemment que les personnes divisent artificiellement, et selon un critère unique, les analyses selon leurs objectifs (explorer, décrire, expliquer), selon le contrôle exercé sur les variables (non expérimental, quasi expérimental ou expérimental), selon le site de réalisation choisi (terrain, laboratoire) et selon divers types de recherche (recherche-action, recherche évaluative, etc.). On suppose, implicitement et même explicitement, que chacune de ces approches se distingue par des règles ou des modalités de recherche et d'intervention complètes en soi. Chaque petite case n'a pas ses règles ou ses méthodes spécifiques essentiellement parce que l'existence de ces cases parfaitement séparées n'est pas conforme à la réalité. Le modèle intégré de recherche et d'intervention présenté antérieurement (figure 7) démontre bien l'interdépendance des trois axes du modèle: l'axe de l'objectif, l'axe du degré de contrôle des variables et l'axe du site de réalisation. Les divers types d'approche sont beaucoup plus floues qu'on le laisse croire généralement. Il est tout à fait plausible de penser qu'un chercheur-intervenant peut d'abord vouloir explorer un phénomène organisationnel pour ensuite tenter de le décrire et de l'expliquer. Cependant, ce dernier passera aisément, voire même naturellement, d'un niveau d'analyse à l'autre sans percevoir cette démarche comme des opérations distinctes. Il peut y avoir également un mouvement continu du laboratoire au terrain et l'inverse. Il faut considérer ici un processus dynamique continu et non une classification statique ou typologique. Dans un tel contexte, il est difficile et non souhaitable de vouloir en isoler artificiellement les multiples facettes de la recherche et de l'intervention.

D'ailleurs, cette interdépendance est bien mise en évidence quand on considère les diverses étapes de la méthodologie scientifique: position du problème, hypothèse, cueillette des données, analyse et interprétation des résultats. Jahoda et al. (1957) mentionnent que ce processus est constitué d'un certain nombre d'étapes fortement reliées entre elles. Celles-ci se chevauchent fréquemment plutôt que de se présenter selon une séquence prédéterminée où chaque étape suit la fin de la précédente. Les chercheurs-intervenants savent d'ailleurs fort bien que certaines erreurs produites dans les premières étapes ont des répercussions directes, souvent amplifiées, dans les étapes subséquentes de l'analyse. Les difficultés doivent être solutionnées immédiatement quand elles se présentent pour ne pas affecter, par la suite, les résultats de l'étude.

Enfin, l'interdépendance des règles et des moyens se traduit également dans les liens observés entre les diverses méthodes. En effet, le spécialiste ne doit pas considérer celles-ci comme des outils essentiellement indépendants les uns des autres. Par exemple, un questionnaire structuré peut être expédié par la poste ou répondu dans une relation face à face et devient alors une entrevue structurée. Le contenu d'une entrevue peut être transcrit verbatim et être soumis à une analyse de contenu. Dans une entrevue, le chercheur-intervenant évalue continuellement les réactions physiques du sujet et fait alors appel à l'observation. Essentiellement, la méthode de prévision Delphi peut utiliser des questionnaires ou des simulations individu-ordinateur. Le scénario peut faire appel à de nombreuses autres méthodes pour aller cueillir l'information, notamment l'entrevue, le questionnaire, la méthode Delphi. Tout comme le menuisier peut utiliser avec profit un outil à une fin non prévue, le spécialiste doit acquérir une bonne maîtrise de ses divers outils pour ensuite les adapter à des situations problématiques particulières et les utiliser en conjonction. Certains auteurs (Gingras, 1984; Reuchlin, 1973) suggèrent, à cause des limites inhérentes à chaque méthode de recherche et d'intervention, d'utiliser celles-ci de façon complémentaire. Ainsi, une méthode plus qualitative peut venir enrichir une méthode quantitative; une méthode plus axée sur l'approche de laboratoire peut permettre d'approfondir les résultats obtenus à l'aide d'une méthode de terrain. Concluons cette partie en s'appuyant sur Reuchlin (1973) qui doute que les variations observées sur certains caractères méthodologiques engendrent des discontinuités qui délimiteraient une méthodologie particulière. Ce qu'il faut ici retenir, c'est essentiellement l'interdépendance des méthodes.

«La recherche ou l'intervention est une activité spécifique et distincte dans la vie de toute société.»

Trop souvent, la recherche appliquée fut opposée à la recherche fondamentale, la recherche à l'action, le spécialiste au participant. Ces distinctions ne paraissent pas judicieuses et sont même fausses. Plutôt que de constituer des aspects distincts, il s'agit de fait d'aspects complémentaires dont il est très difficile de préciser les limites de chacun. Il y a en réalité une continuelle interpénétration entre ces dimensions apparemment opposées.

La recherche fondamentale a pour objet de décrire et d'expliquer les relations existantes ayant un certain degré de généralité au niveau des phénomènes organisationnels et sociaux. Ce type de recherche postule qu'il y a, dans la nature, certaines lois fondamentales qui se manifestent régulièrement dans certaines circonstances. C'est ainsi que le chercheur-intervenant veut élargir sa connaissance et sa compréhension du monde qui l'entoure. La recherche appliquée, pour sa part, prend son origine dans un problème spécifique posé à l'expert et son objectif ultime est d'y apporter une réponse ou une solution. Il s'agit donc de cas particuliers. Ainsi, la recherche appliquée veut mettre à la disposition du gestionnaire des explications ou des méthodes susceptibles d'améliorer ou de solutionner certaines situations. Ainsi, la recherche appliquée est essentiellement évaluée en fonction de son caractère pragmatique.

Peut-on parler de deux types totalement distincts de préoccupation? Certes non. Il est bien évident que la connaissance de cas particuliers (recherche appliquée) est susceptible d'alimenter la réflexion du spécialiste qui veut extraire de ceux-ci certaines règles ou lois plus généralisables (recherche fondamentale). L'inverse est tout aussi vrai. La connaissance de règles régissant certains comportements peut ensuite se traduire en application dans des cas spécifiques. Les deux types d'analyse s'alimentent et s'enrichissent mutuellement (Whyte, 1972). Vouloir changer certaines situations implique connaître suffisamment les règles de fonctionnement de ces réalités. Au plan des méthodes, elles ne varient guère selon qu'il s'agit de recherche fondamentale ou de recherche appliquée. Il peut être plus difficile d'appliquer certaines méthodes dans le contexte de la recherche appliquée que dans celui de la recherche fondamentale mais c'est plus une question de degré que de différence réelle.

Cette fausse distinction rappelle celle que les personnes effectuent entre la recherche et l'intervention: le spécialiste se préoccuperait peu de l'action tandis que l'homme d'action agirait sans passer son temps à chercher. Voilà encore ici une fausse perception basée sur la conception que la recherche est une activité distincte, séparée de la vie quotidienne. Reuchlin (1973) mentionne que «ces distinctions n'ont pas un caractère absolu». L'existence de la recherche-action souligne bien l'étroite relation qui existe entre la recherche et l'action. Dans ce contexte, l'existence d'une des composantes n'est justifiée que par l'existence de l'autre. Gauthier (1984) mentionne que la recherche-action est «l'articulation des théories et des pratiques dans une perspective de changement social». Alors que la recherche fondamentale met l'accent sur des connaissances généralisables et que la recherche appliquée a pour objectif de solutionner un problème spécifique, la recherche-action est une approche qui relie étroitement connaissance, application et changement. En ce sens, elle est donc évolutive. L'homme d'action fonde ses gestes sur des informations ou des connaissances alors que le chercheur-intervenant s'intéresse à des problématiques auxquelles il a été sensibilisé dans ses actions quotidiennes. Il est donc irréaliste d'isoler, d'une part, la recherche et, d'autre part, l'action. La recherche, en tant que démarche de cueillette et d'analyse d'informations, fait essentiellement partie intégrante de la vie ou de l'action.

Une autre distinction de moins en moins vraie est celle qui oppose le chercheur-intervenant et l'acteur. D'un côté, il y aurait l'expert; de l'autre, celui qui agit ou l'acteur. La recherche appliquée ne prend son sens véritable que s'il y a collaboration étroite entre le chercheur-intervenant et l'acteur. Le premier apporte sa compétence technique et son esprit critique alors que le second contribue au développement des connaissances par son sens d'observation des réalités organisationnelles et par son souci d'application. La recherche-action est basée justement sur la relation étroite qui existe entre le spécialiste et l'acteur. L'émergence du changement est le résultat d'une collaboration indispensable où il est quasi impossible de distinguer celui qui agit et celui qui cherche. L'expert est plongé dans l'action et l'acteur dans l'analyse critique du phénomène à l'étude. Cette réalité est d'ailleurs très bien illustrée dans la méthodologie des systèmes souples.

> «La recherche et l'intervention se situent à un moment précis dans le temps.»

Souvent, les critiques se sont faites acerbes relativement à la capacité des spécialistes de répondre aux problèmes actuels des organisations. On a mentionné que le chercheur-intervenant s'intéresse à des problématiques du passé. Si par hasard, il aborde un problème actuel, ce dernier sera dépassé lorsqu'il y répondra, etc. On lui reproche de ne pas être assez rapide pour accompagner l'action et encore moins pour la précéder et la guider.

Ces critiques, partiellement fondées, mettent en relief deux aspects particuliers: la fausse distinction perçue entre la recherche et l'action et une connaissance limitée des caractéristiques des méthodes. Premièrement, il est partiellement vrai que les chercheurs-intervenants et les acteurs n'ont pas toujours su épauler conjointement leurs efforts respectifs. Heureusement, comme nous l'avons signalé antérieurement, cette lacune existe de moins en moins puisque chacune des parties est bien consciente de l'apport indispensable de l'autre dans le développement et l'application des connaissances. Deuxièmement, les méthodes ont leurs caractéristiques spécifiques en termes de capacité à confronter le passé, le présent et le futur (figure 20).

Figure 20: **Caractéristiques des diverses méthodes
selon leur capacité à saisir l'espace temporel.**

	PASSÉ	PRÉSENT	FUTU

▶ MÉTHODES TRADITIONNELLES "OUVERTES"

    - Observation

    - Entrevue

    - Analyse de contenu

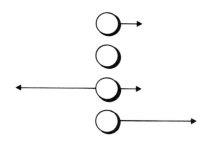

▶ MÉTHODES TRADITIONNELLES "CLOSES"

    - Sociométrie

    - Échelle d'attitude

    - Questionnaire de sondage

    - Simulation

▶ MÉTHODES NON-TRADITIONNELLES

    - Méthodologie des systèmes souples

    - Delphi

    - Scénario

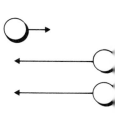

Bien que toute classification a tendance à simplifier la réalité, il est tout de même utile à la compréhension de faire ressortir la capacité de chaque méthode à saisir l'espace temporel:

Observation, échelle d'attitude

Essentiellement utilisées pour saisir ce qui se passe dans le présent.

Analyse de contenu

Porte surtout sur des documents déjà accumulés dans le passé mais peut également servir à l'analyse de documents plus près de l'actualité.

Entrevue et questionnaire de sondage

Servent généralement pour cueillir de l'information relative au présent, mais peuvent également se tourner vers le passé ou vers un futur proche.

Sociométrie, méthodologie des systèmes souples

Visent essentiellement le présent tout en ayant des visées d'application se situant dans un avenir généralement peu lointain.

Simulation

À partir d'une connaissance du présent, peut chercher des applications immédiates ou beaucoup plus loin dans l'avenir.

Delphi, scénario

Essentiellement tournés vers le futur, peuvent tout de même servir à l'étude de certaines problématiques actuelles.

Il est donc possible de constater le large éventail des méthodes selon leur capacité à saisir le réel à travers l'espace-temps. Si certaines méthodes sont plus utiles pour l'étude du passé et/ou du présent, d'autres sont résolument tournées vers le futur. Avec ces outils de grande valeur (bien qu'imparfaits), il ne reste qu'au chercheur-intervenant à faire preuve de maîtrise et d'imagination dans l'adaptation et l'utilisation de ceux-ci. L'analyse et l'action ne sont pas restreintes à un moment temporel limité. Elles traversent le temps et accompagnent les gestionnaires à travers les époques. S'il est impossible de vivre sans action, il est aussi impossible d'agir sans connaissance.

En terminant, il convient de souligner le relativisme méthodologique. Nous appuyons l'affirmation suivante de Reuchlin (1973): «La présentation que nous avons faite des principaux instruments d'étude et d'intervention dont on dispose dans les applications de la psychologie sociale laisse très certainement une impression de morcellement.» La cause principale de cette impression relève de l'absence d'unification théorique et pratique, ce qui occasionne tension et conflit. Il ne faut cependant pas perdre de vue que faire des études valables relève d'abord et avant tout d'un état d'esprit et ensuite, de méthodes et de techniques. C'est ce que nous avons essentiellement voulu porter à l'attention du lecteur. De plus, nous souhaitons que ce dernier, chercheur-intervenant ou consommateur de recherche, soit sensibilisé au fait que la recherche n'est pas une activité à part, isolée de l'action. Les deux sont étroitement reliées et s'appuient l'une sur l'autre puisque la recherche et l'action font partie de la vie de toute organisation.

Références
bibliographiques

ALLEN, T.H. (1978). *New methods in social science research.* New-York: Praeger.

ANASTASI, A. (1982). *Psychological testing.* New-York: McMillan Publishing.

ANCELIN-SCHUTZENBERGER, A. (1972). *La sociométrie.* Paris: Éditions Universitaires.

ARGYRIS, C. (1968). Some unintended consequences of rigorous research. *Psychological Bulletin,* 70, 3, p. 185-197.

AUBÉ, J. (1984). Les méthodes de recherche basées sur les entrevues en psychologie industrielle et organisationnelle. Document inédit. Département de Psychologie de l'Université de Montréal.

AUBIN, C. (1985). La méthodologie des systèmes souples comme méthode de recherche. Document inédit. Département de Psychologie de l'Université de Montréal.

BABBIE, E.R. (1979). *The practice of social research.* Belmont, Ca.: Wadsworth Publishing Company Inc.

BACKSTROM, C.H., HURSH, G.D. (1963). *Survey research.* Minneapolis: North Western University Press.

BAILEY, K.D. (1982). *Methods of social research.* London: MacMillan.

BALES, R.F. (1970). *Personality and interpersonal behavior.* New-York: Holt.

BALLAZ, B., BINET, P., GIROD, P., MICHALLAT, R. (1974). *La simulation de gestion: moyen de formation des cadres.* Paris: Presses Universitaires de France.

BARRETTE, J. (1984). Le scénario. Document inédit, Département de Psychologie de l'Université de Montréal.

BASTIN, G. (1961). *Les techniques sociométriques.* Paris: Presses Universitaires de France.

BEAUD, J.P. (1984). Les techniques d'échantillonnage *in* Gauthier, B., *Recherche sociale*, Québec: Presses de l'Université du Québec.

BEAUDOIN, O. (1983). Le questionnaire de sondage. Document inédit, Département de Psychologie de l'Université de Montréal.

BEAUGRAND, J. (1982). Observation directe du comportement *in* Robert, M., *Fondements et étapes de la recherche scientifique en psychologie*. Montréal: Chenelière et Stanké.

BÉLAND, F. (1984). La mesure des attitudes *in* Gauthier, B., *Recherche sociale*. Québec: Presses de l'Université du Québec.

BÉRARD, J. (1984). L'élaboration et la description d'un questionnaire sondage en psychologie industrielle et organisationnelle. Document inédit, Département de Psychologie de l'Université de Montréal.

BERELSON, B. (1952). *Content analysis in communications research*. New-York: Free Press.

BERGERON, J.L., CÔTÉ-LÉGER, N., JACQUES, J., BÉLANGER, L. (1979). *Les aspects humains de l'organisation*. Chicoutimi: Gaétan Morin Éditeur.

BERRY, D.F. (1967). *The politics of personnel research*. Ann Arbor, Mich.: University of Michigan.

BERTALANFFY, L.V. (1973). *Théorie générale des systèmes: physique, biologie, psychologie, sociologie, philosophie*. Paris: Presses Universitaires de France.

BISSON, M.J. (1984). Les méthodes de recherche basées sur la simulation en laboratoire en psychologie industrielle et organisationnelle. Document inédit, Département de Psychologie de l'Université de Montréal.

BLAIS, A. (1984). Le sondage *in* Gauthier, B., *Recherche sociale*. Québec: Presses de l'Université du Québec.

BLUET, J.C., ZÉMOR, J. (1977). Prospective géographique *in* Godet, M., *Crise de la prévision. Essor de la prospective*. Paris: Presses Universitaires de France.

BORDELEAU, Y., BRUNET, L., HACCOUN, R.R., RIGNY, A.J., SAVOIE, A. (1982). *Comprendre l'organisation: approches de recherche*. Montréal: Éditions Agence d'ARC Inc.

BOUCHARD, T.J. (1976). Field research methods: interviewing, questionnaires, participant observation, systematic observation, unobtrusive measures *in* Dunnette, M.D. (Eds) *Handbook of industrial and organizational psychology*. Chicago, Ill.: Rand McNally.

BROCKHOFF, K. (1975). The performance of forecasting groups in computer dialogue and face-to-face discussion, *in* Linstone, H.A., Turoff, M., *The Delphi method: techniques and applications*. Reading, Mass.: Addison-Wesley.

BYHAM, W.C. (1968). *The uses of personnel research*. New-York: American Management Association.

CENTRE DE SONDAGE (1983). *La pratique des sondages*. Montréal: Université de Montréal.

CHECKLAND, P.B. (1981). *Systems thinking, systems practice*. Chichester: John Wiley & Sons.

CHEVRIER, J. (1984). La spécification de la problématique *in* Gauthier, B., *Recherche sociale*. Québec: Presses de l'Université du Québec.

CHISMAN, F.P. (1976). *Attitude psychology and the study of public opinion*. Pittsburg, Penn.: Pennsylvania State University.

CHURCHMAN, C.W. (1964). Managerial acceptance of scientific recommendations. *California Management Review*, fall, p. 31-38.

CHURCHMAN, C.W., SCHAINBLATT, A.H. (1965). The researcher and the manager: a dialectic of implementation. *Management Science*, 11, 4, p. B69-B87.

CLAUX, R., GÉLINAS, A. (1982). *Systémique et résolution de problèmes selon la méthode des systèmes souples: guide d'utilisation*. Montréal: Éditions Agence d'ARC Inc.

CLAUX, R., GÉLINAS, A. (1982). *Pour un renouvellement de la systémique: systèmes souples, changement émergent et recherche-action (Série de six vidéogrammes)*. Montréal: Éditions Agence d'ARC Inc.

DAIGLE, J. (1983). La simulation en laboratoire. Document inédit, Département de Psychologie de l'Université de Montréal.

DALKEY, N.C., HELMER, O. (1963). An experimental application of the Delphi method to the use of experts. *Management Science*, 9, 3, 458-467.

DANEAU, G. (1984). Les méthodes de recherche basées sur les échelles d'attitude en psychologie industrielle et organisationnelle. Document inédit, Département de Psychologie de l'Université de Montréal.

DAUNAIS, J.P. (1984). L'entretien non directif *in* Gauthier, B., *Recherche sociale*. Québec: Presses de l'Université du Québec.

DEBATY, P. (1967). *La mesure des attitudes*. Paris: Presses Universitaires de France.

DELBECQ, A.L., VANDEVEN, A.H., GUSTAFSON, D.H. (1975). *Group techniques for program planning*. Glenview: Scott, Foresman & Co.

DEMERS, B. (1981). *La méthode scientifique en psychologie*. Montréal: Décarie Éditeur Inc.

DESBIENS, D. (1978). Étude intraculturelle des valeurs connotatives des cadres francophones du Québec. Thèse de doctorat inédite présentée au Département de Psychologie de l'Université de Montréal.

DIMOCK, H.G. (1978). The use of systems-improvment research in developing a change strategy for human-service organizations. *Group and Organizations Studies*, 3, 3, p. 365-375.

DOLAN, S. (1980). *Recrutement, sélection et placement*. Montréal: Université de Montréal.

DROR, Y. (1973). Futures studies and management development. *Futures*, 5, 6, 536-542.

DUBUC, C. (1983). Les échelles d'attitude. Document inédit, Département de Psychologie de l'Université de Montréal.

DUNHAM, R.B., SMITH, F.J. (1979). *Organizational surveys: an internal assessment of organizational health*, Glenview: Scott, Foresman and Company.

DUNNETTE, M.D. (1979). Fads, fashions, and folderol in psychology *in* Mowday, R.T., Steers, R.M., *Research in organizations: issues and controversies.* Santa Monica, Ca.: Goodyear Publishing Inc.

DUNNETTE, M.D., BASS, B.M. (1963). Behavioral scientists and personnel management. *Industrial Relations,* 2, 3, p. 115-130.

DURAND, J. (1972). A new method for constructing scenarios. *Futures,* December, p. 325-330.

ELLINGSTAD, V., HEIMSTRA, N.W. (1974). *Methods in the study of human behavior.* Monterey, Ca.: Brooks/Cole Publishing Co.

EMORY, C.W. (1980). *Business research methods.* Homewood, Ill.: Richard D. Irwin.

FERGUSON, L.L. (1964). Social scientists in the plant. *Harvard Business Review,* 42, 3, p. 133-143.

FERMAN, G.S., LEVIN, J. (1975). *Social science research: a handbook for students.* New-York: John Wiley & Sons.

FESTINGER, L., KATZ, D. (1953). *Research methods in the behavioral sciences.* New-York: Holt, Rinehart and Winston.

FESTINGER, L., KATZ, D. (1959). *Les méthodes de recherche dans les sciences sociales.* Paris: Presses Universitaires de France.

FIEDLER, J. (1978). *Field research.* San Francisco, Ca.: Jossey-Bass Publishers.

FISHBEIN, M., AJZEN, I. (1975). *Belief, attitude, intention and behavior.* Reading, Mass.: Addison Wesley.

FORCESE, D.P., RICHER, S. (1973). *Social research methods,* Englewood Cliffs: Prentice-Hall Inc.

FUSFELD, A.R., FOSTER, N. (1971). The Delphi technique: survey and comment. *Business Horizons,* June, p. 63-72.

GAUDREAULT, C. (1984). L'analyse du contenu de sources documentaires. Document inédit, Département de Psychologie de l'Université de Montréal.

GAUTHIER, B. (1984). *Recherche sociale.* Québec: Presses de l'Université du Québec.

GINGRAS, F.P. (1984). Sociologie de la connaissance *in* Gauthier, B., *Recherche sociale.* Québec: Presses de l'Université du Québec.

GINGRAS, N. (1983). L'entrevue. Document inédit, Département de Psychologie de l'Université de Montréal.

GODET, M. (1977). *Crise de la prévision. Essor de la prospective.* Paris: Presses Universitaires de France.

GOLDHABER, B.H. (1979). *Organizational communication.* Dubuque, Iowa: Brown Publishers.

GOODE, C.E. (1966). Putting organizational research to use *in* Bowers, R.V. *Studies on behavior in organizations: a research symposium.* Athens: University of Georgia Press.

GUETZKOW, H. (1962). *Simulation in social sciences: readings.* Englewood Cliffs: Prentice Hall.

GUETZKOW, H., KOTLER, P., SCHULTZ, R.L. (1972). *Simulation in social and administrative sciences: overviews and case-examples.* Englewood Cliffs: Prentice-Hall.

HANLON, M.D. (1980). Observational methods in organizational assessment *in* Lawler III, E.E., Nadler, D.A., Cammann, C., *Organizational Assessment,* New-York: Wiley & Sons.

HARRIS, R.H. (1963). How to sell management on personnel research. *Employee Relations Bulletin,* 874, p. 1-5.

HELMSTADTER, G.C. (1970). *Research concepts in human behavior: education, psychology and sociology.* New-York: Appleton, Century, Crofts.

HOLLINSHEAD, B., YORKE, M. (1981). *Perspectives on academic gaming and simulation.* London: Kogan Page Limited.

HOLSTI, O.R. (1969). *Content analysis for the social sciences and humanities.* Reading, Mass.: Addison-Wesley.

IERONCIG, A. (1983). La méthode Delphi. Document inédit, Département de Psychologie de l'Université de Montréal.

JACKSON, M.C. (1983). The nature of soft systems thinking: comment on three replies. *Journal of Applied Systems Analysis,* 10, p. 109-113.

JAHODA, M., DEUTSCH, M., COOK, S.W. (1957). *Research methods in social relations.* New-York: The Dryden Press.

JANTSCH, E. (1967). *La prévision technologique.* Paris: O.C.D.E.

JENKINS, G.D., NADLER, D.A., LAWLER III, E.E. (1975). Standardized observations: an approach to measuring the nature of jobs. *Journal of Applied Psychology,* 60, 2, p. 171-181.

JONES, W.O. (1978). The determination of future user requirement for an existing management information system using a delphic methodology, Doctoral dissertation, University of Georgia.

JULIEN, P.A., LAMMONDE, P., LATOUCHE, D. (1974). *Travaux et recherche en prospective. La méthode du scénario.* Paris: La Documentation Française.

KAHN, H. (1974). *The future of the corporation.* New-York: Mason and Lipscomb.

KELLY, M. (1984). L'analyse de contenu *in* Gauthier, B., *Recherche sociale.* Québec: Presses de l'Université du Québec.

KERLINGER, F.N. (1973). *Foundations of behavioral research.* New-York: Holt, Rinehart & Winston.

KIENTZ, A. (1971). *Pour analyser les médias: l'analyse de contenu.* Paris: Maison Mame.

KILLEEN, J. (1984). La méthode Delphi comme technique de recherche en psychologie industrielle et organisationnelle. Document inédit, Département de Psychologie de l'Université de Montréal.

KORMAN, A. (1971). *Industrial and organizational psychology.* Englewood Cliffs: Prentice Hall Inc.

LADOUCEUR, R., BÉGIN, G. (1980). *Protocoles de recherche en sciences appliquées et fondamentales.* St-Hyacinthe, Qué.: Édisem Inc.

LAITIN, Y.J. (1964). Human relations research — a key to productivity. *Management of Personnel Quarterly,* 3, 1, p. 8-14.

LAPERRIÈRE, A. (1984). L'observation directe *in* Gauthier, B., *Recherche sociale.* Québec: Presses de l'Université du Québec.

LAVIOLETTE, P. (1985). Présentation de l'entrevue comme méthode de recherche. Document inédit. Département de Psychologie de l'Université de Montréal.

LAYOLE, G. (1982). *La conduite d'entretiens.* Paris: Les Éditions d'Organisation.

LEMIEUX, C. (1985). Le scénario comme méthode de recherche. Document inédit. Département de Psychologie de l'Université de Montréal.

LEMON, N. (1973). *Attitudes and their measurement.* New-York: John Wiley & Sons.

LIKERT, R. (1932). A technique for the measurement of attitudes. *Archives of Psychology,* no. 140.

LINDZEY, G., BYRNE, D. (1969). Measurement of social choice and interpersonnal attractiveness *in* Lindzey, G., Aronson, E., *Handbook of social psychology.* Reading, Mass.: Addison-Wesley.

LINNEMAN, R.E., KLEIN, H.E. (1979). The uses of multiple scenarios by U.S. industrial companies. *Long Range Planning,* 12, 1, p. 83-90.

LINSTONE, H.A., TUROFF, M. (1975). *The Delphi method: techniques and applications.* Reading, Mass.: Addison-Wesley.

LORTIE, J. (1984). La sociométrie appliquée au milieu industriel et organisationnel. Document inédit, Département de Psychologie de l'Université de Montréal.

LUC, E. (1984). Les méthodes de recherche basées sur l'observation en psychologie industrielle et organisationnelle. Document inédit, Département de Psychologie de l'Université de Montréal.

MAIER, N.R.F. (1955). *Psychology in industry.* Boston: Houghton Miffin Co.

MAISONNEUVE, J. (1965). La sociométrie et l'étude des relations préférentielles *in* De Montmollin, G., Lambert, R., Pagès, R., Flament, C., Maisonneuve, J., *Traité de psychologie expérimentale: psychologie sociale.* Paris: Presses Universitaires de France.

MAKRIDAKIS, S., WHEELWRIGHT, S.C. (1974). *Choix et valeurs des méthodes de prévision.* Paris: Les Éditions d'Organisation.

MARTINO, J.P. (1983). *Technological forecasting for decision making.* New-York: Elsevier Science Publishers.

MASON, E.J., BRAMBLE, W.J. (1978). *Understanding and conducting research: applications in education and the behavioral sciences.* New-York: McGraw-Hill Book Co.

MASSIE, S. (1984). Les méthodes de recherche basées sur la méthodologie des systèmes souples en psychologie industrielle et organisationnelle. Document inédit, Département de Psychologie de l'Université de Montréal.

McCALL, G.J., SIMMONS, J.L. (1969). *Issues in participant observation: A test and reader.* Reading, Mass.: Addison Wesley.

McCORMICK, E.J. (1961). The use of research in personnel decision making. *Personnel Administration,* 24, 5, p. 23-32.

McGRATH, J.E. (1979). Toward a «theory of method» for research on organizations *in* Mowday, R.T., Steers, R.M. *Research in organizations: issues and controversies.* Santa Monica, Ca.: Goodyear Publishing Inc.

MEIER, R.C., NEWELL, V.T., PAZER, H.L. (1969). *Simulation in business and economics.* Englewood Cliffs: Prentice Hall.

MELLOS, K. (1984). La dichotomie faits-valeurs dans la science empirico-analytique *in* Gauthier, B., *Recherche sociale.* Québec: Presses de l'Université du Québec.

MILLER, D.C. (1977). *Handbook of research design and social measurement.* New-York: David McKay Co.

MOLES, A., DUGUET, M. (1966). *Les communications dans l'entreprise.* Paris: Entreprise Moderne d'Édition.

MOLLOY, K.J., BEST, D. (1982). The Checkland methodology considered as a theory building methodology. *Journal of Applied Systems Analysis,* 8, p. 129-132.

MONGEAU, S. (1985). L'observation comme méthode de cueillette d'informations. Document inédit, Département de Psychologie de l'Université de Montréal.

MORENO, J.L. (1954). *Fondements de la sociométrie.* Paris: Presses Universitaires de France.

MORVAL, J., VAN GRUNDERBEECK, N. (1977). Enquête sociométrique concernant le leadership et la popularité des adolescents en milieu scolaire. *Revue des Sciences de l'Éducation,* III, 1, p. 25-35.

MOSER, C.A., KALTON, G. (1972). *Survey methods in social investigation,* New-York: Basic Books Inc.

MUCHIELLI, R. (1973). *Organigramme et sociogramme.* Paris: Entreprise Moderne d'Édition.

MUCHIELLI, R. (1974). *L'analyse de contenu des documents et des communications.* Paris: Entreprise Moderne d'Édition et les Éditions ESF.

MURDICK, R.G. (1969). *Business research: concept and practice.* Scranton, Penn.: International Textbook Company.

NADLER, D.A., JENKINS, G.D. (1983). Observer ratings of job characteristics *in* Seashore, E.E., Lawler III, E.E., Mirvis, P., Cammann, C. (Eds) *Assessing organizational change.* New-York: Wiley.

NORTHWAY, M. (1967). *Primer of sociometry.* Toronto: University of Toronto Press.

OUELLET, A. (1981). *Processus de recherche: une approche systémique.* Québec: Presses de l'Université du Québec.

OSGOOD, C.E., SUCI, C.J., TANNENBAUM, P.H. (1957). *The measurement of meaning.* Urbana, Ill.: University of Illinois Press.

PAQUETTE, C. (1975). *Techniques sociométriques et pratiques pédagogiques.* Victoriaville, Québec: Éditions NHP.

PATTEN, T.H. (1965). Personnel research: status key. *Management of Personnel Quarterly*, 4, 3, p. 15-23.

PRITSKER, A.B., PEGDEN, C.D. (1979). *Introduction to simulation and slam.* New-York: Halsted Press.

RACICOT, N. (1985). Les échelles d'attitudes comme méthode de recherche. Document inédit. Département de Psychologie de l'Université de Montréal.

RAGAULT, M. (1983). La méthodologie des systèmes souples. Document inédit, Département de Psychologie de l'Université de Montréal.

RANCOURT, F. (1985). L'analyse des sources documentaires: l'analyse de contenu. Document inédit, Département de Psychologie de l'Université de Montréal.

RAVEN, W., WALTERS, D. (1975). *Promotional media in the next decade.* Bradford, England: MCB Books.

REEVES, T.K., HARPER, D. (1981). *Surveys at work: a practioner's guide.* New-York: McGraw-Hill Book Co.

REUCHLIN, M. (1973). *Traité de psychologie appliquée.* Paris: Presses Universitaires de France.

RICHARDS, W.D.J. (1975). *A manual for network analysis (using the NECOPY network analysis program).* Palo Alto, Ca: Stanford University, Institute for Communication Research.

RIGBY, P.H. (1965). *Conceptual foundations of business research.* New-York: John Wiley and Sons Inc.

ROBINSON, J.P., SHAVER, P.R. (1973). *Measures of social psychological attitudes.* Ann Arbor, Mi: Institute for Social Research.

ROBINSON, J.P., ATHANASIOU, R., HEAD, K.B. (1969). *Measures of occupational attitudes and occupational characteristics.* Ann Arbor, Mi.: Institute for Social Research.

ROKEACH, M. (1968). *Beliefs, attitudes and values.* San Francisco, Ca.: Jossey-Bass.

ROUSSEL, S. (1985). La méthode Delphi. Document inédit, Département de Psychologie de l'Université de Montréal.

SACKMAN, H. (1975). *Delphi critique.* Toronto: Lexington Books.

SASLOW, C.A. (1982). *Basic research methods.* Reading, Mass.: Addison Wesley Publishing Co.

SCHEIBE, M., SKUTSCH, M., SCHOFER, J. (1975). Experiments in Delphi methodology, *in* Linstone, H.A., Turoff, M., *The Delphi method: techniques and applications.* Reading, Mass.: Addison-Wesley.

SCHRERENBERGER, J. (1982). The development of Lancaster soft systems methodology: a review and some personal remarks from a sympathetic critic. *Journal of Applied Systems Analysis*, 9, p. 87-98.

SECRÉTARIAT DES ACTIVITÉS STATISTIQUES FÉDÉRALES (1981). *Conception des questionnaires. Manuel d'atelier.* Ottawa: Statistiques Canada.

SELLTIZ, C., WRIGHTSMAN, I.S., COOK, S.W. (1977). *Les méthodes de recherche en sciences sociales.* Montréal: Les Éditions HRW Ltée.

SHAW, M.E., WRIGHT, J.M. (1967). *Scales for the measurement of attitudes.* New-York: McGraw-Hill.

SOMMER, R., SOMMER, B.B. (1980). *A practical guide to behavioral research.* New-York: Oxford University Press.

SONQUIST, J.A., DUNKELBERG, W.C. (1977). *Survey and opinion research: procedures for processing and analysis.* Englewood Cliffs: Prentice Hall Inc.

STAW, B.M. (1979). The experimenting organization: problems and prospects *in* Mowday, R.T., Steers, R.M. *Research in organizations: issues and controversies.* Santa Monica, Ca.: Goodyear Publishing Inc.

ST-JULES, H. (1983). Le scénario. Document inédit, Département de Psychologie de l'Université de Montréal.

SUMMERS, G.F. (1970). *Attitude measurement.* Chicago, Ill.: Rand McNally.

TERSINE, R.J., RIGGS, W.E. (1976). The Delphi technique: a long-range planning tool. *Business Horizons,* April, p. 51-56.

THORNTON, G.C. (1969). Image of industrial psychology among personnel administrators. *Journal of Applied Psychology,* 5, p. 436-438.

THURSTONE, L.L., JONES, L.V. (1959). The rational origin for measuring subjective values *in* Thurstone, L.L., *The measurement of values.* Chicago: University of Chicago Press.

TIANO, A. (1974). *La méthode de la prospective.* Paris: Dunod.

TIFFIN, J., McCORMICK, E.J. (1967). *Psychologie industrielle.* Paris: Presses Universitaires de France.

TOUNDJIAN, I. (1985). Le questionnaire de sondage comme méthode de recherche. Document inédit, Département de Psychologie de l'Université de Montréal.

TREMBLAY, M.A. (1968). *Initiation à la recherche dans les sciences humaines.* Montréal: McGraw-Hill.

TRIANDIS, H.C. (1971). *Attitude and attitude change.* New-York: John Wiley & Sons Inc.

WHYTE, W.F. (1972). The behavioral sciences and manpower research *in* Berg, I. *Human resources and economic welfare.* New-York: Columbia University Press.

WILSON, A.T.M. (1969). Problems of implementing management research *in* Farrow, N. *Progress of management research.* Baltimore, Mar.: Penguin Books.

WILSON, I.H. (1978). Scenarios *in* Fowles, J., *Handbook of future research.* Westport: Greenwood.

ZENTNER, R. (1978). Scenarios *in* Fowles, J., *Handbook of future research.* Westport: Greenwood.

Chez le même éditeur

COLLECTION
«*Psychologie industrielle et organisationnelle*»

SOUS LA DIRECTION DE M. Y. BORDELEAU
Département de psychologie, Université de Montréal

Achevé d'imprimer
en septembre 1987 sur les presses
des Ateliers Graphiques Marc Veilleux Inc.
Cap-Saint-Ignace, Qué.